# WEBSTER'S MISPELLER'S DICTIONARY

(corrections shown: **S** inserted before "MISPELLER'S" → MISSPELLER'S; **A** inserted in "DICTIONERY" → DICTIONARY)

Prepared by the editors of
Webster's New World Dictionary

PRENTICE HALL PRESS

Copyright © 1983 by Simon & Schuster
All rights reserved
including the right of reproduction
in whole or in part in any form
Published by New World Dictionaries/Prentice Hall Press
A Division of Simon & Schuster, Inc.
Gulf+Western Building
One Gulf+Western Plaza
New York, New York 10023
PRENTICE HALL PRESS, TREE OF KNOWLEDGE,
WEBSTER'S NEW WORLD and colophons are trademarks of
Simon & Schuster, Inc.
Manufactured in the United States of America

# FOREWORD

Before the eighteenth century, people spelled English words just about as they wanted to. That made for considerable confusion, and as literacy became more widespread, dictionary makers, such as Samuel Johnson, attempted to standardize English spelling, mainly on the basis of word origins. Those efforts resulted in a relatively stabilized English orthography. But as pronunciations continued to change and spellings remained fixed, confusion arose again, and today even writers of intellectual standing often hesitate about whether to use an *s* or a *z* in *exercise* or find themselves writing "miniscule." And dictionary editors often hear the plaint, "How do I find it in a dictionary if I can't spell it?"

This book has been prepared to help you do just that. If you have sought a word in a dictionary and have been unable to find it, or if you are just uncertain about a word, look for it in this list under the spelling you think it may have. Chances are good that you will find it here, for the left-hand columns consist of an alphabetical list of common misspellings, phonetic respellings, and homonyms (words that sound alike but are spelled differently and that are sometimes confused). The right-hand columns contain the correct spellings, in boldface type and, as an added feature, tiny centered dots that show where the words are conventionally broken at the ends of lines. In the case of homonyms or of words that look somewhat alike (such as *marital* and *martial*), you will find an identifying word or phrase, set in italic type within parentheses.

In selecting misspelled forms to show in this word list, often more than one for a word, the editors have concentrated on those errors that are commonly made, especially in the following general categories:

1) uncertainty about whether a consonant is doubled, as *mispelling, Massachusets, gallactic,* etc.
2) uncertainty about the order of vowels, as *siezure, seige,* etc.
3) errors resulting from mispronunciation, as *momento, dias, mushmelon,* etc.
4) homonyms, or words that have the same pronunciation but different meanings, as *bore* and *boar, maze* and *maize,* etc.
5) unrelated words that have similar spellings that cause confusion, as *dairy* and *diary*
6) the dropping or slurring over of a vowel or syllable in pronunciation, as *menstrate, mathmatics,* etc.
7) the adding of a vowel, as *mayorality, athelete,* etc.
8) the confusion of one word with some other well-known word, as *hairbrained, cold slaw,* etc.
9) complete confusion, which covers all the other possibilities that require a phonetic respelling

In addition we have also indicated pairings of words that often cause confusion:

1) singulars and plurals, as *crisis* and *crises, basis* and *bases,* etc.
2) masculine and feminine forms, as *fiancé* and *fiancée, alumni* and *alumnae,* etc.
3) nouns and verbs, as *breath* and *breathe*

Such pairs or groups of words also have identifying notes in italics and within parentheses following the correct spelling. In addition to brief definitions, other information may be given to assist in identifying the correct spelling. The following abbreviations are used:

| | | | |
|---|---|---|---|
| *adj.* | adjective | *poss.* | possessive |
| *adv.* | adverb | *pp.* | past participle |
| *aux.v.* | auxiliary verb | *prep.* | preposition |
| *conj.* | conjunction | *pron.* | pronoun |
| *f.* | feminine | *prp.* | present participle |
| *interj.* | interjection | *pt.* | past tense |
| *m.* | masculine | *sing.* | singular |
| *n.* | noun | *v.* | verb |
| *pl.* | plural | | |

For words having more than one acceptable spelling, only the first spelling given in *Webster's New World Dictionary*, Second College Edition, is shown here.

If the spelling cannot be found in the misspelled words column, the following Word Finder Table may help in determining the correct spelling. Pronounce the word as correctly as possible, think of it in terms of its pronounced syllables, and consult the table for the most common spellings for the sounds of those syllables.

| If the sound is like the... | try also the spelling... | as in the words... |
|---|---|---|
| a in fat | ai, au | pl*ai*d, dr*au*ght |
| a in lane | ai, ao, au, ay, ea, ei, eigh, et, ey | r*ai*n, g*ao*l, g*au*ge, r*ay*, br*ea*k, r*ei*n, w*eigh*, sach*et*, th*ey* |
| a in care | ai, ay, e, ea, ei | *ai*r, pr*ay*er, th*e*re, w*ea*r, th*ei*r |
| a in father | au, e, ea | g*au*nt, s*e*rgeant, h*ea*rth |
| a in ago | e, i, o, u, *and combinations, as* ou | ag*e*nt, san*i*ty, c*o*mply, f*o*cus, vic*iou*s |

| If the sound is like the... | try also the spelling... | as in the words... |
|---|---|---|
| b in big | bb | rubber |
| ch in chin | tch, ti, tu | catch, question, nature |
| d in do | dd, ed | puddle, called |
| e in get | a, ae, ai, ay, ea, ei, eo, ie, u | any, aesthete, said, says, bread, heifer, leopard, friend, bury |
| e in equal | ae, ay, ea, ee, ei, eo, ey, i, ie, oe | alumnae, quay, lean, free, deceit, people, key, machine, chief, phoebe |
| e in here | ea, ee, ei, ie | ear, cheer, weird, bier |
| er in over | ar, ir, or, our, re, ur, ure, yr | liar, elixir, author, glamour, acre, augur, measure, zephyr |
| f in fine | ff, gh, lf, ph | cliff, laugh, calf, phrase |
| g in go | gg, gh, gu, gue | egg, ghoul, guard, prologue |
| h in hat | wh | who |
| i in it | a, e, ee, ia, ie, o, u, ui, y | usage, English, been, carriage, sieve, women, busy, built, hymn |
| i in kite | ai, ay, ei, ey, ie, igh, uy, y, ye | aisle, aye, sleight, eye, tie, nigh, buy, fly, rye |
| j in jam | d, dg, di, dj, g, gg | graduate, judge, soldier, adjective, magic, exaggerate |
| k in keep | c, cc, ch, ck, cqu, cu, lk, q, qu, que | can, account, chorus, tack, lacquer, biscuit, walk, quick, liquor, baroque |
| l in let | ll, sl | call, isle |
| m in me | chm, gm, lm, mb, mm, mn | drachm, paradigm, calm, limb, drummer, hymn |
| n in no | gn, kn, mn, nn, pn | gnu, kneel, mnemonic, dinner, pneumatic |
| ng in ring | n, ngue | pink, tongue |

vi

| If the sound is like the... | try also the spelling... | as in the words... |
| --- | --- | --- |
| o in go | au, eau, eo, ew, oa, oe, oh, oo, ou, ough, ow | m*au*ve, b*eau*, y*eo*man, s*ew*, b*oa*t, t*oe*, *oh*, br*oo*ch, s*ou*l, d*ough*, r*ow* |
| o in long | a, ah, au, aw, oa, ou | *a*ll, Ut*ah*, fr*au*d, th*aw*, br*oa*d, *ough*t |
| oo in tool | eu, ew, o, oe, ou, ough, u, ue, ui | man*eu*ver, dr*ew*, m*o*ve, sh*oe*, gr*ou*p, thr*ough*, r*u*le, bl*ue*, fr*ui*t |
| oo in look | o, ou, u | w*o*lf, w*ou*ld, p*u*ll |
| oi in oil | oy | t*oy* |
| ou in out | ough, ow | b*ough*, cr*ow*d |
| p in put | pp | cli*pp*er |
| r in read | rh, rr, wr | *rh*yme, be*rr*y, *wr*ong |
| s in sew | c, ce, ps, sc, sch, ss | *c*ent, ri*ce*, *ps*ychology, *sc*ene, *sch*ism, mi*ss* |
| sh in ship | ce, ch, ci, s, sch, sci, se, si, ss, ssi, ti | o*ce*an, ma*ch*ine, fa*ci*al, *s*ure, *sch*wa, con*sci*ence, nau*se*ous, ten*si*on, i*ss*ue, fi*ssi*on, na*ti*on |
| t in top | ed, ght, pt, th, tt | walk*ed*, bou*ght*, *pt*omaine, *th*yme, be*tt*er |
| u in cuff | o, oe, oo, ou | s*o*n, d*oe*s, fl*oo*d, d*ou*ble |
| u in use | eau, eu, eue, ew, ieu, iew, ue, ui, you, yu | b*eau*ty, f*eu*d, qu*eue*, f*ew*, ad*ieu*, v*iew*, c*ue*, s*ui*t, *you*th, *yu*le |
| ur in fur | ear, er, eur, ir, or, our, yr | l*ear*n, g*er*m, haut*eur*, b*ir*d, w*or*d, sc*our*ge, m*yr*tle |
| v in vat | f, lv, ph | o*f*, sa*lv*e, Ste*ph*en |
| w in will | o, u, wh | ch*o*ir, q*u*aint, *wh*eat |
| y in you | i, j | on*i*on, hallelu*j*ah |
| z in zero | s, sc, ss, x, zz | bu*s*y, di*sc*ern, *sc*issors, *x*ylophone, bu*zz*er |

| If the sound is like the... | try also the spelling... | as in the words... |
| --- | --- | --- |
| z in azure | ge, s, si, zi | garage, leisure, fusion, glazier |

Sometimes, certain letter combinations (rather than single sounds) cause problems when you are trying to find a word. Here are some common ones:

| If you've tried... | then try... | If you've tried... | then try... | If you've tried... | then try... |
| --- | --- | --- | --- | --- | --- |
| pre | per, pro, pri, pra, pru | cks, gz | x | fiz | phys |
|  |  | us | ous | ture | teur |
| per | pre, pir, pur, par, por | tion | sion, cion, cean, cian | tious | seous |
| is | us, ace, ice | le | tle, el, al | ance | ence |
| ere | eir, ear, ier | kw | qu | ant | ent |
| wi | whi | cer | cre | able | ible |
| we | whe | ei | ie | sin | syn, cin |
| zi | xy | si | psy, ci |  | cyn |

As a final note, when you find the word you are seeking, allow your eye to set the correct spelling, in boldface type, syllable by syllable in your mind. In that way you may discover that just one or two referrals to the word will fix it for you permanently.

This listing has been prepared by the following editors on the staff of *Webster's New World Dictionary*: Jonathan Goldman, Jennifer Robinson, and Donald Stewart.

# A

| WRONG | RIGHT | WRONG | RIGHT |
|---|---|---|---|
| abalish | **abol·ish** | abhorent | **ab·hor·rent** |
| abaminable | **abom·i·na·ble** | abillity | **abil·i·ty** |
| abarigine | **ab·o·rig·i·ne** | abiss | **abyss** |
| abayance | **abey·ance** | abjeck | **ab·ject** |
| abbacus | **ab·a·cus** | abjective | **ob·jec·tive** |
| abbandon | **aban·don** | abligation | **ob·li·ga·tion** |
| abbatement | **abate·ment** | abligatory | **ob·lig·a·to·ry** |
| abberation | **ab·er·ra·tion** | abliterate | **ob·lit·er·ate** |
| abbolition | **ab·o·li·tion** | ablong | **ob·long** |
| abbortion | **abor·tion** | abnormallity | **ab·nor·mal·i·ty** |
| abbundant | **abun·dant** | abnormel | **ab·nor·mal** |
| abcence | **ab·sence** | abnoxious | **ob·nox·ious** |
| abcess | **ab·scess** | abominible | **abom·i·na·ble** |
| abdacate | **ab·di·cate** | abored | **aboard** |
| abdaminal | **ab·dom·i·nal** | aborrigine | **ab·o·rig·i·ne** |
| abducktion | **ab·duc·tion** | abowt | **about** |
| abedience | **obe·di·ence** | abrasieve | **ab·ra·sive** |
| abel | **able** | abrazion | **ab·ra·sion** |
| abelisk | **ob·e·lisk** | abrest | **abreast** |

| WRONG | RIGHT | WRONG | RIGHT |
|---|---|---|---|
| abreviate | ab·bre·vi·ate | abzorb | ab·sorb *(take in)* |
| abriged | abridged | abzurd | ab·surd |
| abrup | abrupt | academicly | aca·dem·i·cal·ly |
| absalutely | ab·so·lute·ly | a capella | a cap·pel·la |
| absalve | ab·solve | accademy | acad·e·my |
| abscand | ab·scond | Accapulco | Aca·pul·co |
| abscene | ob·scene | accede | ex·ceed *(surpass)* |
| abscent | ab·sent | accellerator | ac·cel·er·a·tor |
| abscure | ob·scure | accept | ex·cept *(omit)* |
| absense | ab·sence | accepted | ex·cept·ed *(left out)* |
| absequious | ob·se·qui·ous | acceptible | ac·cept·a·ble |
| abserd | ab·surd | access | ex·cess *(surplus)* |
| absess | ab·scess | accessable | ac·ces·si·ble |
| absession | ob·ses·sion | accessary | ac·ces·so·ry |
| absidian | ob·sid·i·an | accidently | ac·ci·den·tal·ly |
| abskond | ab·scond | acclusion | oc·clu·sion |
| absolete | ob·so·lete | accollade | ac·co·lade |
| absolutly | ab·so·lute·ly | accomodation | ac·com·mo·da·tion |
| absorbant | ab·sorb·ent | accompanyment | ac·com·pa·ni·ment |
| absorbtion | ab·sorp·tion | accoustic | acous·tic |
| abstacle | ob·sta·cle | accrew | ac·crue |
| abstane | ab·stain | accross | across |
| abstanent | ab·sti·nent | accult | oc·cult |
| abstetrics | ob·stet·rics | accummulate | ac·cu·mu·late |
| abstinant | ab·sti·nent | accupational | oc·cu·pa·tion·al |
| abstinense | ab·sti·nence | accupuncture | acu·punc·ture |
| abstrack | ab·stract | accurasy | ac·cu·ra·cy |
| abtrusive | ob·tru·sive | accurrate | ac·cu·rate |
| abundent | abun·dant | accute | acute |
| abusave | abu·sive | accuzation | ac·cu·sa·tion |
| abuze | abuse | | |
| abzolve | ab·solve | | |

| WRONG | RIGHT | WRONG | RIGHT |
|---|---|---|---|
| acede | **ac·cede** *(agree)* | Acquarius | **Aquar·i·us** |
| acedemically | **aca·dem·i·cal·ly** | acquiesence | **ac·qui·es·cence** |
| acelerator | **ac·cel·er·a·tor** | acrabat | **ac·ro·bat** |
| acent | **ac·cent** *(emphasis)* | acrage | **acre·age** |
| acept | **ac·cept** *(receive)* | acramonious | **acri·mo·ni·ous** |
| aceptable | **ac·cept·a·ble** | acrilic | **acryl·ic** |
| acepted | **ac·cept·ed** *(approved)* | acrue | **ac·crue** |
| acerage | **acre·age** | acsend | **as·cend** |
| acess | **ac·cess** *(approach)* | acsent | **ac·cent** *(emphasis)* |
| acetiline | **acet·y·lene** | acsent | **as·cent** *(a rising)* |
| acheivement | **achieve·ment** | acsept | **ac·cept** *(receive)* |
| achord | **ac·cord** | acsertain | **as·cer·tain** |
| acidentally | **ac·ci·den·tal·ly** | acsetic | **as·cet·ic** *(austere)* |
| aclaim | **ac·claim** | actavate | **ac·ti·vate** |
| aclectic | **ec·lec·tic** | acter | **ac·tor** |
| aclimate | **ac·cli·mate** | activety | **ac·tiv·i·ty** |
| a'clock | **o'clock** | actoress | **ac·tress** |
| acme | **ac·ne** *(pimples)* | actualy | **ac·tu·al·ly** |
| acne | **ac·me** *(peak)* | acuemen | **acu·men** |
| acolade | **ac·co·lade** | acumulate | **ac·cu·mu·late** |
| acommodation | **ac·com·mo·da·tion** | acurate | **ac·cu·rate** |
| acompaniment | **ac·com·pa·ni·ment** | acurracy | **ac·cu·ra·cy** |
| acomplice | **ac·com·plice** | acursed | **ac·curs·ed** |
| acomplish | **ac·com·plish** | acusation | **ac·cu·sa·tion** |
| acord | **ac·cord** | acuse | **ac·cuse** |
| acordion | **ac·cor·di·on** | acustic | **acous·tic** |
| acost | **ac·cost** | acustom | **ac·cus·tom** |
| acount | **ac·count** | ad | **add** *(combine)* |
| acquaintence | **ac·quaint·ance** | adament | **ad·a·mant** |
| | | adanoids | **ad·e·noids** |
| | | adapt | **ad·ept** *(expert)* |
| | | adapt | **adopt** *(choose)* |

3

| WRONG | RIGHT | WRONG | RIGHT |
|---|---|---|---|
| adaptible | **adapt·a·ble** | admision | **ad·mis·sion** |
| adaquate | **ad·e·quate** | admissable | **ad·mis·si·ble** |
| add | **ad** (advertisement) | admitance | **ad·mit·tance** |
| addage | **ad·age** | ad nauzeam | **ad nau·se·am** |
| addative | **ad·di·tive** | adnoids | **ad·e·noids** |
| addept | **ad·ept** (expert) | ado | **adieu** (goodbye) |
| addick | **ad·dict** | adolescant | **ad·o·les·cent** |
| addition | **edi·tion** (book issue) | adom | **at·om** |
| additionaly | **ad·di·tion·al·ly** | adoo | **ado** (fuss) |
| adeiu | **adieu** (goodbye) | adopt | **adapt** (adjust) |
| adelweiss | **edel·weiss** | adorible | **ador·a·ble** |
| adendum | **ad·den·dum** | adrennalin | **ad·ren·al·in** |
| adep | **ad·ept** (expert) | adress | **ad·dress** |
| ader | **ad·der** (snake) | adue | **ado** (fuss) |
| adhear | **ad·here** | adultarate | **adul·ter·ate** |
| adhezive | **ad·he·sive** | adultry | **adul·tery** |
| adict | **ad·dict** | advacate | **ad·vo·cate** |
| adige | **ad·age** | advancment | **ad·vance·ment** |
| adition | **ad·di·tion** (adding) | advantagious | **ad·van·ta·geous** |
| aditive | **ad·di·tive** | adventureous | **ad·ven·tur·ous** |
| adjunck | **ad·junct** | adverse | **averse** (unwilling) |
| adjurn | **ad·journ** | adversery | **ad·ver·sary** |
| adjutent | **ad·ju·tant** | advertisment | **ad·ver·tise·ment** |
| admanish | **ad·mon·ish** | advice | **ad·vise** (v.) |
| admeral | **ad·mi·ral** | advisary | **ad·vi·so·ry** |
| admeration | **ad·mi·ra·tion** | advise | **ad·vice** (n.) |
| adminester | **ad·min·is·ter** | adzorb | **ad·sorb** (collect on surface) |
| adminestration | **ad·min·is·tra·tion** | Aegian | **Ae·ge·an** |
| administrater | **ad·min·is·tra·tor** | aeresol | **aer·o·sol** |
| admirible | **ad·mi·ra·ble** | | |

| WRONG | RIGHT | WRONG | RIGHT |
|---|---|---|---|
| aeronatical | **aer·o·nau·ti·cal** | aforism | **aph·o·rism** |
| afable | **af·fa·ble** | aformentioned | |
| afair | **af·fair** | | **afore·men·tioned** |
| afasia | **apha·sia** | afrayed | **afraid** |
| afect | **af·fect** (to influence) | Afreca | **Af·ri·ca** |
| afectionate | **af·fec·tion·ate** | afrodisiac | **aph·ro·dis·i·ac** |
| afective | **af·fec·tive** (emotional) | afront | **af·front** |
| affadavit | **af·fi·da·vit** | afterward | **af·ter·word** |
| affare | **af·fair** | | (epilogue) |
| affect | **ef·fect** (result) | afterword | **af·ter·ward** (later) |
| affective | **ef·fec·tive** | aganize | **ag·o·nize** |
| | (having effect) | agast | **aghast** |
| affend | **of·fend** | agensy | **agen·cy** |
| affible | **af·fa·ble** | agetate | **ag·i·tate** |
| afficionado | **afi·cio·nado** | aggresion | **ag·gres·sion** |
| affilliate | **af·fil·i·ate** | aggrivate | **ag·gra·vate** |
| affirmitive | **af·firm·a·tive** | agitater | **ag·i·ta·tor** |
| affluent | **ef·flu·ent** (flowing) | agled | **ogled** |
| affraid | **afraid** | agnastic | **ag·nos·tic** |
| affusive | **ef·fu·sive** | agraculture | **agri·cul·ture** |
| Afganistan | **Afghan·i·stan** | agravate | **ag·gra·vate** |
| aficcionado | **afi·cio·nado** | agreegious | **egre·gious** |
| afid | **aphid** | agreeible | **agree·a·ble** |
| afidavit | **af·fi·da·vit** | agregate | **ag·gre·gate** |
| afiliate | **af·fil·i·ate** | agrerian | **agrar·i·an** |
| afinity | **af·fin·i·ty** | agression | **ag·gres·sion** |
| afirm | **af·firm** | ahed | **ahead** |
| afirmative | **af·firm·a·tive** | aid | **aide** (assistant) |
| afix | **af·fix** | aide | **aid** (help) |
| afliction | **af·flic·tion** | ail | **ale** (a drink) |
| afluent | **af·flu·ent** (rich) | ailmint | **ail·ment** |
| aford | **af·ford** | air | **err** (be wrong) |

| WRONG | RIGHT | WRONG | RIGHT |
|---|---|---|---|
| air | **heir** *(inheritor)* | albetross | **al·ba·tross** |
| airate | **aer·ate** | albinoes | **al·bi·nos** |
| airess | **heir·ess** | albumen | **al·bu·min** |
| airial | **aer·i·al** | | *(class of proteins)* |
| airid | **ar·id** | albumin | **al·bu·men** |
| airie | **aer·ie** *(nest)* | | *(egg white)* |
| airobic | **aer·o·bic** | alchoholic | **al·co·hol·ic** |
| airodynamics | | ale | **ail** *(be ill)* |
| | **aer·o·dy·nam·ics** | aleet | **elite** *(best)* |
| aironautical | **aer·o·nau·ti·cal** | alege | **al·lege** |
| airosol | **aer·o·sol** | alegiance | **al·le·giance** |
| airospace | **aer·o·space** | alegory | **al·le·go·ry** |
| airplain | **air·plane** | alegro | **al·le·gro** |
| aisle | **isle** *(island)* | alergy | **al·ler·gy** |
| ajacent | **ad·ja·cent** | aleviate | **al·le·vi·ate** |
| ajective | **ad·jec·tive** | alfactory | **ol·fac·to·ry** |
| ajenda | **agen·da** | algabra | **al·ge·bra** |
| ajoining | **ad·join·ing** | algie | **al·gae** |
| ajourn | **ad·journ** | Algiria | **Al·ge·ria** |
| ajulation | **ad·u·la·tion** | alian | **al·ien** |
| ajunct | **ad·junct** | aliance | **al·li·ance** |
| ajust | **ad·just** | alied | **al·lied** |
| ajutant | **ad·ju·tant** | aligator | **al·li·ga·tor** |
| ake | **ache** | alimentary | **ele·men·ta·ry** |
| aknowledge | **ac·knowl·edge** | | *(basic)* |
| akorn | **acorn** | alinement | **align·ment** |
| akrid | **ac·rid** | alius | **ali·as** |
| a la cart | **a la carte** | alkaholic | **al·co·hol·ic** |
| alamony | **al·i·mo·ny** | alkeline | **al·ka·line** |
| alay | **al·lay** *(relieve)* | all | **awl** *(tool)* |
| Albaquerque | **Albu·quer·que** | Allabama | **Al·a·bama** |
| albem | **al·bum** | allabaster | **al·a·bas·ter** |

| WRONG | RIGHT | WRONG | RIGHT |
|---|---|---|---|
| allacation | **al·lo·ca·tion** | allusive | **il·lu·sive** *(deceptive)* |
| allbatross | **al·ba·tross** | allways | **al·ways** |
| allderman | **al·der·man** | ally | **al·ley** *(sing.; narrow lane)* |
| alledge | **al·lege** | almend | **al·mond** |
| allegience | **al·le·giance** | alocation | **al·lo·ca·tion** |
| allert | **alert** | alotting | **al·lot·ting** |
| alley | **al·ly** *(join; partner)* | aloud | **al·lowed** *(permitted)* |
| allibi | **al·i·bi** | alowance | **al·low·ance** |
| allience | **al·li·ance** | alowed | **al·lowed** *(permitted)* |
| allies | **al·leys** *(pl.; narrow lanes)* | aloy | **al·loy** |
| alligater | **al·li·ga·tor** | alphabet | **al·pha·bet** |
| allignment | **align·ment** | altar | **al·ter** *(to change)* |
| allimentary | **ali·men·ta·ry** *(nourishing)* | altatude | **al·ti·tude** |
| allimony | **al·i·mo·ny** | alter | **al·tar** *(table for worship)* |
| allive | **ol·ive** | alterior | **ul·te·ri·or** |
| allmanac | **al·ma·nac** | alterration | **alter·a·tion** |
| allmighty | **al·mighty** | alturnate | **al·ter·nate** |
| allmost | **al·most** | alude | **al·lude** *(refer to)* |
| alloting | **al·lot·ting** | alumnae | **alum·ni** *(m., pl.)* |
| alloud | **aloud** *(loudly)* | alumni | **alum·nae** *(f., pl.)* |
| allowence | **al·low·ance** | alure | **al·lure** |
| allready | **al·ready** | alusion | **al·lu·sion** *(reference)* |
| allthough | **al·though** | alusive | **al·lu·sive** *(referring to)* |
| alltogether | **al·to·geth·er** | amature | **am·a·teur** |
| allude | **elude** *(escape)* | amazment | **amaze·ment** |
| alluminum | **alu·mi·num** | ambaguity | **am·bi·gu·i·ty** |
| allusion | **elu·sion** *(an escape)* | ambasador | **ambas·sa·dor** |
| allusion | **il·lu·sion** *(false idea)* | ambeance | **am·bi·ance** |
| allusive | **elu·sive** *(hard to grasp)* | ambedextrous | **am·bi·dex·trous** |
| | | ambiant | **am·bi·ent** |
| | | ambitous | **am·bi·tious** |

| WRONG | RIGHT | WRONG | RIGHT |
|---|---|---|---|
| ambivalance | am·biv·a·lence | amuk | amok |
| ambudsman | om·buds·man | amunition | ammu·ni·tion |
| ambulence | am·bu·lance | anackronism | anach·ro·nism |
| ameanable | ame·na·ble | analisis | anal·y·sis *(sing.)* |
| amego | ami·go | analitic | an·a·lyt·ic |
| ameible | ami·a·ble | analize | an·a·lyze |
| amelet | om·e·let | anallogy | anal·o·gy |
| amelliorate | amel·io·rate | anals | an·nals *(records)* |
| amend | emend *(correct)* | analysis | anal·y·ses *(pl.)* |
| amenible | ame·na·ble | analyst | an·nal·ist |
| ameno | ami·no | | *(writer of annals)* |
| amfetamine | amphet·a·mine | anamation | an·i·ma·tion |
| amfibian | am·phib·i·an | anamosity | an·i·mos·i·ty |
| amicible | am·i·ca·ble | anasthetic | an·es·thet·ic |
| ammendment | amend·ment | anatamy | anat·o·my |
| ammends | amends | anceint | an·cient |
| ammoral | amor·al | ancester | an·ces·tor |
| ammorous | am·o·rous | ancilary | an·cil·lary |
| ammorphous | amor·phous | ancor | an·chor |
| ammortize | am·or·tize | anecdote | an·ti·dote *(remedy)* |
| ammount | amount | aneckdote | an·ec·dote *(story)* |
| ammulet | am·u·let | anemal | an·i·mal |
| amnezia | am·ne·sia | anex | an·nex |
| amnibus | om·ni·bus | angel | an·gle *(corner; aspect)* |
| amnisty | am·nes·ty | angenue | in·gé·nue |
| amond | al·mond | angery | an·gry |
| amonia | am·mo·nia | angle | an·gel *(spirit)* |
| amore | amour | angwish | an·guish |
| ampear | am·pere | anice | an·ise *(plant)* |
| ampitheater | am·phi·the·a·ter | anigma | enig·ma |
| amplefy | am·pli·fy | anihilate | an·ni·hi·late |
| ampletude | am·pli·tude | animasity | an·i·mos·i·ty |

| WRONG | RIGHT | WRONG | RIGHT |
|---|---|---|---|
| aniss | **anus** *(fundament)* | anotation | **an·no·ta·tion** |
| aniversary | **anni·ver·sa·ry** | anouncement | **an·nounce·ment** |
| anjina | **an·gi·na** | anoy | **an·noy** |
| ankel | **an·kle** | anser | **an·swer** |
| anker | **an·chor** | ansestor | **an·ces·tor** |
| annal | **anal** *(of the anus)* | ansillary | **an·cil·lary** |
| annalgesic | **an·al·ge·sic** | ant | **aunt** *(relative)* |
| annalist | **an·a·lyst** *(one who analyzes)* | antadote | **an·ti·dote** *(remedy)* |
| annalog | **an·a·log** | antaginistic | **an·tag·o·nis·tic** |
| annalogy | **anal·o·gy** | antalope | **an·te·lope** |
| annalysis | **anal·y·sis** *(sing.)* | antanym | **an·to·nym** |
| annarchist | **an·ar·chist** | antartic | **ant·arc·tic** |
| annatation | **an·no·ta·tion** | antasid | **ant·ac·id** |
| annewity | **an·nu·i·ty** | antchovy | **an·cho·vy** |
| annialate | **an·ni·hi·late** | ante | **an·ti** *(opposed)* |
| anniversory | **anni·ver·sa·ry** | anteak | **an·tique** |
| annix | **an·nex** | antebiotic | **an·ti·bi·ot·ic** |
| annoint | **anoint** | antecedant | **an·te·ced·ent** |
| annomaly | **anom·a·ly** | anteclimax | **an·ti·cli·max** |
| annonymous | **anon·y·mous** | antedepressant | **an·ti·de·pres·sant** |
| annorexia | **an·o·rex·ia** | antefreeze | **an·ti·freeze** |
| announcment | **an·nounce·ment** | antehistamine | **an·ti·his·ta·mine** |
| annualy | **an·nu·al·ly** | antena | **an·ten·na** |
| annule | **an·nu·al** | antepasto | **an·ti·pas·to** |
| annull | **an·nul** | anteperspirant | **an·ti·per·spir·ant** |
| annunciate | **enun·ci·ate** *(pronounce)* | antequated | **an·ti·quat·ed** |
| anomally | **anom·a·ly** | anteseedent | **an·te·ced·ent** |
| anonemous | **anon·y·mous** | anteseptic | **an·ti·sep·tic** |
| anorrexia | **an·o·rex·ia** | | |

| WRONG | RIGHT | WRONG | RIGHT |
|---|---|---|---|
| anthalogy | an·thol·o·gy | anziety | anx·i·e·ty |
| anthrapology | an·thro·pol·o·gy | apacalypse | apoc·a·lypse |
| | | apacryphal | apoc·ry·phal |
| anti | an·te *(stake; share)* | Apalachia | Appa·la·chia |
| antibiatic | an·ti·bi·ot·ic | apall | ap·pall |
| anticapate | an·tic·i·pate | aparatus | ap·pa·ra·tus |
| anticedent | an·te·ced·ent | aparel | ap·par·el |
| antidate | an·te·date | aparently | ap·par·ent·ly |
| antidepressent | an·ti·de·pres·sant | aparition | ap·pa·ri·tion |
| | | apartmint | apart·ment |
| antidote | an·ec·dote *(story)* | apastle | apos·tle |
| antihistamean | an·ti·his·ta·mine | apature | ap·er·ture |
| | | apeal | ap·peal |
| antiperspirent | an·ti·per·spir·ant | apearance | ap·pear·ance |
| | | apeasement | ap·pease·ment |
| antisipate | an·tic·i·pate | apecks | apex |
| antithasis | an·tith·e·sis *(sing.)* | apellate | ap·pel·late |
| antithesis | an·tith·e·ses *(pl.)* | apendage | ap·pend·age |
| antlur | ant·ler | apendicitis | ap·pen·di·ci·tis |
| antonim | an·to·nym | apendix | ap·pen·dix |
| antrepreneur | en·tre·pre·neur | apethetic | ap·a·thet·ic |
| anual | an·nu·al | apetite | ap·pe·tite *(hunger)* |
| anuity | an·nu·i·ty | apharism | aph·o·rism |
| anull | an·nul | aphradisiac | aph·ro·dis·i·ac |
| anullment | an·nul·ment | aplaud | ap·plaud |
| anunciate | an·nun·ci·ate *(announce)* | aplause | ap·plause |
| | | aple | ap·ple |
| anvel | an·vil | apliance | ap·pli·ance |
| anxeity | anx·i·e·ty | aplication | ap·pli·ca·tion |
| anxous | anx·ious | aplom | aplomb |
| anywere | an·y·where | aply | ap·ply |
| anyx | on·yx | apocalipse | apoc·a·lypse |

10

| WRONG | RIGHT | WRONG | RIGHT |
|---|---|---|---|
| apocrephal | apoc·ry·phal | apploud | ap·plaud |
| apointment | ap·point·ment | appocalypse | apoc·a·lypse |
| apolegy | apol·o·gy | appocryphal | apoc·ry·phal |
| apollogetic | apol·o·get·ic | Appolo | Apol·lo |
| Apolo | Apol·lo | appologetic | apol·o·get·ic |
| aportionment | ap·por·tion·ment | appology | apol·o·gy |
| apossum | opos·sum | appostle | apos·tle |
| apostrophies | apos·tro·phes (pl.) | appostrophe | apos·tro·phe (sing.) |
| apostrophy | apos·tro·phe (sing.) | apprahend | ap·pre·hend |
| Appalachia | Appa·la·chia | appraise | ap·prise (inform) |
| appathetic | ap·a·thet·ic | appraximate | ap·prox·i·mate |
| appatite | ap·pe·tite (hunger) | appricot | apri·cot |
| appearence | ap·pear·ance | apprise | ap·praise (estimate) |
| appeasment | ap·pease·ment | approachible | ap·proach·a·ble |
| appeel | ap·peal | appropos | ap·ro·pos |
| appel | ap·ple | appropreate | ap·pro·pri·ate |
| appelate | ap·pel·late | approvel | ap·prov·al |
| appendacitis | ap·pen·di·ci·tis | apracot | apri·cot |
| appendege | ap·pend·age | apraisal | ap·prais·al |
| appendicks | ap·pen·dix | apraise | ap·praise (estimate) |
| apperatus | ap·pa·ra·tus | apreciate | ap·pre·ci·ate |
| apperel | ap·par·el | aprehend | ap·pre·hend |
| apperently | ap·par·ent·ly | aprentice | ap·pren·tice |
| apperture | ap·er·ture | aprise | ap·prise (inform) |
| applacation | ap·pli·ca·tion | aproachable | ap·proach·a·ble |
| applaws | ap·plause | apropoe | ap·ro·pos |
| applie | ap·ply | apropriate | ap·pro·pri·ate |
| applience | ap·pli·ance | aproval | ap·prov·al |
| applomb | aplomb | aprove | ap·prove |
| | | aproximate | ap·prox·i·mate |
| | | aptatude | ap·ti·tude |

| WRONG | RIGHT | WRONG | RIGHT |
|---|---|---|---|
| aptic | **op·tic** | arithmatic | **arith·me·tic** |
| aquaduct | **aq·ue·duct** | arival | **ar·riv·al** |
| aquaintance | **ac·quaint·ance** | arizing | **aris·ing** |
| aquamurine | **aq·ua·ma·rine** | ark | **arc** *(curve)* |
| aquareum | **aquar·i·um** | arkade | **ar·cade** |
| Aquerius | **Aquar·i·us** | arkaic | **ar·cha·ic** |
| aquiduct | **aq·ue·duct** | arkangel | **arch·an·gel** |
| aquiescence | **ac·qui·es·cence** | Arkensaw | **Ar·kan·sas** |
| aquire | **ac·quire** | arkeology | **ar·chae·ol·o·gy** |
| aquitted | **ac·quit·ted** | arkives | **ar·chives** |
| araign | **ar·raign** | armachure | **ar·ma·ture** |
| arange | **or·ange** | armadilo | **ar·ma·dil·lo** |
| arangement | **ar·range·ment** | armastice | **ar·mi·stice** |
| arangutan | **orang·u·tan** | armement | **ar·ma·ment** |
| aray | **ar·ray** | armer | **ar·mor** |
| arbatrate | **ar·bi·trate** | armery | **ar·mory** |
| arbitrery | **ar·bi·trary** | arogance | **ar·ro·gance** |
| arc | **ark** *(enclosure)* | arouze | **arouse** |
| archangle | **arch·an·gel** | arow | **ar·row** |
| archary | **arch·ery** | arrain | **ar·raign** |
| archipellago | **ar·chi·pel·ago** | arrangment | **ar·range·ment** |
| architechure | **ar·chi·tec·ture** | arrogence | **ar·ro·gance** |
| arduos | **ar·du·ous** | arromatic | **ar·o·mat·ic** |
| ardvark | **aard·vark** | arrouse | **arouse** |
| area | **aria** *(melody)* | arsenel | **ar·se·nal** |
| arears | **ar·rears** | arsinic | **ar·se·nic** |
| Arees | **Ar·i·es** | arsinist | **ar·son·ist** |
| aregano | **oreg·a·no** | artachoke | **ar·ti·choke** |
| arest | **ar·rest** | artacle | **ar·ti·cle** |
| arguement | **ar·gu·ment** | artafact | **ar·ti·fact** |
| aria | **ar·ea** *(region)* | artaficial | **arti·fi·cial** |
| aristacratic | **aris·to·crat·ic** | artary | **ar·tery** |

| WRONG | RIGHT | WRONG | RIGHT |
|---|---|---|---|
| artfull | **art·ful** | asimilation | **as·sim·i·la·tion** |
| artheritis | **ar·thri·tis** | asistance | **as·sist·ance** |
| artic | **arc·tic** | asociation | **as·so·ci·a·tion** |
| artickle | **ar·ti·cle** | asorted | **as·sort·ed** |
| artifack | **ar·ti·fact** | aspeck | **as·pect** |
| artilery | **ar·til·lery** | asperagus | **as·par·a·gus** |
| artirial | **ar·te·ri·al** | asperin | **as·pi·rin** |
| artisticly | **artis·ti·cal·ly** | aspholt | **as·phalt** |
| arye | **awry** | aspin | **as·pen** |
| asailant | **as·sail·ant** | asprin | **as·pi·rin** |
| asassin | **as·sas·sin** | aspyre | **as·pire** |
| asassinate | **assas·si·nate** | assailent | **as·sail·ant** |
| asault | **as·sault** | assalt | **as·sault** |
| asay | **as·say** *(analyze)* | assasanate | **assas·si·nate** |
| ascent | **as·sent** *(consent)* | assasin | **as·sas·sin** |
| ascent | **ac·cent** *(emphasis)* | assay | **es·say** *(try; composition)* |
| ascertane | **as·cer·tain** | assembley | **as·sem·bly** |
| ase | **ace** | assent | **as·cent** *(a rising)* |
| asembly | **as·sem·bly** | assimulation | **as·sim·i·la·tion** |
| asent | **as·sent** *(consent)* | assinement | **as·sign·ment** |
| aserbic | **acer·bic** | assinine | **as·i·nine** |
| asert | **as·sert** | assistence | **as·sist·ance** |
| asess | **as·sess** | assparagus | **as·par·a·gus** |
| asetate | **ac·e·tate** | assurence | **as·sur·ance** |
| asetic | **as·cet·ic** *(austere)* | assurt | **as·sert** |
| asett | **as·set** | asswage | **as·suage** |
| asetylene | **acet·y·lene** | astanish | **as·ton·ish** |
| asfault | **as·phalt** | astarisk | **as·ter·isk** |
| asfixiate | **as·phyx·i·ate** | astaroid | **as·ter·oid** |
| asidic | **acid·ic** | astensible | **os·ten·si·ble** |
| asignment | **as·sign·ment** | astigmatism | **stig·ma·tism** *(condition of normal lens)* |
| asilum | **asy·lum** | | |

| WRONG | RIGHT | WRONG | RIGHT |
|---|---|---|---|
| astoot | as·tute | atorney | at·tor·ney |
| astralogy | as·trol·o·gy | atract | at·tract |
| astranaut | as·tro·naut | atraphy | at·ro·phy |
| astrangement | es·trange·ment | atrasity | atroc·i·ty |
| astranomy | as·tron·o·my | atribution | at·tri·bu·tion |
| astringint | as·trin·gent | atrition | at·tri·tion |
| astronot | as·tro·naut | atrocous | atro·cious |
| asuage | as·suage | atrofy | at·ro·phy |
| asume | as·sume | atrotious | atro·cious |
| asumption | as·sump·tion | attanement | at·tain·ment |
| asurance | as·sur·ance | attashay | at·ta·ché |
| ataché | at·ta·ché | attemp | at·tempt |
| atachment | at·tach·ment | attendence | at·tend·ance |
| atack | at·tack | attension | at·ten·tion |
| atainment | at·tain·ment | attentave | at·ten·tive |
| atamic | atom·ic | atter | ot·ter |
| atempt | at·tempt | attonement | atone·ment |
| atendance | at·tend·ance | attorny | at·tor·ney |
| atention | at·ten·tion | atum | at·om |
| atest | at·test | atune | at·tune |
| athaletics | ath·let·ics | audable | au·di·ble |
| athelete | ath·lete | audasity | au·dac·i·ty |
| athiestic | athe·is·tic | audatorium | au·di·to·ri·um |
| athoritarian | author·i·tar·i·an | audeo | au·dio |
| athority | au·thor·i·ty | audiance | au·di·ence |
| atic | at·tic | Augist | Au·gust |
| atire | at·tire | aukward | awk·ward |
| atitude | at·ti·tude | aul | awl *(tool)* |
| atlus | at·las | auning | awn·ing |
| atmaspheric | atmos·pher·ic | aunt | ant *(insect)* |
| atonment | atone·ment | aural | oral *(of the mouth)* |
| | | aurel | au·ral *(of the ear)* |

14

| WRONG | RIGHT | WRONG | RIGHT |
|---|---|---|---|
| auspaces | aus·pi·ces | avrage | av·er·age |
| auspitious | aus·pi·cious | avud | av·id |
| austairity | aus·ter·i·ty | avursion | aver·sion |
| austeer | aus·tere | awate | await |
| autagraph | au·to·graph | awburn | au·burn |
| autamatic | au·to·mat·ic | awdacity | au·dac·i·ty |
| autamobile | au·to·mo·bile | awdible | au·di·ble |
| autanamous | au·ton·o·mous | awdience | au·di·ence |
| autapsy | au·top·sy | awdio | au·dio |
| auther | au·thor | awdition | au·di·tion |
| autherize | au·thor·ize | awditorium | au·di·to·ri·um |
| authoratarian | author·i·tar·i·an | awear | aware |
| autockracy | au·toc·ra·cy | awefully | aw·ful·ly |
| autoes | au·tos | awesum | awe·some |
| automabile | au·to·mo·bile | awfuly | aw·ful·ly |
| autonomos | au·ton·o·mous | awile | awhile |
| autum | au·tumn | awktion | auc·tion |
| auxilary | aux·il·ia·ry | awkword | awk·ward |
| avacado | av·o·ca·do | aword | award |
| availible | avail·a·ble | awsome | awe·some |
| avalanch | av·a·lanche | awthentic | au·then·tic |
| avanue | av·e·nue | awthor | au·thor |
| avarage | av·er·age | awthorize | au·thor·ize |
| avaricous | ava·ri·cious | awtistic | au·tis·tic |
| avaunt–guarde | avant–garde | awtocracy | au·toc·ra·cy |
| aveation | avi·a·tion | awtopsy | au·top·sy |
| avelanche | av·a·lanche | awtumn | au·tumn |
| avericious | ava·ri·cious | axel | ax·le |
| averse | ad·verse *(opposed)* | axes | ax·is *(sing.)* |
| avinue | av·e·nue | axis | ax·es *(pl.)* |
| avoidible | avoid·a·ble | azbestos | as·bes·tos |
| | | azthma | asth·ma |

| WRONG | RIGHT | WRONG | RIGHT |
|---|---|---|---|
| | **B** | backloged | **back·logged** |
| | | backpak | **back·pack** |
| babboon | **ba·boon** | backround | **back·ground** |
| Babelonian | **Bab·y·lo·ni·an** | backword | **back·ward** |
| babled | **bab·bled** | bactiria | **bac·te·ria** |
| babling | **bab·bling** | badder | **bat·ter** |
| babooshka | **ba·bush·ka** | baddering | **bat·ter·ing** |
| babtism | **bap·tism** | baddery | **bat·tery** |
| babtist | **bap·tist** | bade | **bayed** (howled) |
| babtize | **bap·tize** | badjer | **badg·er** |
| babyed | **ba·bied** | badminten | **bad·min·ton** |
| Babyllonian | **Bab·y·lo·ni·an** | badmitten | **bad·min·ton** |
| bacallaureate | | baffeling | **baf·fling** |
| | **bac·ca·lau·re·ate** | bafling | **baf·fling** |
| baccanal | **bac·cha·nal** | bafoon | **buf·foon** |
| bacchanallean | | bagage | **bag·gage** |
| | **bac·cha·na·li·an** | bagammon | **back·gam·mon** |
| baccilus | **ba·cil·lus** | bager | **badg·er** |
| Baccus | **Bac·chus** | bagle | **ba·gel** |
| bach | **batch** (quantity) | baid | **bade** |
| bachalor | **bach·e·lor** | baige | **beige** |
| bachannal | **bac·cha·nal** | bail | **bale** (bundle) |
| Bachus | **Bac·chus** | bailful | **bale·ful** |
| backake | **back·ache** | bait | **bate** (lessen) |
| backalaureate | | bakrey | **bak·ery** |
| | **bac·ca·lau·re·ate** | bakteria | **bac·te·ria** |
| backammon | **back·gam·mon** | balad | **bal·lad** |
| backanal | **bac·cha·nal** | balancable | **bal·ance·a·ble** |
| backanalian | **bac·cha·na·li·an** | balancible | **bal·ance·a·ble** |
| backbord | **back·board** | balast | **bal·last** |
| backbraking | **back·break·ing** | balcany | **bal·co·ny** |
| backgamen | **back·gam·mon** | bale | **bail** (money) |

| WRONG | RIGHT | WRONG | RIGHT |
|---|---|---|---|
| bale bond | **bail bond** | Baltamore | **Bal·ti·more** |
| balefull | **bale·ful** | bambu | **bam·boo** |
| balence | **bal·ance** | banall | **ba·nal** |
| balerina | **bal·le·ri·na** | bananza | **bo·nan·za** |
| balero | **bo·le·ro** | banaster | **ban·is·ter** |
| balet | **bal·let** (dance) | banbon | **bon·bon** |
| baliff | **bai·liff** | banbox | **band·box** |
| balister | **bal·us·ter** | band | **banned** (forbidden) |
| balistic | **bal·lis·tic** | bandade | **Band–Aid** |
| Balivia | **Bo·liv·ia** | bandet | **ban·dit** |
| Balken | **Bal·kan** | bandie | **ban·dy** |
| balkony | **bal·co·ny** | bandige | **band·age** |
| ball | **bawl** (cry) | bandjo | **ban·jo** |
| ballance | **bal·ance** | bands | **banns** |
| ballarina | **bal·le·ri·na** | | (marriage announcement) |
| ballay | **bal·let** (dance) | bandwagen | **band·wag·on** |
| ballcony | **bal·co·ny** | banel | **ba·nal** |
| ballderdash | **bal·der·dash** | baner | **ban·ner** |
| ballet | **bal·lot** (voting slip) | banign | **be·nign** |
| ballid | **bal·lad** | banjoe | **ban·jo** |
| balligerance | **bel·lig·er·ence** | bankett | **ban·quette** (bench) |
| ballister | **bal·us·ter** | bankrupcy | **bank·rupt·cy** |
| ballistik | **bal·lis·tic** | bankwet | **ban·quet** (feast) |
| ballsa | **bal·sa** | bannana | **ba·nana** |
| ballsam | **bal·sam** | bannish | **ban·ish** |
| ballust | **bal·last** | bannister | **ban·is·ter** |
| balogna | **bo·lo·gna** | banns | **bans** (forbids) |
| balona | **bo·lo·gna** | banquit | **ban·quet** (feast) |
| baloon | **bal·loon** | bans | **banns** |
| balot | **bal·lot** (voting slip) | | (marriage announcement) |
| balroom | **ball·room** | bansai | **bon·sai** (tree shaping) |
| balsom | **bal·sam** | banstand | **band·stand** |

| WRONG | RIGHT | WRONG | RIGHT |
|---|---|---|---|
| bantom | **ban·tam** | barnicle | **bar·na·cle** |
| banwagon | **band·wag·on** | baroke | **ba·roque** |
| baptest | **bap·tist** | baron | **bar·ren** (sterile) |
| baptizm | **bap·tism** | baronness | **bar·on·ess** |
| baracks | **bar·racks** | baroom | **bar·room** |
| baracuda | **bar·ra·cu·da** | barracade | **bar·ri·cade** |
| barage | **bar·rage** | barred | **bard** (poet) |
| barbacue | **bar·be·cue** | barren | **bar·on** (noble) |
| barbarrian | **bar·bar·i·an** | barret | **bar·rette** (hair clasp) |
| barbel | **bar·bell** (weights) | barricks | **bar·racks** |
| barbell | **bar·bel** (hairlike growth) | barricuda | **bar·ra·cu·da** |
| barberian | **bar·bar·i·an** | barristor | **bar·ris·ter** |
| barberous | **bar·ba·rous** | barritone | **bar·i·tone** |
| barbery | **bar·ber·ry** | barrol | **bar·rel** |
| barbichurate | **bar·bi·tu·rate** | barrometer | **ba·rom·e·ter** |
| barble | **bar·bel** (hairlike growth) | barron | **bar·ren** (sterile) |
| Barcilona | **Bar·ce·lo·na** | barroque | **ba·roque** |
| bare | **bear** (animal; carry) | barrow | **bor·row** (take temporarily) |
| bared | **barred** (excluded) | | |
| ba-relief | **bas·re·lief** | Barsilona | **Bar·ce·lo·na** |
| baren | **bar·ren** (sterile) | bartendor | **bar·tend·er** |
| baren | **bar·on** (noble) | basanet | **bas·i·net** (helmet) |
| baret | **bar·rette** (hair clasp) | basanet | **bas·si·net** (baby bed) |
| barfoot | **bare·foot** | baschion | **bas·tion** |
| bargan | **bar·gain** | base | **bass** (voice) |
| baricade | **bar·ri·cade** | based | **baste** (sew; moisten) |
| barier | **bar·ri·er** | basel | **bas·il** (herb) |
| bariness | **bar·on·ess** | basel | **bas·al** (basic) |
| baring | **bar·ring** (preventing) | basemint | **base·ment** |
| barister | **bar·ris·ter** | basen | **ba·sin** |
| barly | **bar·ley** | base-relief | **bas·re·lief** |
| | | baserk | **ber·serk** |

18

| WRONG | RIGHT | WRONG | RIGHT |
|---|---|---|---|
| bases | **ba·sis** (sing.) | battallion | **bat·tal·ion** |
| bashfull | **bash·ful** | batton | **bat·ten** (fasten) |
| basicly | **bas·i·cal·ly** | batton | **ba·ton** (stick) |
| basil | **bas·al** (basic) | baud | **bawd** (prostitute) |
| basillica | **ba·sil·i·ca** | baudy | **bawdy** |
| basillus | **ba·cil·lus** | baught | **bought** (purchased) |
| basinet | **bas·si·net** (baby bed) | bauk | **balk** |
| basis | **ba·ses** (pl. of basis) | baul | **bawl** (cry) |
| baskit | **bas·ket** | Baveria | **Ba·var·ia** |
| baskitball | **bas·ket·ball** | bawble | **bau·ble** |
| basment | **base·ment** | bawd | **baud** (measurement) |
| basoon | **bas·soon** | bawk | **balk** |
| basque | **bask** (warm) | bawl | **ball** (sphere) |
| basquet | **bas·ket** | bawxite | **baux·ite** |
| bass | **base** (foundation) | bayanet | **bay·o·net** |
| bassanet | **bas·si·net** (baby bed) | bayliff | **bai·liff** |
| bassilica | **ba·sil·i·ca** | baynal | **ba·nal** |
| bassit | **bas·set** | bayonnet | **bay·o·net** |
| bass–relief | **bas–re·lief** | bayoo | **bay·ou** |
| basterd | **bas·tard** | bazaar | **bi·zarre** (odd) |
| bata | **be·ta** | bazare | **ba·zaar** (market) |
| batallion | **bat·tal·ion** | bazil | **bas·il** (herb) |
| batchelor | **bach·e·lor** | be | **bee** (insect) |
| bate | **bait** (lure) | beach | **beech** (tree) |
| bateak | **ba·tik** | beachead | **beach·head** |
| bated | **bat·ted** (hit) | beachnut | **beech·nut** |
| batery | **bat·tery** | beakon | **bea·con** |
| bath | **bathe** (v.) | beanary | **bean·ery** |
| bathas | **ba·thos** | bear | **beer** (drink) |
| bathe | **bath** (n.) | bear | **bare** (naked) |
| bathouse | **bath·house** | bearfoot | **bare·foot** |
| bating | **bat·ting** (hitting) | bearly | **bare·ly** |

| WRONG | RIGHT | WRONG | RIGHT |
|---|---|---|---|
| beastial | **bes·tial** | begining | **be·gin·ning** |
| beastiary | **bes·ti·ary** | behaf | **be·half** |
| beat | **beet** (vegetable) | behavor | **be·hav·ior** |
| beateous | **beau·te·ous** | behemuth | **be·he·moth** |
| beatle | **bee·tle** | belaber | **be·la·bor** |
| beattitude | **be·at·i·tude** | beleif | **be·lief** (n.) |
| beautey | **beau·ty** | beleive | **be·lieve** (v.) |
| beautious | **beau·te·ous** | Belgiam | **Bel·gium** |
| beautitian | **beau·ti·cian** | belicose | **bel·li·cose** |
| becken | **beck·on** | belief | **be·lieve** (v.) |
| becom | **be·calm** | believe | **be·lief** (n.) |
| bedazle | **be·daz·zle** | believeable | **be·liev·a·ble** |
| bedclose | **bed·clothes** | beliggerance | **bel·lig·er·ence** |
| bedlum | **bed·lam** | bell | **belle** (woman) |
| bedsted | **bed·stead** | bellacose | **bel·li·cose** |
| beech | **beach** (shore) | belles–letters | **belles–let·tres** |
| beecon | **bea·con** | bellfry | **bel·fry** |
| beed | **bead** | Bellgium | **Bel·gium** |
| beefstake | **beef·steak** | bell–lettres | **belles–let·tres** |
| beegle | **bea·gle** | bellow | **be·low** (down) |
| beeker | **beak·er** | below | **bel·low** (roar) |
| beem | **beam** | ben | **been** (pp. of be) |
| been | **bean** (legume) | benadiction | **ben·e·dic·tion** |
| beenery | **bean·ery** | benaficial | **ben·e·fi·cial** |
| beer | **bier** (coffin platform) | beneeth | **be·neath** |
| beet | **beat** (strike) | benefacter | **ben·e·fac·tor** |
| beever | **bea·ver** | benefficial | **ben·e·fi·cial** |
| befudle | **be·fud·dle** | beneficiery | **ben·e·fi·ci·ary** |
| begger | **beg·gar** | benefitted | **ben·e·fit·ed** |
| beggin | **be·gin** | benevolance | **be·nev·o·lence** |
| beggining | **be·gin·ning** | benevolant | **be·nev·o·lent** |
| begile | **be·guile** | Bengel | **Ben·gal** |

| WRONG | RIGHT | WRONG | RIGHT |
|---|---|---|---|
| benidiction | ben·e·dic·tion | bersitis | bur·si·tis |
| benifactor | ben·e·fac·tor | bersurk | ber·serk |
| benificiary | ben·e·fi·ci·ary | berth | birth *(origin)* |
| benifited | ben·e·fit·ed | bery | ber·ry *(fruit)* |
| benine | be·nign | beschial | bes·tial |
| bennevolent | be·nev·o·lent | beseige | be·siege |
| benzene | ben·zine | beserk | ber·serk |
| | *(cleaning fluid)* | bestiery | bes·ti·ary |
| benzine | ben·zene *(chemistry)* | bestro | bis·tro |
| bequeathe | be·queath | Bethleham | Beth·le·hem |
| berch | birch | betrothe | be·troth |
| bereev | be·reave | betwene | be·tween |
| berg | burg *(town)* | beuty | beau·ty |
| berger | burgh·er *(citizen)* | beval | bev·el |
| berger | bur·ger *(hamburger)* | beverege | bev·er·age |
| berglar | bur·glar | bevvel | bev·el |
| Bergundy | Bur·gun·dy | bewillder | be·wil·der |
| berial | bur·i·al | bewt | butte *(hill)* |
| beritone | bar·i·tone | bewteous | beau·te·ous |
| berl | burl | bewtician | beau·ti·cian |
| berlap | bur·lap | bewty | beau·ty |
| berlesque | bur·lesque | biagraphy | bi·og·ra·phy |
| berly | bur·ley *(tobacco)* | bialogical | bi·o·log·i·cal |
| berly | bur·ly *(rough)* | biasses | bi·as·es |
| berometer | ba·rom·e·ter | bibleography | bib·li·og·ra·phy |
| beroque | ba·roque | bibliofile | bib·li·o·phile |
| berp | burp | bicalm | be·calm |
| berray | be·ret *(cap)* | bicarbanate | bi·car·bon·ate |
| berrel | bar·rel | bicentenial | bi·cen·ten·ni·al |
| berrier | bar·ri·er | bich | bitch |
| berrow | bar·row | bicicle | bi·cy·cle |
| berry | bury *(cover)* | bicusped | bi·cus·pid |

| WRONG | RIGHT | WRONG | RIGHT |
|---|---|---|---|
| bidazzle | be·daz·zle | biochemestry | bi·o·chem·is·try |
| bideck | be·deck | biodegradible | bi·o·de·grad·a·ble |
| biding | bid·ding *(offering)* | bioengeneering | bi·o·en·gi·neer·ing |
| biege | beige | biogerphy | bi·og·ra·phy |
| bigatry | big·ot·ry | biolegy | bi·ol·o·gy |
| biggamy | big·a·my | biorythm | bi·o·rhythm |
| biggot | big·ot | biotecnology | bi·o·tech·nol·o·gy |
| biggotry | big·ot·ry | bipartesan | bi·par·ti·san |
| bight | byte *(string of bits)* | bipass | by·pass |
| bigomy | big·a·my | bipassed | by·passed |
| bigonia | be·gon·ia | biproduct | by·prod·uct |
| biguile | be·guile | bireave | be·reave |
| bihemoth | be·he·moth | biret | be·ret *(cap)* |
| biker | bick·er *(squabble)* | birth | berth *(space)* |
| bilabor | be·la·bor | bisalt | ba·salt |
| bilatteral | bi·lat·er·al | biscut | bis·cuit |
| bilboard | bill·board | biseech | be·seech |
| bild | build | bisen | bi·son |
| bilding | build·ing | bisentennial | bi·cen·ten·ni·al |
| biliards | bil·liards | biseps | bi·ceps |
| bilion | bil·lion | bisexule | bi·sex·u·al |
| bilje | bilge | bisiege | be·siege |
| billay | be·lay | bisk | bisque |
| billingual | bi·lin·gual | biskit | bis·cuit |
| billionnnaire | bil·lion·aire | bisness | busi·ness |
| billious | bil·ious | bissexual | bi·sex·u·al |
| billon | bil·lion | bissoon | bas·soon |
| bindary | bind·ery | bistander | by·stand·er |
| bineath | be·neath | | |
| binery | bi·na·ry | | |
| binevolent | be·nev·o·lent | | |
| binnocular | bin·oc·u·lar | | |

| WRONG | RIGHT | WRONG | RIGHT |
|---|---|---|---|
| bit | **bitt** *(post)* | blatency | **bla·tan·cy** |
| bit | **bite** *(chomp)* | blatent | **bla·tant** |
| bit | **byte** *(string of bits)* | blatter | **blad·der** |
| bite | **bight** *(curve)* | blazen | **bla·zon** |
| bite | **byte** *(string of bits)* | blead | **bleed** |
| bitern | **bit·tern** | bleap | **bleep** |
| bitoominous | **bi·tu·mi·nous** | bleechers | **bleach·ers** |
| bitray | **be·tray** | bleek | **bleak** |
| bitt | **bit** *(binary digit)* | bleery | **bleary** |
| bitumenous | **bi·tu·mi·nous** | blemesh | **blem·ish** |
| biuld | **build** | blend | **blende** *(ore)* |
| biulding | **build·ing** | blende | **blend** *(mix)* |
| bivouaced | **biv·ou·acked** | blesed | **bless·ed** |
| bivuac | **biv·ou·ac** | blew | **blue** *(color)* |
| biway | **by·way** | blisful | **bliss·ful** |
| biwilder | **be·wil·der** | blisster | **blis·ter** |
| biyou | **bay·ou** | blite | **blight** |
| bizaar | **bi·zarre** *(odd)* | blith | **blithe** |
| Bizantine | **By·zan·tine** | blithly | **blithe·ly** |
| bizarre | **ba·zaar** *(market)* | blits | **blitz** |
| bizness | **busi·ness** | blizard | **bliz·zard** |
| bizooka | **ba·zoo·ka** | bloc | **block** *(mass)* |
| blackmale | **black·mail** | blochy | **blotchy** |
| blair | **blare** | block | **bloc** *(group)* |
| blamless | **blame·less** | blockadge | **block·age** |
| blanche | **blanch** | blockaid | **block·ade** |
| blandeshment | **blan·dish·ment** | blodily | **blood·i·ly** |
| blankit | **blan·ket** | blody | **bloody** |
| blarny | **blar·ney** | blokade | **block·ade** |
| blasfeme | **blas·pheme** | bloodally | **blood·i·ly** |
| blasphamy | **blas·phe·my** | bloodey | **bloody** |
| | | bloored | **blurred** |

| WRONG | RIGHT | WRONG | RIGHT |
|---|---|---|---|
| blosome | **blos·som** | bodess | **bod·ice** |
| blossum | **blos·som** | boggey | **bog·gy** *(marshy)* |
| blotchey | **blotchy** | bogy | **bo·gey** *(golf term)* |
| blote | **bloat** | bohemean | **bo·he·mi·an** |
| blowse | **blouse** | boicott | **boy·cott** |
| blubbry | **blub·bery** | boistrous | **bois·ter·ous** |
| bluberry | **blue·ber·ry** | bokay | **bou·quet** |
| blubonnet | **blue·bon·net** | bolder | **boul·der** *(rock)* |
| blud | **blood** | bole | **boll** *(pod)* |
| bluddy | **bloody** | bole | **bowl** *(round container)* |
| blue | **blew** *(gusted)* | boll | **bole** *(tree trunk)* |
| bluebonet | **blue·bon·net** | bolla | **bo·la** |
| blugeon | **bludg·eon** | bollder | **bold·er** *(more daring)* |
| blume | **bloom** | bollder | **boul·der** *(rock)* |
| blured | **blurred** | bollero | **bo·le·ro** |
| blurr | **blur** | Bollivia | **Bo·liv·ia** |
| bo | **beau** *(boyfriend)* | bollster | **bol·ster** |
| boar | **boor** *(rude person)* | bolony | **bo·lo·gna** |
| boar | **bore** *(dull person)* | bom | **bomb** *(explosive)* |
| boarish | **boor·ish** | bom | **balm** *(ointment)* |
| bobalink | **bob·o·link** | bomb | **balm** *(ointment)* |
| bobben | **bob·bin** | bombadier | **bom·bar·dier** |
| bobbie pin | **bob·by pin** | bommy | **balmy** *(mild)* |
| bobed | **bobbed** | bomshell | **bomb·shell** |
| bobin | **bob·bin** | bonana | **ba·nana** |
| bobushka | **ba·bush·ka** | bondege | **bond·age** |
| bobwite | **bob·white** | bondfire | **bon·fire** |
| boch | **botch** | boney | **bony** |
| bochulism | **bot·u·lism** | bonnbonn | **bon·bon** |
| boddice | **bod·ice** | bonnfire | **bon·fire** |
| boddy | **bawdy** | bonsai | **ban·zai** *(cry)* |
| boddy | **body** | bonusses | **bo·nus·es** |

| WRONG | RIGHT | WRONG | RIGHT |
|---|---|---|---|
| bonyness | **bon·i·ness** | borsh | **borsch** |
| bonzai | **ban·zai** *(cry)* | bosum | **bos·om** |
| bonzai | **bon·sai** *(tree shaping)* | botannical | **bo·tan·i·cal** |
| Boodist | **Bud·dhist** | botanny | **bot·a·ny** |
| boodoir | **bou·doir** | botchulism | **bot·u·lism** |
| boofant | **bouf·fant** | botten | **but·ton** |
| bookeeper | **book·keep·er** | bottum | **bot·tom** |
| boolevard | **boul·e·vard** | boudwar | **bou·doir** |
| boollabaisse | **bouil·la·baisse** | boufont | **bouf·fant** |
| boollion | **bul·lion** *(metal)* | bough | **bow** *(bend)* |
| boomarang | **boom·er·ang** | bought | **bout** *(fight)* |
| booquet | **bou·quet** | bouillebais | **bouil·la·baisse** |
| boor | **bore** *(dull person)* | bouillon | **bul·lion** *(metal)* |
| boor | **boar** *(hog)* | boulavard | **boul·e·vard** |
| boorgeois | **bour·geois** | boullibase | **bouil·la·baisse** |
| bootcher | **butch·er** | boullion | **bouil·lon** *(broth)* |
| bootee | **boo·ty** *(loot)* | boullion | **bul·lion** *(metal)* |
| bootique | **bou·tique** | boundry | **bound·a·ry** |
| booty | **boot·ee** *(shoe)* | bounse | **bounce** |
| borch | **borsch** | bounteful | **boun·ti·ful** |
| bord | **bored** *(weary)* | bountey | **boun·ty** |
| bord | **board** *(wood)* | bountious | **boun·te·ous** |
| bore | **boor** *(rude person)* | bourben | **bour·bon** |
| bore | **boar** *(hog)* | bourden | **bur·den** *(load)* |
| bored | **board** *(wood)* | bourgen | **bur·geon** |
| borish | **boor·ish** | bourgeosie | **bour·geoi·sie** |
| born | **borne** *(carried)* | bourgois | **bour·geois** |
| borow | **bor·row** *(take temporarily)* | boursar | **bur·sar** |
| borron | **bo·ron** | bout | **bought** *(purchased)* |
| borrough | **bor·ough** *(town)* | bouteak | **bou·tique** |
| borrow | **bor·ough** *(town)* | bouttoniere | **bou·ton·niere** |
| | | bouy | **buoy** *(floater)* |

| WRONG | RIGHT | WRONG | RIGHT |
|---|---|---|---|
| bouyancy | **buoy·an·cy** | braselet | **brace·let** |
| boveen | **bo·vine** | brasen | **bra·zen** |
| bow | **beau** *(boyfriend)* | brasier | **bra·zier** *(grill)* |
| bow | **bough** *(branch)* | brasiere | **bras·siere** *(bra)* |
| bowel | **bowl** *(round container)* | brasure | **bra·zier** *(grill)* |
| bowl | **boll** *(pod)* | brauth | **broth** |
| bowl | **bow·el** *(intestine)* | Braylle | **Braille** |
| bowl | **bole** *(tree trunk)* | braze | **braise** *(cook)* |
| bowla | **bo·la** | brazeness | **bra·zen·ness** |
| bowlder | **boul·der** *(rock)* | brazier | **bras·siere** *(bra)* |
| bowlderize | **bowd·ler·ize** | brazure | **bra·zier** *(grill)* |
| bowllegged | **bow·leg·ged** | breach | **breech** *(bottom)* |
| bowndary | **bound·a·ry** | bread | **breed** *(produce)* |
| bownteous | **boun·te·ous** | bread | **bred** *(produced)* |
| bowntiful | **boun·ti·ful** | break | **brake** *(stop)* |
| bownty | **boun·ty** | breakible | **break·a·ble** |
| bowt | **bout** *(fight)* | breath | **breadth** *(width)* |
| bowvine | **bo·vine** | breath | **breathe** *(v.)* |
| boxite | **baux·ite** | breathe | **breath** *(n.)* |
| boy | **buoy** *(floater)* | breaze | **breeze** |
| boycot | **boy·cott** | bred | **bread** *(loaf)* |
| boysterous | **bois·ter·ous** | bredfruit | **bread·fruit** |
| bozum | **bos·om** | bredth | **breadth** *(width)* |
| brackin | **brack·en** | breech | **breach** *(break)* |
| braggard | **brag·gart** | breezally | **breez·i·ly** |
| Braile | **Braille** | breezey | **breezy** |
| braise | **braze** *(solder)* | breif | **brief** |
| braize | **braise** *(cook)* | breth | **breath** *(n.)* |
| braize | **braze** *(solder)* | brethern | **breth·ren** |
| braizen | **bra·zen** | Breton | **Brit·on** *(Celt)* |
| brake | **break** *(burst)* | brevery | **bre·vi·ary** |
| braker | **break·er** *(wave)* | brevety | **brev·i·ty** |

| WRONG | RIGHT | WRONG | RIGHT |
|---|---|---|---|
| breviery | **bre·vi·ary** | brokerege | **bro·ker·age** |
| brewnet | **bru·nette** | brokoli | **broc·co·li** |
| brewry | **brew·ery** | brokrage | **bro·ker·age** |
| bribary | **brib·ery** | broncheal | **bron·chi·al** *(adj.)* |
| brickette | **bri·quette** | bronchial | **bron·chi·ole** *(n.)* |
| bridal | **bri·dle** *(of a horse)* | bronchitus | **bron·chi·tis** |
| bridle | **brid·al** *(of a bride)* | bronkial | **bron·chi·al** *(adj.)* |
| brieviary | **bre·vi·ary** | bronkiole | **bron·chi·ole** *(n.)* |
| brigadeer | **brig·a·dier** | bronkitis | **bron·chi·tis** |
| brige | **bridge** | Bronks | **Bronx** |
| brik–a–brak | **bric–a–brac** | broo | **brew** |
| brillience | **bril·liance** | brooch | **broach** *(introduce)* |
| brillient | **bril·liant** | Brooklin | **Brook·lyn** |
| briney | **briny** | broom | **brougham** *(carriage)* |
| briquett | **bri·quette** | broom | **brume** *(mist)* |
| brisle | **bris·tle** | broonet | **bru·nette** |
| Britain | **Brit·on** *(Celt)* | broose | **bruise** |
| Britainy | **Brit·ta·ny** | broot | **brut** *(champagne)* |
| Britania | **Bri·tan·nia** | broot | **brute** *(beast)* |
| Brittain | **Brit·ain** *(Great Britain)* | broshure | **bro·chure** |
| Brittainy | **Brit·ta·ny** | broughm | **brougham** *(carriage)* |
| Brittania | **Bri·tan·nia** | brouse | **browse** |
| Brittanica | **Bri·tan·nica** | browny | **brown·ie** |
| Brittony | **Brit·ta·ny** | browth | **broth** |
| broach | **brooch** *(jewelry)* | browze | **browse** |
| broague | **brogue** | bruit | **brut** *(champagne)* |
| brocaid | **bro·cade** | bruit | **brute** *(beast)* |
| broche | **brooch** *(jewelry)* | bruitish | **brut·ish** |
| broche | **broach** *(introduce)* | bruize | **bruise** |
| brocolli | **broc·co·li** | brume | **brougham** *(carriage)* |
| broge | **brogue** | brume | **broom** *(sweeper)* |
| brokade | **bro·cade** | bruse | **bruise** |

| WRONG | RIGHT | WRONG | RIGHT |
|---|---|---|---|
| Brussle sprouts | Brus·sels sprouts | buldog | bull·dog |
| brut | bruit *(rumor)* | buldozer | bull·doz·er |
| brutallity | bru·tal·i·ty | bulet | bul·let |
| brutallize | bru·tal·ize | buletin | bul·le·tin |
| brute | bruit *(rumor)* | bulevard | boul·e·vard |
| brute | brut *(champagne)* | bullbous | bul·bous |
| bubbley | bub·bly | bullegged | bow·leg·ged |
| bucanneer | buc·ca·neer | bullie | bul·ly |
| buccolic | bu·col·ic | bullion | bouil·lon *(broth)* |
| bucher | butch·er | bullit | bul·let |
| buckaneer | buc·ca·neer | bulliten | bul·le·tin |
| bucksome | bux·om | bullrush | bul·rush |
| bucollic | bu·col·ic | bullwark | bul·wark |
| bucskin | buck·skin | bullwip | bull·whip |
| Budda | Bud·dha | bulwork | bul·wark |
| budder | but·ter | bumlebee | bum·ble·bee |
| budderfly | but·ter·fly | bungelow | bun·ga·low |
| buddie | bud·dy | bunyon | bun·ion |
| Buddist | Bud·dhist | buoyency | buoy·an·cy |
| budgit | budg·et | burbon | bour·bon |
| budgitery | budg·et·ary | burch | birch |
| budoir | bou·doir | burdgeon | bur·geon |
| bufay | buf·fet | bureaukrat | bureau·crat |
| buffelo | buf·fa·lo | bureucracy | bureau·cra·cy |
| bufoon | buf·foon | burg | berg *(iceberg)* |
| buget | budg·et | Burgandy | Bur·gun·dy |
| bugetary | budg·et·ary | burgeler | bur·glar |
| buggey | bug·gy | burgeoisie | bour·geoi·sie |
| buiscut | bis·cuit | burger | burgh·er *(citizen)* |
| bukolic | bu·col·ic | burgh | burg *(town)* |
| bukskin | buck·skin | burgher | bur·ger *(hamburger)* |
| | | burgler | bur·glar |

| WRONG | RIGHT | WRONG | RIGHT |
|---|---|---|---|
| burlesk | bur·lesque | butt | butte *(hill)* |
| burley | bur·ly *(rough)* | buttary | but·tery |
| Burlin | Ber·lin | butte | butt *(end)* |
| burly | bur·ley *(tobacco)* | butten | but·ton |
| burm | berm | buttoneer | bou·ton·niere |
| Burmuda | Ber·mu·da | buttox | but·tocks |
| burocracy | bureau·cra·cy | buttrass | but·tress |
| burow | bur·row *(dig)* | buttuck | but·tock |
| burrage | bar·rage | buxem | bux·om |
| burrial | bur·i·al | buy | bye *(secondary)* |
| burro | bur·row *(dig)* | buzom | bos·om |
| burrow | bor·ough *(town)* | buzzar | ba·zaar *(market)* |
| burrow | bor·row *(take temporarily)* | buzzar | bi·zarre *(odd)* |
| burrow | bur·ro *(donkey)* | buzzerd | buz·zard |
| burrsitis | bur·si·tis | by | buy *(purchase)* |
| burry | bury *(cover)* | by | bye *(secondary)* |
| burser | bur·sar | byases | bi·as·es |
| burserk | ber·serk | bycicle | bi·cy·cle |
| bus | buss *(kiss)* | bye | buy *(purchase)* |
| busness | busi·ness | byfocals | bi·fo·cals |
| busom | bos·om | byle | bile |
| buss | bus *(coach)* | bynary | bi·na·ry |
| bussle | bus·tle | byological | bi·o·log·i·cal |
| but | butt *(end)* | byology | bi·ol·o·gy |
| butain | bu·tane | byprodduct | by·prod·uct |
| butchary | butch·ery | bystanderd | by·stand·er |
| bute | butte *(hill)* | byte | bit *(binary digit)* |
| buter | but·ter | byte | bight *(curve)* |
| buterfly | but·ter·fly | bywey | by·way |
| butlar | but·ler | Byzentine | By·zan·tine |
| butress | but·tress | | |

| WRONG | RIGHT | WRONG | RIGHT |
|---|---|---|---|

## C

| WRONG | RIGHT |
|---|---|
| cabage | **cab·bage** |
| cabaray | **cab·a·ret** |
| cabboose | **ca·boose** |
| cabel | **ca·ble** *(thick rope)* |
| cabenet | **cab·i·net** |
| caberet | **cab·a·ret** |
| cable | **ca·bal** *(secret group)* |
| cacao | **co·coa** *(chocolate)* |
| cacaphony | **ca·coph·o·ny** |
| Cacasian | **Cau·ca·sian** |
| caccus | **cau·cus** |
| cacky | **kha·ki** |
| cacoon | **co·coon** |
| cactis | **cac·tus** |
| caddaver | **ca·dav·er** |
| caddie | **cad·dy** *(tea tray)* |
| cadette | **ca·det** |
| cadie | **cad·die** *(golfer)* |
| cadry | **ca·dre** |
| cady | **cad·dy** *(tea tray)* |
| Caeser | **Cae·sar** |
| Caezarean | **Cae·sar·e·an** |
| cafateria | **caf·e·te·ria** |
| cafeine | **caf·feine** |
| caffe | **ca·fé** |
| caffee | **cof·fee** |
| caffeteria | **caf·e·te·ria** |
| caffiene | **caf·feine** |
| caften | **caf·tan** |
| Cajin | **Ca·jun** |
| cajoll | **ca·jole** |
| caktus | **cac·tus** |
| calaber | **cal·i·ber** |
| Calafornia | **Cal·i·for·nia** |
| calammity | **ca·lam·i·ty** |
| calandar | **cal·en·dar** *(table of dates)* |
| calarie | **cal·o·rie** |
| calasthenics | **cal·is·then·ics** |
| calcalate | **cal·cu·late** |
| calculater | **cal·cu·la·tor** |
| cale | **kale** |
| caleidoscope | **ka·lei·do·scope** |
| calender | **col·an·der** *(strainer)* |
| caligraphy | **cal·lig·ra·phy** |
| calipso | **ca·lyp·so** |
| calistenics | **cal·is·then·ics** |
| callamine | **cal·a·mine** |
| callamity | **ca·lam·i·ty** |
| calldron | **cal·dron** |
| callendar | **cal·en·dar** *(table of dates)* |
| calliber | **cal·i·ber** |
| callico | **cal·i·co** |
| calliflower | **cau·li·flower** |
| callorie | **cal·o·rie** |
| callous | **cal·lus** *(hardened skin)* |
| callus | **cal·lous** *(insensitive)* |
| calsium | **cal·ci·um** |
| calvary | **cav·al·ry** *(troops)* |
| Calvery | **Cal·va·ry** *(Biblical place)* |

| WRONG | RIGHT | WRONG | RIGHT |
|---|---|---|---|

| WRONG | RIGHT |
|---|---|
| camaflage | cam·ou·flage |
| camasole | cam·i·sole |
| cameleon | cha·me·le·on |
| camfor | cam·phor |
| camio | cam·eo |
| cammel | cam·el |
| cammera | cam·era |
| cammomile | cham·o·mile |
| cammouflage | cam·ou·flage |
| campane | cam·paign |
| campas | cam·pus |
| campound | com·pound |
| camra | cam·era |
| Canadien | Ca·na·di·an |
| canapé | can·o·py *(awning)* |
| canapée | ca·na·pé *(appetizer)* |
| canaster | can·is·ter |
| cancelation | can·cel·la·tion |
| cancker | can·ker |
| candadate | can·di·date |
| canded | can·did |
| candedacy | can·di·da·cy |
| candel | can·dle |
| candellabrum | can·de·la·brum |
| cander | can·dor |
| candyed | can·died |
| canen | can·on *(church law)* |
| canery | ca·nary |
| canibal | can·ni·bal |
| caning | can·ning *(preserving)* |
| cannal | ca·nal |
| cannapé | ca·na·pé *(appetizer)* |
| cannary | ca·nary |
| cannasta | ca·nas·ta |
| cannen | can·non *(large gun)* |
| cannidate | can·di·date |
| cannine | ca·nine |
| canning | can·ing *(flogging)* |
| cannister | can·is·ter |
| cannon | can·on *(church law)* |
| canon | can·non *(large gun)* |
| canopy | ca·na·pé *(appetizer)* |
| cansel | can·cel |
| canser | can·cer |
| cant | can't *(cannot)* |
| cantalever | can·ti·le·ver |
| cantalope | can·ta·loupe |
| cantene | can·teen |
| canter | can·tor *(singer)* |
| cantor | can·ter *(gallop)* |
| canue | ca·noe |
| canvas | can·vass *(poll)* |
| canvass | can·vas *(cloth)* |
| canyun | can·yon |
| capabel | ca·pa·ble |
| capasity | ca·pac·i·ty |
| capatal | cap·i·tal *(city; chief)* |
| capchure | cap·ture |
| capeble | ca·pa·ble |
| capichulate | capit·u·late |
| capilary | cap·il·lary |
| capital | cap·i·tol *(building)* |
| capitol | cap·i·tal *(city; chief)* |

31

| WRONG | RIGHT | WRONG | RIGHT |
|---|---|---|---|
| capitolism | **cap·i·tal·ism** | carcanoma | **car·ci·no·ma** |
| capitualate | **capit·u·late** | carcus | **car·cass** |
| cappaccino | **cap·puc·cino** | cardagan | **car·di·gan** |
| cappillary | **cap·il·lary** | cardbord | **card·board** |
| cappitulate | **capit·u·late** | cardeac | **car·di·ac** |
| Capracorn | **Cap·ri·corn** | cardeology | **car·di·ol·o·gy** |
| caprise | **ca·price** | cardeovascular | **car·di·o·vas·cu·lar** |
| capsle | **cap·sule** | cardiak | **car·di·ac** |
| captan | **cap·tain** | cardialogy | **car·di·ol·o·gy** |
| captavate | **cap·ti·vate** | cardinel | **car·di·nal** |
| captave | **cap·tive** | cardiovasclar | **car·di·o·vas·cu·lar** |
| capter | **cap·tor** | cardnal | **car·di·nal** |
| capter | **cap·ture** | carear | **ca·reer** |
| captian | **cap·tion** | carefull | **care·ful** |
| capuccino | **cap·puc·cino** | carefuly | **care·ful·ly** |
| Carabbean | **Car·ib·be·an** | carel | **car·rel** *(study desk)* |
| carachteristic | **char·ac·ter·is·tic** | caremel | **car·a·mel** |
| caracter | **char·ac·ter** *(personality)* | caret | **car·at** *(gem weight)* |
| Caralina | **Car·o·li·na** | caret | **car·rot** *(vegetable)* |
| carat | **car·et** *(proofreader's mark)* | caret | **kar·at** *(1/24)* |
| carat | **car·rot** *(vegetable)* | carfully | **care·ful·ly** |
| carban | **car·bon** | cariage | **car·riage** |
| carbanated | **car·bon·at·ed** | caricature | **char·ac·ter** *(personality)* |
| carbarater | **car·bu·ret·or** | caricture | **car·i·ca·ture** *(picture)* |
| carbene | **car·bine** | carier | **car·ri·er** |
| carberetor | **car·bu·ret·or** | caries | **car·ries** *(form of carry)* |
| carbind | **car·bine** | carion | **car·ri·on** |
| carbond | **car·bon** | carisma | **cha·ris·ma** |
| carburator | **car·bu·ret·or** | | |

| WRONG | RIGHT | WRONG | RIGHT |
|---|---|---|---|
| carivan | **car·a·van** | carrot | **car·et** |
| carma | **kar·ma** | | *(proofreader's mark)* |
| carmel | **car·a·mel** | carrotene | **car·o·tene** |
| carnaval | **car·ni·val** | carrouse | **ca·rouse** |
| carnavore | **car·ni·vore** | carsinogen | **car·cin·o·gen** |
| carnege | **car·nage** | carsinoma | **car·ci·no·ma** |
| carnel | **car·nal** | cartalage | **car·ti·lage** |
| carniverous | **car·niv·o·rous** | cart blanche | **carte blanche** |
| carol | **car·rel** *(study desk)* | cart blanche | **carte blanche** |
| carosene | **ker·o·sene** | cartell | **car·tel** |
| carot | **car·rot** *(vegetable)* | carten | **car·ton** |
| carotted | **ca·rot·id** | cartillage | **car·ti·lage** |
| carouze | **ca·rouse** | cartrige | **car·tridge** |
| carpetting | **car·pet·ing** | cartune | **car·toon** |
| carpinter | **car·pen·ter** | casally | **cas·u·al·ly** |
| carpit | **car·pet** | caseing | **cas·ing** |
| carrafe | **ca·rafe** | caseno | **ca·si·no** |
| carrage | **car·riage** | | *(gambling room)* |
| carrasel | **car·rou·sel** | caserole | **cas·se·role** |
| carravan | **car·a·van** | casette | **cas·sette** |
| carrel | **car·ol** *(song)* | cashe | **cache** *(hiding place)* |
| carress | **ca·ress** | casheer | **cash·ier** |
| Carribbean | **Car·ib·be·an** | cashmeer | **cash·mere** |
| carricature | **car·i·ca·ture** | cashou | **cash·ew** |
| | *(picture)* | cashually | **cas·u·al·ly** |
| carridge | **car·riage** | cashualty | **cas·u·al·ty** |
| carrien | **car·ri·on** | casino | **cas·si·no** *(card game)* |
| carries | **car·ies** *(decay)* | caskade | **cas·cade** |
| carring | **car·ry·ing** | caskit | **cas·ket** |
| carrob | **car·ob** | casment | **case·ment** |
| carrol | **car·ol** *(song)* | casock | **cas·sock** |
| carrot | **car·at** *(gem weight)* | cassarole | **cas·se·role** |

| WRONG | RIGHT | WRONG | RIGHT |
|---|---|---|---|
| casscade | **cas·cade** | cattegory | **cat·e·go·ry** |
| cassel | **cas·tle** | cattel | **cat·tle** |
| casseno | **cas·si·no** *(card game)* | catterpillar | **cat·er·pil·lar** |
| casset | **cas·sette** | caulaflower | **cau·li·flower** |
| cassino | **ca·si·no** *(gambling room)* | cautius | **cau·tious** |
| | | cavaleir | **cav·a·lier** |
| casstanets | **cas·ta·nets** | Cavalry | **Cal·va·ry** *(Biblical place)* |
| cast | **caste** *(social rank)* | | |
| castagate | **cas·ti·gate** | cavaty | **cav·i·ty** |
| caster | **cas·tor** *(oil)* | cavear | **cav·i·ar** |
| castor | **cast·er** *(wheel)* | cavelcade | **cav·al·cade** |
| castrait | **cas·trate** | cavelier | **cav·a·lier** |
| casulty | **cas·u·al·ty** | cavelry | **cav·al·ry** *(troops)* |
| catachism | **cat·e·chism** | cavurn | **cav·ern** |
| cataclism | **cat·a·clysm** | cawk | **caulk** |
| catacome | **cat·a·comb** | cayak | **kay·ak** |
| catagory | **cat·e·go·ry** | cayote | **coy·o·te** |
| catalist | **cat·a·lyst** | Ceasarean | **Cae·sar·e·an** |
| catalitic | **cat·a·lyt·ic** | cecada | **ci·ca·da** |
| catapalt | **cat·a·pult** | ceder | **ce·dar** |
| catapillar | **cat·er·pil·lar** | ceese | **cease** |
| catarack | **cat·a·ract** | ceiling | **seal·ing** *(fastening)* |
| catastrophies | **ca·tas·tro·phes** | celabrate | **cel·e·brate** |
| catastrophy | **ca·tas·tro·phe** | celebrety | **ce·leb·ri·ty** |
| catchew | **cash·ew** | celery | **sal·a·ry** *(pay)* |
| cateclism | **cat·a·clysm** | celesstial | **ce·les·tial** |
| catelog | **cat·a·log** | cell | **sell** *(trade for money)* |
| Cathalic | **Cath·o·lic** | cellar | **sell·er** *(vendor)* |
| cathater | **cath·e·ter** | cellebrate | **cel·e·brate** |
| cathedrel | **ca·the·dral** | cellebrity | **ce·leb·ri·ty** |
| Cathlic | **Cath·o·lic** | celler | **cel·lar** *(basement)* |
| cattalog | **cat·a·log** | cellery | **cel·e·ry** *(vegetable)* |

| WRONG | RIGHT | WRONG | RIGHT |
|---|---|---|---|
| cellestial | ce·les·tial | cerafe | ca·rafe |
| cellibacy | cel·i·ba·cy | ceramik | ce·ram·ic |
| cellofane | cel·lo·phane | ceramony | cer·e·mo·ny |
| celophane | cel·lo·phane | cercumstance | cir·cum·stance |
| celp | kelp | cerdential | cre·den·tial |
| Celsus | Cel·si·us | cereal | se·ri·al *(in a series)* |
| celulite | cel·lu·lite | cerebrel | cer·e·bral |
| celuloid | cel·lu·loid | ceriel | ce·re·al *(grain)* |
| cematery | cem·e·tery | cerramic | ce·ram·ic |
| cemical | chem·i·cal | cerrebral | cer·e·bral |
| cemint | ce·ment | cerremony | cer·e·mo·ny |
| cemotherapy | chem·o·ther·a·py | certan | cer·tain |
| censer | cen·sor *(prohibiter)* | certifacate | cer·tif·i·cate |
| censor | cen·sure *(blame)* | certifyable | cer·ti·fi·a·ble |
| censor | cen·ser *(incense box)* | cervex | cer·vix |
| censor | sen·sor *(detection device)* | Cesar | Cae·sar |
| censure | cen·sor *(prohibiter)* | cession | ses·sion *(meeting)* |
| cent | sent *(pt. of send)* | Chabley | Cha·blis |
| cent | scent *(smell)* | chairiot | char·i·ot |
| centagrade | cen·ti·grade | chairwoman | char·wom·an *(cleaning person)* |
| centameter | cen·ti·me·ter | chalay | cha·let |
| centapede | cen·ti·pede | chalenge | chal·lenge |
| centenial | cen·ten·ni·al | challet | cha·let |
| centerpeice | cen·ter·piece | challice | chal·ice |
| centery | cen·tu·ry | chammeleon | cha·me·le·on |
| centrel | cen·tral | chammy | cham·ois |
| centrifagle | cen·trif·u·gal | champaign | cham·pagne *(wine)* |
| centrifical | cen·trif·u·gal | champeon | cham·pi·on |
| cepter | scep·ter | chancelor | chan·cel·lor |
| ceptic | sep·tic | | |

| WRONG | RIGHT | WRONG | RIGHT |
|---|---|---|---|

chandalier ............ **chan·de·lier**
chane ........................... **chain**
chanel ...................... **chan·nel**
changable ......... **change·a·ble**
changeing .............. **chang·ing**
chansellor .............. **chan·cel·lor**
chaparone ............ **chap·er·on**
chaplin ................... **chap·lain**
chappel ..................... **chap·el**
chaptor ..................... **chap·ter**
character ............ **car·i·ca·ture** *(picture)*
charactoristic ..........
.......... **char·ac·ter·is·tic**
charaty ................... **char·i·ty**
charcole ................. **char·coal**
chariat ..................... **char·i·ot**
charish .................... **cher·ish**
charizma ............... **cha·ris·ma**
charrade .................. **cha·rade**
chartreuze ........... **char·treuse**
charwoman ...... **chair·wom·an** *(person in charge)*
chase longue ... **chaise longue**
chasen ..................... **chas·ten**
chasim ...................... **chasm**
chassy ..................... **chas·sis**
chastaty ................ **chas·ti·ty**
chastize ................... **chas·tise**
Chatanooga ..... **Chat·ta·nooga**
chatel ...................... **chat·tel**
chater ...................... **chat·ter**

chateu ...................... **châ·teau**
chaufer ....... **chauf·feur** *(driver)*
chauvanism ........ **chau·vin·ism**
cheap .................. **cheep** *(chirp)*
chearful ................... **cheer·ful**
cheatah .................. **chee·tah**
checanery ............ **chi·can·ery**
Checkoslovakia ..........
.......... **Czech·o·slo·va·kia**
Chedar ................... **Ched·dar**
cheek ........... **chic** *(fashionable)*
cheep ........ **cheap** *(inexpensive)*
cheeze ...................... **cheese**
cheif ............... **chief** *(leader)*
cheif ..................... **chef** *(cook)*
chello ......................... **cel·lo**
chematherapy ..........
.......... **chem·o·ther·a·py**
chemestry ............ **chem·is·try**
chemize ................. **che·mise**
chennille ................. **che·nille**
cherade ................... **cha·rade**
cherisma ............... **cha·ris·ma**
cherity .................... **char·i·ty**
chern .......................... **churn**
cherrish ................... **cher·ish**
cherrubic ............... **che·ru·bic**
chessnut ................. **chest·nut**
chic ............. **sheik** *(Arab chief)*
chicery ................... **chic·o·ry**
chickory .................. **chic·o·ry**
chieftan .................. **chief·tain**

| WRONG | RIGHT | WRONG | RIGHT |
|---|---|---|---|
| chiken | chick·en | chrisanthemum | chrys·an·the·mum |
| chilli | chili *(pepper)* | chrissen | chris·ten |
| chily | chilly *(cold)* | Christanity | Chris·ti·an·i·ty |
| chiminey | chim·ney | chromasome | chro·mo·some |
| chinchila | chin·chil·la | chronacle | chron·i·cle |
| chintsy | chintzy | chuckel | chuck·le |
| chior | choir | cianide | cy·a·nide |
| chipmonk | chip·munk | Cianti | Chi·an·ti |
| chirapractor | chi·ro·prac·tor | cicle | cy·cle |
| chire | choir | ciclone | cy·clone |
| chisle | chis·el | cieling | ceil·ing *(overhead covering)* |
| chivallry | chiv·al·ry | | |
| Chiwawa | Chi·hua·hua | cigerette | cig·a·rette |
| chloranate | chlo·ri·nate | cilinder | cyl·in·der |
| chloraphyl | chlo·ro·phyll | cillia | cil·ia |
| chlorene | chlo·rine | cinama | cin·e·ma |
| chocalate | choc·o·late | cinammon | cin·na·mon |
| chock | chalk *(white powder)* | Cinncinnati | Cin·cin·na·ti |
| choise | choice | circalate | cir·cu·late |
| cholestrol | cho·les·ter·ol | circas | cir·cus |
| chollera | chol·era | circeler | cir·cu·lar |
| choosen | cho·sen | circiut | cir·cuit |
| choral | cor·al *(shell)* | circomscribe | cir·cum·scribe |
| chord | cord *(string)* | circomstantial | cir·cum·stan·tial |
| chorreography | chor·e·og·ra·phy | | |
| | | circuler | cir·cu·lar |
| chouder | chow·der | circumfrence | cir·cum·fer·ence |
| chow main | chow mein | | |
| chozen | cho·sen | circumsize | cir·cum·cise |
| chranic | chron·ic | circumspeck | cir·cum·spect |
| chranological | chron·o·log·i·cal | circumstanse | cir·cum·stance |

| WRONG | RIGHT | WRONG | RIGHT |
|---|---|---|---|
| circumstansial | **cir·cum·stan·tial** | cleerance | **clear·ance** |
| cirhosis | **cir·rho·sis** | cleet | **cleat** |
| ciropractor | **chi·ro·prac·tor** | cleevage | **cleav·age** |
| cirrosis | **cir·rho·sis** | clemmency | **clem·en·cy** |
| cist | **cyst** *(sac)* | clenser | **cleans·er** |
| cisturn | **cis·tern** | cleptomaniac | **klep·to·ma·ni·ac** |
| citazen | **cit·i·zen** | clever | **cleav·er** *(large knife)* |
| cite | **site** *(location)* | cliantele | **cli·en·tele** |
| cite | **sight** *(vision)* | click | **clique** *(group of people)* |
| cittadel | **cit·a·del** | clientell | **cli·en·tele** |
| civilazation | **civ·i·li·za·tion** | climactic | **cli·mat·ic** *(of a climate)* |
| civillian | **ci·vil·ian** | climatic | **cli·mac·tic** *(of a climax)* |
| clairavoyance | **clair·voy·ance** | | |
| clame | **claim** | climet | **cli·mate** |
| clammor | **clam·or** | clinicly | **clin·i·cal·ly** |
| claranet | **clar·i·net** | clishay | **cli·ché** |
| claraty | **clar·i·ty** | cloke | **cloak** |
| clarefy | **clar·i·fy** | clorinate | **chlo·ri·nate** |
| clarical | **cler·i·cal** | clorophyl | **chlo·ro·phyll** |
| clarinnet | **clar·i·net** | close | **clothes** *(apparel)* |
| clarvoyance | **clair·voy·ance** | clostrophobia | **claus·tro·pho·bia** |
| classafication | **clas·si·fi·ca·tion** | cloth | **clothe** *(v.)* |
| clastrophobia | **claus·tro·pho·bia** | clothe | **cloth** *(n.)* |
| claws | **clause** *(grammar)* | clotheing | **cloth·ing** |
| clearence | **clear·ance** | clothes | **close** *(shut)* |
| cleavedge | **cleav·age** | cloyster | **clois·ter** |
| cleaver | **clev·er** *(sly)* | cluch | **clutch** |
| cleche | **cli·ché** | clumsey | **clum·sy** |
| cleek | **clique** *(group of people)* | clurgy | **cler·gy** |

| WRONG | RIGHT | WRONG | RIGHT |
|---|---|---|---|
| coagalate | co·ag·u·late | colar | col·lar *(neck band)* |
| coaless | co·a·lesce | colateral | col·lat·er·al |
| coallition | co·a·li·tion | cold slaw | cole·slaw |
| coarse | course *(way; class)* | cole | coal *(mineral)* |
| cobolt | co·balt | coleague | col·league |
| cocane | co·caine | colector | col·lec·tor |
| cocanut | co·co·nut | colege | col·lege *(school)* |
| cocao | ca·cao *(tree)* | colegiate | col·le·giate |
| coccoon | co·coon | colen | co·lon |
| coch | coach | coler | col·or |
| cockaroach | cock·roach | colera | chol·era |
| cocoa | ca·cao *(tree)* | colesce | co·a·lesce |
| cocoe | co·coa *(chocolate)* | colesterol | cho·les·ter·ol |
| codefy | cod·i·fy | colide | col·lide |
| codiene | co·deine | colision | col·li·sion |
| codle | cod·dle | colition | co·a·li·tion |
| coersion | co·er·cion | collage | col·lege *(school)* |
| cofee | cof·fee | collander | col·an·der *(strainer)* |
| coffen | cof·fin | collapseable | col·laps·i·ble |
| cogatate | cog·i·tate | collecter | col·lec·tor |
| cogenital | con·gen·i·tal | college | col·lage *(art form)* |
| cognizent | cog·ni·zant | collegue | col·league |
| coherense | co·her·ence | coller | col·lar *(neck band)* |
| cohesave | co·he·sive | collerd | col·lard *(kale)* |
| coifure | coif·fure *(hair style)* | collic | col·ic |
| coincidance | co·in·ci·dence | colliseum | col·i·se·um |
| coinside | co·in·cide | collitis | co·li·tis |
| colaborate | col·lab·o·rate | collogne | co·logne |
| colage | col·lage *(art form)* | collonial | co·lo·ni·al |
| colander | cal·en·dar *(table of dates)* | collonnade | col·on·nade |
| colapse | col·lapse | Collorado | Col·o·rado |
| | | collossal | co·los·sal |

| WRONG | RIGHT | WRONG | RIGHT |
|---|---|---|---|
| collum | **col·umn** | comitment | **com·mit·ment** |
| collumnist | **col·um·nist** | comitted | **com·mit·ted** |
| colonade | **col·on·nade** | comittee | **com·mit·tee** |
| colone | **co·logne** | comm | **comb** |
| coloquial | **col·lo·qui·al** | comma | **co·ma** *(stupor)* |
| colosal | **co·los·sal** | commadore | **com·mo·dore** |
| columist | **col·um·nist** | comman | **com·mon** |
| columm | **col·umn** | commatose | **co·ma·tose** |
| coma | **com·ma** *(punctuation mark)* | commemrative | **com·mem·o·ra·tive** |
| comand | **com·mand** | commensement | **com·mence·ment** |
| combatave | **com·bat·ive** | commentater | **com·men·ta·tor** |
| combustable | **com·bus·ti·ble** | commerse | **com·merce** |
| comedianne | **co·me·di·enne** *(f.)* | commisary | **com·mis·sary** |
| comedien | **co·me·di·an** *(m.)* | commision | **com·mis·sion** |
| comedien | **co·me·di·enne** *(f.)* | commited | **com·mit·ted** |
| comeing | **com·ing** | commitee | **com·mit·tee** |
| comemorative | **com·mem·o·ra·tive** | committment | **com·mit·ment** |
| comencement | **com·mence·ment** | commizerate | **com·mis·er·ate** |
| comend | **com·mend** | commodaty | **com·mod·i·ty** |
| comentary | **com·men·tary** | commonist | **com·mu·nist** |
| comerce | **com·merce** | communacible | **com·mu·ni·ca·ble** |
| comfert | **com·fort** | comode | **com·mode** |
| comfiscate | **con·fis·cate** | comodity | **com·mod·i·ty** |
| comfortible | **com·fort·a·ble** | comon | **com·mon** |
| comidy | **com·e·dy** | comotion | **com·mo·tion** |
| comiserate | **com·mis·er·ate** | compack | **com·pact** |
| comissary | **com·mis·sary** | compackor | **com·pac·tor** |
| comission | **com·mis·sion** | compacter | **com·pac·tor** |
| | | compannion | **com·pan·ion** |

| WRONG | RIGHT | WRONG | RIGHT |
|---|---|---|---|

compareable ..... **com·pa·ra·ble**
comparitively ..........
.......... **com·par·a·tive·ly**
compas ................. **com·pass**
compasionate ..........
.......... **com·pas·sion·ate**
composition ..... **com·po·si·tion**
compatable ........ **com·pat·i·ble**
compatence ...... **com·pe·tence**
compatition ...... **com·pe·ti·tion**
compell .................... **com·pel**
compeny .............. **com·pa·ny**
competance ...... **com·pe·tence**
competative ...... **com·pet·i·tive**
competeing .......... **com·pet·ing**
compettiter ....... **com·pet·i·tor**
compinsation ..........
.......... **com·pen·sa·tion**
complacation .. **com·pli·ca·tion**
complacent ....... **com·plai·sant**
*(obliging)*
complaisant ....... **com·pla·cent**
*(smug)*
complane ............... **com·plain**
complecated .... **com·pli·cat·ed**
complection ....... **com·plex·ion**
complement ...... **com·pli·ment**
*(praise)*
complementry ..........
.......... **com·ple·men·ta·ry**
completly ........... **com·plete·ly**
complient ............. **com·pli·ant**

compliment ...... **com·ple·ment**
*(part of a whole)*
complimentry ..........
.......... **com·pli·men·ta·ry**
complisity .......... **com·plic·i·ty**
componant ........ **com·po·nent**
composet ............. **com·pos·ite**
composor ............. **com·pos·er**
comprable ........ **com·pa·ra·ble**
compramise ...... **com·pro·mise**
comprehensable ..........
.......... **com·pre·hen·si·ble**
comprize ............... **com·prise**
compulsery ....... **com·pul·so·ry**
comrad ................. **com·rade**
comunal .............. **com·mu·nal**
comunicable ..........
.......... **com·mu·ni·ca·ble**
comunication ..........
.......... **com·mu·ni·ca·tion**
comunion ......... **com·mun·ion**
comunist ............ **com·mu·nist**
comunity ........... **com·mu·ni·ty**
comuter .............. **com·mut·er**
conbine ................. **com·bine**
conceed ................. **con·cede**
conceivible ....... **con·ceiv·a·ble**
concensus .......... **con·sen·sus**
concherto ............. **con·cer·to**
concideration ..........
.......... **con·sid·er·a·tion**
conciet ...................... **con·ceit**

| WRONG | RIGHT | WRONG | RIGHT |
|---|---|---|---|

| WRONG | RIGHT |
|---|---|
| concievable | **con·ceiv·a·ble** |
| concommitant | **con·com·i·tant** |
| concordence | **con·cord·ance** |
| concorse | **con·course** |
| concreet | **con·crete** |
| concurent | **con·cur·rent** |
| concusion | **con·cus·sion** |
| condament | **con·di·ment** |
| condaminium | **con·do·min·i·um** |
| condansation | **con·den·sa·tion** |
| condascend | **con·de·scend** |
| condem | **con·demn** *(censure)* |
| condence | **con·dense** |
| condesend | **con·de·scend** |
| condimint | **con·di·ment** |
| condit | **con·duit** |
| condolance | **con·do·lence** |
| condominimum | **con·do·min·i·um** |
| conducter | **con·duc·tor** |
| condusive | **con·du·cive** |
| Coneticut | **Con·nect·i·cut** |
| conection | **con·nec·tion** |
| confascate | **con·fis·cate** |
| confecktion | **con·fec·tion** |
| confedence | **con·fi·dence** |
| confedercy | **con·fed·er·a·cy** |
| confered | **con·ferred** |
| conferrence | **con·fer·ence** |
| confesion | **con·fes·sion** |
| confeti | **con·fet·ti** |
| confidance | **con·fi·dence** |
| confidensial | **con·fi·den·tial** |
| confinment | **con·fine·ment** |
| confirmation | **con·for·ma·tion** *(shape)* |
| conflick | **con·flict** |
| conformation | **con·fir·ma·tion** *(ceremony; verification)* |
| confrence | **con·fer·ence** |
| conglommerate | **con·glom·er·ate** |
| congradulate | **con·grat·u·late** |
| congragation | **con·gre·ga·tion** |
| congruance | **con·gru·ence** |
| conivance | **con·niv·ance** |
| conjagate | **con·ju·gate** |
| conjenial | **con·gen·ial** |
| conjenital | **con·gen·i·tal** |
| conjer | **con·jure** |
| conjestion | **con·ges·tion** |
| conklave | **con·clave** |
| Conneticut | **Con·nect·i·cut** |
| connivence | **con·niv·ance** |
| connoiseur | **con·nois·seur** |
| conotation | **con·no·ta·tion** |
| conquerer | **con·quer·or** |
| consaquence | **con·se·quence** |
| consceince | **con·science** *(morals)* |
| consceintious | **con·sci·en·tious** |

42

| WRONG | RIGHT | WRONG | RIGHT |
|---|---|---|---|
| conscience | **con·scious** *(aware)* | consumate | **con·sum·mate** |
| | | consummé | **con·som·mé** |
| conscious | **con·science** *(morals)* | contack | **con·tact** |
| | | contageous | **con·ta·gious** |
| conseal | **con·ceal** | contamanate | **con·tam·i·nate** |
| consede | **con·cede** | contane | **con·tain** |
| conseit | **con·ceit** | contemparary | **con·tem·po·rary** |
| consentrate | **con·cen·trate** | | |
| consentric | **con·cen·tric** | contemptable | **con·tempt·i·ble** |
| conseptual | **con·cep·tu·al** | contenental | **con·ti·nen·tal** |
| conserned | **con·cerned** | conterdiction | **con·tra·dic·tion** |
| consert | **con·cert** | contestent | **con·test·ant** |
| conservitave | **con·ser·va·tive** | continnuation | **con·tin·u·a·tion** |
| consession | **con·ces·sion** | | |
| consicrate | **con·se·crate** | continous | **con·tin·u·ous** |
| consiliatory | **con·cil·i·a·to·ry** | continuence | **con·tin·u·ance** |
| consious | **con·scious** *(aware)* | contoor | **con·tour** |
| consise | **con·cise** | contrabution | **con·tri·bu·tion** |
| consistancy | **con·sis·ten·cy** | contrack | **con·tract** |
| consoladation | **con·sol·i·da·tion** | contraseption | **con·tra·cep·tion** |
| | | | |
| consome | **con·som·mé** | contraversial | **con·tro·ver·sial** |
| consonent | **con·so·nant** | contrery | **con·trary** |
| conspirecy | **con·spir·a·cy** | contrivence | **con·triv·ance** |
| constapation | **con·sti·pa·tion** | controling | **con·trol·ling** |
| constatution | **con·sti·tu·tion** | conubial | **con·nu·bi·al** |
| constelation | **con·stel·la·tion** | convalesence | **con·va·les·cence** |
| constent | **con·stant** | | |
| construcktion | **con·struc·tion** | conveneince | **con·ven·ience** |
| consul | **coun·sel** *(advice)* | conversent | **con·ver·sant** |
| consul | **coun·cil** *(legislature)* | convertable | **con·vert·i·ble** |
| consultent | **con·sult·ant** | convienence | **con·ven·ience** |

43

| WRONG | RIGHT | WRONG | RIGHT |
|---|---|---|---|

| WRONG | RIGHT |
|---|---|
| conyac | **cogn·ac** |
| coo | **coup** (revolt) |
| coolent | **cool·ant** |
| coopon | **cou·pon** |
| coordenation | **co·or·di·na·tion** |
| coparison | **com·par·i·son** |
| coper | **cop·per** |
| copyer | **cop·i·er** |
| corageous | **cou·ra·geous** |
| coral | **cho·ral** (music) |
| coral | **cor·ral** (pen) |
| cord | **chord** (music) |
| cordaroy | **cor·du·roy** |
| cordgial | **cor·dial** |
| cordination | **co·or·di·na·tion** |
| coreck | **cor·rect** |
| corection | **cor·rec·tion** |
| corelation | **cor·re·la·tion** |
| corenary | **cor·o·nary** |
| coreography | **chor·e·og·ra·phy** |
| corespondence | **cor·re·spond·ence** |
| corespondent | **cor·re·spond·ent** (writer) |
| coridor | **cor·ri·dor** |
| coroborate | **cor·rob·o·rate** |
| coronery | **cor·o·nary** |
| corosion | **cor·ro·sion** |
| corparation | **cor·po·ra·tion** |
| corperal | **cor·po·ral** |
| corps | **corpse** (dead body) |
| corpse | **corps** (group of people) |
| corpusle | **cor·pus·cle** |
| correspondance | **cor·re·spond·ence** |
| correspondent | **co·re·spond·ent** (legal term) |
| corrollary | **cor·ol·lary** |
| corruptable | **cor·rupt·i·ble** |
| cortizone | **cor·ti·sone** |
| corugated | **cor·ru·gat·ed** |
| coruptible | **cor·rupt·i·ble** |
| corus | **cho·rus** |
| cosign | **co·sine** (mathematics term) |
| cosine | **co·sign** (sign jointly) |
| cosmapolitan | **cos·mo·pol·i·tan** |
| costic | **caus·tic** |
| cotage | **cot·tage** |
| cotemtible | **con·tempt·i·ble** |
| coterize | **cau·ter·ize** |
| coton | **cot·ton** |
| council | **coun·sel** (advice) |
| counsel | **con·sul** (government representative) |
| counsel | **coun·cil** (legislature) |
| countenence | **coun·te·nance** |
| counterfit | **coun·ter·feit** |
| countrey | **coun·try** |
| coup | **coupe** (car) |
| coupe | **coup** (revolt) |
| coupel | **cou·ple** |

| WRONG | RIGHT | WRONG | RIGHT |
|---|---|---|---|
| couragious | cou·ra·geous | crickit | crick·et |
| courrage | cour·age | criminel | crim·i·nal |
| courrier | cou·ri·er | criple | crip·ple |
| course | coarse (rough) | criptic | cryp·tic |
| courtecy | cour·te·sy | crises | cri·sis (sing.) |
| courtious | cour·te·ous | crisis | cri·ses (pl.) |
| court–marshall | court–mar·tial | cristal | crys·tal |
| covanant | cov·e·nant | Cristianity | Chris·ti·an·i·ty |
| cowardace | cow·ard·ice | criticizm | crit·i·cism |
| cowerdly | cow·ard·ly | critisize | crit·i·cize |
| coxe | coax | crocadile | croc·o·dile |
| cozmetic | cos·met·ic | croche | cro·chet |
| cozmic | cos·mic | crochety | crotch·ety |
| craby | crab·by | croisant | crois·sant (roll) |
| crayen | cray·on | crokay | cro·quet (game) |
| creachure | crea·ture (animal) | crokette | cro·quette (food) |
| creak | creek (stream) | crome | chrome |
| creap | creep | cromosome | chro·mo·some |
| creater | cre·a·tor (one who creates) | cronic | chron·ic |
| creater | crea·ture (animal) | cronicle | chron·i·cle |
| credance | cre·dence | cronological | chron·o·log·i·cal |
| credible | cred·it·a·ble | crooton | crou·ton |
| creek | creak (squeak) | croquet | cro·quette (food) |
| cressant | crois·sant (roll) | croquette | cro·quet (game) |
| cressent | cres·cent | croshet | cro·chet |
| crevasse | crev·ice (narrow cleft) | crucefy | cru·ci·fy |
| crevice | cre·vasse (deep fissure) | cruel | crew·el (needlework) |
| crewel | cru·el (mean) | crulty | cru·el·ty |
| | | crum | crumb |
| | | crusial | cru·cial |
| | | crusible | cru·ci·ble |
| | | crusifix | cru·ci·fix |

| WRONG | RIGHT | WRONG | RIGHT |
|---|---|---|---|
| crusify | **cru·ci·fy** | curiousity | **cu·ri·os·i·ty** |
| crysanthemum | **chrys·an·the·mum** | curius | **cu·ri·ous** |
| crystalize | **crys·tal·lize** | curlycue | **curl·i·cue** |
| cubberd | **cup·board** | curmugeon | **cur·mudg·eon** |
| cubical | **cu·bi·cle** (small room) | curnel | **ker·nel** (grain) |
| cubicle | **cu·bi·cal** (cube–shaped) | currant | **cur·rent** (stream) |
| cuboard | **cup·board** | current | **cur·rant** (raisin) |
| cudly | **cud·dly** | curricullum | **cur·ric·u·lum** |
| cudos | **ku·dos** | cursury | **cur·so·ry** |
| cue | **queue** (line) | curtale | **cur·tail** |
| cuepon | **cou·pon** | curteous | **cour·te·ous** |
| cugel | **cudg·el** | curtesy | **cour·te·sy** |
| cuizine | **cui·sine** | curtin | **cur·tain** |
| cullinary | **cu·li·nary** | cushon | **cush·ion** |
| culmanate | **cul·mi·nate** | cusine | **cui·sine** |
| culpible | **cul·pa·ble** | custady | **cus·to·dy** |
| culpret | **cul·prit** | custamer | **cus·tom·er** (patron) |
| cultavate | **cul·ti·vate** | custem | **cus·tom** |
| cultureal | **cul·tur·al** | custerd | **cus·tard** |
| cummulative | **cumu·la·tive** | customery | **cus·tom·ary** |
| cumpass | **com·pass** | cutacle | **cut·i·cle** |
| cumquot | **kum·quat** | cuting | **cut·ting** |
| cuning | **cun·ning** | cymbal | **sym·bol** (mark) |
| cupbord | **cup·board** | cynecal | **cyn·i·cal** |
| curage | **cour·age** | cypras | **cy·press** |
| curant | **cur·rant** (raisin) | Czechaslovakia | **Czech·o·slo·va·kia** |
| curater | **cu·ra·tor** | | |
| curcuit | **cir·cuit** | **D** | |
| curent | **cur·rent** (stream) | dabris | **de·bris** |
| curiculum | **cur·ric·u·lum** | dacore | **dé·cor** |

| WRONG | RIGHT | WRONG | RIGHT |
|---|---|---|---|
| dacorum | **de·cor·um** | dashbord | **dash·board** |
| dacquiri | **dai·qui·ri** | dashhound | **dachs·hund** |
| daes | **da·is** | dasturdly | **das·tard·ly** |
| dafodil | **daf·fo·dil** | dasy | **dai·sy** |
| dager | **dag·ger** | data | **da·tum** (sing.) |
| dairey | **dairy** (milk farm) | dateing | **dat·ing** |
| daja vu | **dé·jà vu** | datente | **dé·tente** |
| dalfin | **dol·phin** | datum | **da·ta** (pl.) |
| dalia | **dahl·ia** | daudle | **daw·dle** |
| dalight | **day·light** | dauter | **daugh·ter** |
| dalying | **dal·ly·ing** | davinity | **di·vin·i·ty** |
| dam | **damn** (condemn) | davinport | **dav·en·port** |
| damedge | **dam·age** | dawb | **daub** |
| damestic | **do·mes·tic** | dawntless | **daunt·less** |
| dammable | **dam·na·ble** | daylite | **day·light** |
| dammage | **dam·age** | dayly | **dai·ly** |
| damn | **dam** (animal; barrier) | days | **daze** (stun) |
| dandrif | **dan·druff** | daze | **days** (pl. of day) |
| dandylion | **dan·de·li·on** | dazle | **daz·zle** |
| dane | **deign** (condescend) | dazy | **dai·sy** |
| dangel | **dan·gle** | deactavate | **de·ac·ti·vate** |
| dangrous | **dan·ger·ous** | deadlyer | **dead·li·er** |
| dannilion | **dan·de·li·on** | deadning | **dead·en·ing** |
| danse | **dance** | deaffen | **deaf·en** |
| danty | **dain·ty** | dealling | **deal·ing** |
| daper | **dap·per** | dealor | **deal·er** |
| dappeled | **dap·pled** | dear | **deer** (animal) |
| dappreciate | **de·pre·ci·ate** | debackle | **de·ba·cle** |
| daquiri | **dai·qui·ri** | debanair | **deb·o·nair** |
| dareing | **dar·ing** | debass | **de·base** |
| darey | **dairy** (milk farm) | debatible | **de·bat·a·ble** |
| darlling | **dar·ling** | debbit | **deb·it** |

| WRONG | RIGHT | WRONG | RIGHT |
|---|---|---|---|
| debillitate | de·bil·i·tate | deen | dean |
| debochery | de·bauch·ery | deer | dear *(beloved)* |
| deboner | deb·o·nair | defacate | def·e·cate |
| debreif | de·brief | defacit | def·i·cit |
| debrie | de·bris | defalt | de·fault |
| debter | debt·or | defammation | def·a·ma·tion |
| debue | de·but | defanitely | def·i·nite·ly |
| decadance | dec·a·dence | defase | de·face |
| decadant | dec·a·dent | defecit | def·i·cit |
| decapatate | de·cap·i·tate | defeck | de·fect |
| decarate | dec·o·rate | defectave | de·fec·tive |
| decathalon | de·cath·lon | defeet | de·feat |
| decendant | de·scend·ant | defendent | de·fend·ant |
| decent | de·scent *(going down)* | deference | dif·fer·ence *(being different)* |
| decent | dis·sent *(disagreement)* | deferrment | de·fer·ment |
| decible | dec·i·bel | deffend | de·fend |
| decietful | de·ceit·ful | deffensive | de·fen·sive |
| decieve | de·ceive | deffinition | def·i·ni·tion |
| decimel | dec·i·mal | deffrost | de·frost |
| deckade | dec·ade | deficeincy | de·fi·cien·cy |
| deckadence | dec·a·dence | defience | de·fi·ance |
| decleration | dec·la·ra·tion | defind | de·fined |
| decmal | dec·i·mal | definitly | def·i·nite·ly |
| decon | dea·con | deformaty | de·form·i·ty |
| deconjestant | de·con·gest·ant | defrawd | de·fraud |
| decrepet | de·crep·it | degridation | deg·ra·da·tion |
| decriminilize | de·crim·i·nal·ize | dehidrated | de·hy·drat·ed |
| ded | dead | dehumidafy | de·hu·mid·i·fy |
| dedacate | ded·i·cate | dein | deign *(condescend)* |
| deductable | de·duct·i·ble | deisel | die·sel |
| deel | deal | dejeckted | de·ject·ed |

| WRONG | RIGHT | WRONG | RIGHT |
|---|---|---|---|
| dejenerate | de·gen·er·ate | demize | de·mise |
| dekay | de·cay | demmitasse | dem·i·tasse |
| delacatessen | del·i·ca·tes·sen | democricy | de·moc·ra·cy |
| delagate | del·e·gate | demollish | de·mol·ish |
| delectible | de·lec·ta·ble | demollition | dem·o·li·tion |
| deleet | de·lete | demonstrater | dem·on·stra·tor |
| delektable | de·lec·ta·ble | demur | de·mure *(coy)* |
| delerious | de·lir·i·ous | demure | de·mur *(object)* |
| delicous | de·li·cious | denamination | de·nom·i·na·tion |
| delinquancy | de·lin·quen·cy | dence | dense |
| delite | de·light | denchers | den·tures |
| deliverence | de·liv·er·ance | denem | den·im |
| delivry | de·liv·ery | deniel | de·ni·al |
| Dellaware | Del·a·ware | denomonater | de·nom·i·na·tor |
| dellicacy | del·i·ca·cy | denounciation | de·nun·ci·a·tion |
| dellicatessen | del·i·ca·tes·sen | denounse | de·nounce |
| dellta | del·ta | densaty | den·si·ty |
| dellude | de·lude | dentel | den·tal |
| delluge | del·uge | dentest | den·tist |
| delt | dealt | denyed | de·nied |
| delux | de·luxe | deodorant | de·o·dor·ant |
| demacracy | de·moc·ra·cy | departmentallize | de·part·men·tal·ize |
| demacratic | dem·o·crat·ic | dependance | de·pend·ence |
| demagraphic | demo·graph·ic | dependible | de·pend·a·ble |
| demalition | dem·o·li·tion | depick | de·pict |
| deman | de·mon | depillatory | de·pil·a·to·ry |
| demanstrable | de·mon·stra·ble | depleet | de·plete |
| demeaner | de·mean·or | deplorible | de·plor·a·ble |
| demension | di·men·sion | | |
| demigog | dem·a·gogue | | |
| deminish | di·min·ish | | |

| WRONG | RIGHT | WRONG | RIGHT |
|---|---|---|---|
| deposatory | **de·pos·i·to·ry** | Desember | **De·cem·ber** |
| deposet | **de·pos·it** | desency | **de·cen·cy** |
| deppo | **de·pot** | desent | **de·cent** *(proper)* |
| depravation | **dep·ri·va·tion** *(loss)* | desent | **de·scent** *(going down)* |
| depravaty | **de·prav·i·ty** | desent | **dis·sent** *(disagreement)* |
| depreshiate | **de·pre·ci·ate** | deseption | **de·cep·tion** |
| depresion | **de·pres·sion** | desert | **des·sert** *(food)* |
| depressent | **de·pres·sant** | deserveing | **de·serv·ing** |
| deprivation | **dep·ra·va·tion** *(a corrupting)* | desibel | **dec·i·bel** |
| | | deside | **de·cide** |
| depriveing | **de·priv·ing** | desiduous | **de·cid·u·ous** |
| deputey | **dep·u·ty** | desimal | **dec·i·mal** |
| deragatory | **de·rog·a·to·ry** | desine | **de·sign** |
| deravation | **der·i·va·tion** | desipher | **de·ci·pher** |
| deregalate | **de·reg·u·late** | desireable | **de·sir·a·ble** |
| derelick | **der·e·lict** | desizion | **de·ci·sion** |
| derick | **der·rick** | despach | **dis·patch** |
| derigible | **dir·i·gi·ble** | despare | **de·spair** |
| derregulate | **de·reg·u·late** | despensable | **dis·pen·sa·ble** |
| derrelict | **der·e·lict** | desperate | **dis·pa·rate** *(not alike)* |
| desacrate | **des·e·crate** | | |
| desalate | **des·o·late** | despicible | **des·pi·ca·ble** |
| desastrous | **dis·as·trous** | despize | **de·spise** |
| descendent | **de·scend·ant** | despondant | **de·spond·ent** |
| descent | **de·cent** *(proper)* | desprate | **des·per·ate** *(hopeless)* |
| descent | **dis·sent** *(disagreement)* | | |
| | | dessegergation | **de·seg·re·ga·tion** |
| desciple | **dis·ci·ple** | dessert | **des·ert** *(dry area)* |
| deseased | **de·ceased** *(dead)* | dessert | **de·sert** *(abandon)* |
| deseased | **dis·eased** *(ill)* | desserts | **de·serts** *(rewards)* |
| desegragate | **de·seg·re·gate** | desserving | **de·serv·ing** |

| WRONG | RIGHT | WRONG | RIGHT |
|---|---|---|---|
| dessignated | **des·ig·nat·ed** | devisable | **di·vis·i·ble** *(dividable)* |
| destany | **des·tiny** | | |
| destatute | **des·ti·tute** | devise | **de·vice** *(mechanism)* |
| destenation | **des·ti·na·tion** | devision | **di·vi·sion** |
| destructave | **de·struc·tive** | devistation | **dev·as·ta·tion** |
| detale | **de·tail** | devius | **de·vi·ous** |
| detane | **de·tain** | devulge | **di·vulge** |
| detant | **dé·tente** | dew | **due** *(owed)* |
| detatched | **de·tached** | dexteraty | **dex·ter·i·ty** |
| detektive | **de·tec·tive** | dextrus | **dex·ter·ous** |
| deterent | **de·ter·rent** | diabeetis | **di·a·be·tes** |
| detergant | **de·ter·gent** | diabollic | **di·a·bol·ic** |
| deterierate | **de·te·ri·o·rate** | diacese | **di·o·cese** |
| detestible | **de·test·a·ble** | diafram | **di·a·phragm** |
| deth | **death** | diaganal | **di·ag·o·nal** |
| detnate | **det·o·nate** | diagnoses | **di·ag·no·sis** *(sing.)* |
| detoor | **de·tour** | diagnosis | **di·ag·no·ses** *(pl.)* |
| detrack | **de·tract** | dialeck | **di·a·lect** |
| detramental | **det·ri·men·tal** | dialisis | **di·al·y·sis** |
| dettonate | **det·o·nate** | diamater | **di·am·e·ter** |
| dettor | **debt·or** | diaphram | **di·a·phragm** |
| deuse | **deuce** | diarey | **di·a·ry** *(journal)* |
| devalluation | **de·val·u·a·tion** | diarrea | **di·ar·rhea** |
| deveant | **de·vi·ant** | dias | **da·is** |
| develope | **de·vel·op** | diatetic | **di·e·tet·ic** |
| developement | **de·vel·op·ment** | diatitian | **di·e·ti·tian** |
| | | dibacle | **de·ba·cle** |
| device | **de·vise** *(invent)* | dibark | **de·bark** |
| devide | **di·vide** | dibase | **de·base** |
| devient | **de·vi·ant** | dibatable | **de·bat·a·ble** |
| devillish | **dev·il·ish** | dibilitate | **de·bil·i·tate** |
| devine | **di·vine** | dicanter | **de·cant·er** |

51

| WRONG | RIGHT | WRONG | RIGHT |
|---|---|---|---|
| dicapitate | **de·cap·i·tate** | diferment | **de·fer·ment** |
| dicathlon | **de·cath·lon** | differance | **dif·fer·ence** |
| diceased | **de·ceased** *(dead)* | | *(being different)* |
| diceitful | **de·ceit·ful** | difference | **def·er·ence** |
| diceive | **de·ceive** | | *(yielding)* |
| Dicember | **De·cem·ber** | diffrent | **dif·fer·ent** |
| diception | **de·cep·tion** | diffuzion | **dif·fu·sion** |
| dich | **ditch** | difiance | **de·fi·ance** |
| dicide | **de·cide** | dificiency | **de·fi·cien·cy** |
| dicipher | **de·ci·pher** | dificulty | **dif·fi·cul·ty** |
| dicision | **de·ci·sion** | difile | **de·file** |
| diclension | **de·clen·sion** | diflect | **de·flect** |
| dicline | **de·cline** | diformity | **de·form·i·ty** |
| dicorum | **de·co·rum** | difraud | **de·fraud** |
| dicrease | **de·crease** | difrost | **de·frost** |
| dicrepit | **de·crep·it** | diftheria | **diph·the·ria** |
| dicriminalize | | difuse | **dif·fuse** |
| | **de·crim·i·nal·ize** | difusion | **dif·fu·sion** |
| dictater | **dic·ta·tor** | digatal | **dig·it·al** |
| dictionery | **dic·tion·ary** | digestable | **di·gest·i·ble** |
| die | **dye** *(tint)* | digetal | **dig·it·al** |
| diefy | **de·i·fy** | digings | **dig·gings** |
| diel | **di·al** | dignafied | **dig·ni·fied** |
| dielect | **di·a·lect** | dignatary | **dig·ni·tary** |
| dierhea | **di·ar·rhea** | dignaty | **dig·ni·ty** |
| diery | **di·a·ry** *(journal)* | dignifyed | **dig·ni·fied** |
| diesle | **die·sel** | digree | **de·gree** |
| dietician | **di·e·ti·tian** | diktator | **dic·ta·tor** |
| diety | **de·i·ty** | diktionary | **dic·tion·ary** |
| difault | **de·fault** | dilay | **de·lay** |
| difective | **de·fec·tive** | dilema | **di·lem·ma** |
| diferent | **dif·fer·ent** | diletante | **dil·et·tante** |

52

| WRONG | RIGHT | WRONG | RIGHT |
|---|---|---|---|
| dilete | **de·lete** | dingy | **din·ghy** *(boat)* |
| diliberation | **de·lib·er·a·tion** | dinial | **de·ni·al** |
| dilicious | **de·li·cious** | dining | **din·ning** |
| dilight | **de·light** | | *(repeating noisily)* |
| dilinquency | **de·lin·quen·cy** | dinner | **din·er** *(small restaurant)* |
| dilirious | **de·lir·i·ous** | dinning | **din·ing** *(eating)* |
| diliver | **de·liv·er** | dinomination | |
| dillapidated | **di·lap·i·dat·ed** | | **de·nom·i·na·tion** |
| dillema | **di·lem·ma** | dinominator | **de·nom·i·na·tor** |
| dilletante | **dil·et·tante** | dinosor | **di·no·saur** |
| dilligence | **dil·i·gence** | dinote | **de·note** |
| dillusion | **de·lu·sion** | dinounce | **de·nounce** |
| dillute | **di·lute** | dint | **dent** |
| dilude | **de·lude** | dinunciation | **de·nun·ci·a·tion** |
| diluxe | **de·luxe** | diosese | **di·o·cese** |
| dimand | **de·mand** *(order)* | dipart | **de·part** |
| dimeanor | **de·mean·or** | dipendable | **de·pend·a·ble** |
| dimented | **de·ment·ed** | diper | **di·a·per** |
| dimention | **di·men·sion** | diplamat | **dip·lo·mat** |
| dimise | **de·mise** | diplete | **de·plete** |
| dimminish | **di·min·ish** | diplomasy | **di·plo·ma·cy** |
| dimolish | **de·mol·ish** | diplorable | **de·plor·a·ble** |
| dimond | **di·a·mond** *(gem)* | dipresant | **de·pres·sant** |
| dimoralize | **de·mor·al·ize** | diptheria | **diph·the·ria** |
| dimur | **de·mur** *(object)* | diranged | **de·ranged** |
| dimure | **de·mure** *(coy)* | direck | **di·rect** |
| dinamic | **dy·nam·ic** | directer | **di·rec·tor** |
| dinamite | **dy·na·mite** | directery | **di·rec·to·ry** |
| dinasaur | **di·no·saur** | dirigable | **dir·i·gi·ble** |
| dinasty | **dy·nas·ty** | dirisive | **de·ri·sive** |
| diner | **din·ner** *(meal)* | dirth | **dearth** |
| dinghy | **din·gy** *(grimy)* | disagrement | **dis·a·gree·ment** |

| WRONG | RIGHT | WRONG | RIGHT |
|---|---|---|---|
| disallusion | **dis·il·lu·sion** | diseminate | **dis·sem·i·nate** |
| disapear | **dis·ap·pear** | disenfectant | **dis·in·fect·ant** |
| disapointment | **dis·ap·point·ment** | disengagment | **dis·en·gage·ment** |
| disaray | **dis·ar·ray** | disent | **dis·sent** *(disagreement)* |
| disarmement | **dis·ar·ma·ment** | disentery | **dys·en·tery** |
| disasterous | **dis·as·trous** | disert | **de·sert** *(abandon)* |
| disatisfied | **dis·sat·is·fied** | disesed | **dis·eased** *(ill)* |
| disbeleif | **dis·be·lief** | disfigurment | **dis·fig·ure·ment** |
| disberse | **dis·burse** *(pay out)* | disgise | **dis·guise** |
| disburse | **dis·perse** *(scatter)* | disgrase | **dis·grace** |
| discapline | **dis·ci·pline** | disign | **de·sign** |
| discendant | **de·scend·ant** | disilusion | **dis·il·lu·sion** |
| discipal | **dis·ci·ple** | disimbark | **dis·em·bark** |
| disclozure | **dis·clo·sure** | disimilar | **dis·sim·i·lar** |
| discourageing | **dis·cour·ag·ing** | disinfectent | **dis·in·fect·ant** |
| discovry | **dis·cov·ery** | disintagrate | **dis·in·te·grate** |
| discreet | **dis·crete** *(separate)* | disipate | **dis·si·pate** |
| discression | **dis·cre·tion** | disiple | **dis·ci·ple** |
| discrete | **dis·creet** *(prudent)* | disipline | **dis·ci·pline** |
| discribe | **de·scribe** | dislexia | **dys·lex·ia** |
| discrimanation | **dis·crim·i·na·tion** | dismantel | **dis·man·tle** |
| discription | **de·scrip·tion** | dismissle | **dis·miss·al** |
| discus | **dis·cuss** *(talk about)* | disobediance | **dis·o·be·di·ence** |
| discusion | **dis·cus·sion** | disolve | **dis·solve** |
| discuss | **dis·cus** *(heavy disk)* | disonant | **dis·so·nant** |
| disdaneful | **dis·dain·ful** | disonest | **dis·hon·est** |
| disdressed | **dis·tressed** | disorderley | **dis·or·der·ly** |
| dise | **dice** | dispach | **dis·patch** |
| disect | **dis·sect** | dispair | **de·spair** |
| | | disparate | **des·per·ate** *(hopeless)* |

| WRONG | RIGHT | WRONG | RIGHT |
|---|---|---|---|
| dispensible | dis·pen·sa·ble | distence | dis·tance |
| disperaging | dis·par·ag·ing | disterb | dis·turb |
| disperate | dis·pa·rate *(not alike)* | distinguash | dis·tin·guish |
| disperse | dis·burse *(pay out)* | distink | dis·tinct |
| dispicable | des·pi·ca·ble | distrabution | dis·tri·bu·tion |
| dispise | de·spise | distrack | dis·tract |
| dispite | de·spite | distraut | dis·traught |
| dispondent | de·spond·ent | districk | dis·trict |
| disposible | dis·pos·a·ble | distrophy | dys·tro·phy |
| dispurse | dis·perse *(scatter)* | distroy | de·stroy |
| disreguard | dis·re·gard | disuade | dis·suade |
| disreputible | dis·rep·u·ta·ble | ditergent | de·ter·gent |
| dissagree | dis·a·gree | ditermine | de·ter·mine |
| dissapate | dis·si·pate | dity | dit·ty |
| dissappear | dis·ap·pear | divadend | div·i·dend |
| dissappointment | dis·ap·point·ment | divaluation | de·val·u·a·tion |
| dissarmament | dis·ar·ma·ment | divelopment | de·vel·op·ment |
| disscord | dis·cord | divergance | di·ver·gence |
| disscount | dis·count | diversafy | di·ver·si·fy |
| dissemanate | dis·sem·i·nate | diversaty | di·ver·si·ty |
| dissent | de·cent *(proper)* | divinety | di·vin·i·ty |
| dissent | de·scent *(going down)* | divisable | di·vis·i·ble *(dividable)* |
| dissert | des·sert *(food)* | divizion | di·vi·sion |
| disserts | de·serts *(rewards)* | divoid | de·void |
| dissinfectant | dis·in·fect·ant | divorse | di·vorce |
| dissintegrate | dis·in·te·grate | divour | de·vour |
| dissmay | dis·may | divout | de·vout |
| dissonent | dis·so·nant | dizalve | dis·solve |
| disstiled | dis·tilled | dob | daub |
| | | dochshund | dachs·hund |
| | | docter | doc·tor |

| WRONG | RIGHT | WRONG | RIGHT |
|---|---|---|---|
| doctran | doc·trine | drible | drib·ble |
| doctrinare | doc·tri·naire | driping | drip·ping |
| documentery | doc·u·men·ta·ry | driveing | driv·ing |
| dodle | daw·dle | drousy | drow·sy |
| doe | dough *(flour)* | drout | drought |
| doller | dol·lar | drowsey | drow·sy |
| dolphen | dol·phin | drugery | drudg·ery |
| domane | do·main | drugist | drug·gist |
| dominent | dom·i·nant | dual | du·el *(fight)* |
| dominoe | dom·i·no | dubble | dou·ble |
| domminate | dom·i·nate | dubeous | du·bi·ous |
| doner | do·nor | due | dew *(moisture)* |
| donky | don·key | duece | deuce |
| dontless | daunt·less | duel | du·al *(two)* |
| doosh | douche | dum | dumb |
| dormatory | dor·mi·to·ry | dumbell | dumb·bell |
| dosege | dos·age | dunkey | don·key |
| dosn't | doesn't | duplacate | du·pli·cate |
| dotter | daugh·ter | durible | du·ra·ble |
| doury | dow·ry | durress | du·ress |
| doutful | doubt·ful | durring | dur·ing |
| dowdey | dow·dy | durth | dearth |
| dowery | dow·ry | dutyful | du·ti·ful |
| dragatory | de·rog·a·to·ry | dwindel | dwin·dle |
| draggon | drag·on | dworf | dwarf |
| drainege | drain·age | dye | die *(stop living)* |
| draipry | drap·ery | dyeing | dy·ing *(not living)* |
| drammatic | dra·mat·ic | dying | dye·ing *(tinting)* |
| draneage | drain·age | dynamec | dy·nam·ic |
| dredful | dread·ful | dynesty | dy·nas·ty |
| dreery | dreary | dynomite | dy·na·mite |
| | | dysintery | dys·en·tery |

| WRONG | RIGHT | WRONG | RIGHT |
|---|---|---|---|

## E

| WRONG | RIGHT |
|---|---|
| eagel | ea·gle |
| eal | eel |
| ean | eon *(time period)* |
| earake | ear·ache |
| earfull | ear·ful |
| earie | ee·rie *(weird)* |
| earing | ear·ring |
| earn | urn *(vase)* |
| easally | eas·i·ly |
| easle | ea·sel |
| eastword | east·ward |
| eather | ei·ther *(each)* |
| eatible | eat·a·ble |
| eau de colone | eau de Co·logne |
| eavening | eve·ning |
| eaves | eves *(nights)* |
| eb | ebb |
| ebbony | eb·ony |
| ebulient | ebul·lient |
| eccentrisity | ec·cen·tric·i·ty |
| eccleziastic | ec·cle·si·as·tic |
| ecco | echo |
| eccology | ecol·o·gy |
| ecconomic | eco·nom·ic |
| eccosystem | eco·sys·tem |
| eccumenical | ec·u·men·i·cal |
| eccumenism | ec·u·men·ism |
| ecentric | ec·cen·tric |
| echellon | ech·e·lon |
| eching | etch·ing |
| echos | ech·oes |
| ecko | echo |
| eckoic | echo·ic |
| eclare | éclair |
| eclesiastic | ec·cle·si·as·tic |
| ecollogy | ecol·o·gy |
| econamy | econ·o·my |
| ecstacy | ec·sta·sy |
| ect. | etc. |
| ecumanism | ec·u·men·ism |
| Ecwador | Ec·ua·dor |
| eczama | ec·ze·ma |
| Edan | Eden |
| edator | ed·i·tor |
| eddable | ed·i·ble |
| eddie | ed·dy |
| eddification | edi·fi·ca·tion |
| eddit | ed·it |
| edducate | ed·u·cate |
| edefy | ed·i·fy |
| edelwise | edel·weiss |
| Edenburg | Ed·in·burgh |
| edifacation | edi·fi·ca·tion |
| Edinburo | Ed·in·burgh |
| Edipus | Oed·i·pus |
| editer | ed·i·tor |
| edition | ad·di·tion *(adding)* |
| educater | ed·u·ca·tor |
| eek | eke |
| eether | ether *(in chemistry)* |

| WRONG | RIGHT | WRONG | RIGHT |
|---|---|---|---|
| eface | ef·face | eggo | ego |
| efect | ef·fect *(result)* | eggregious | egre·gious |
| efective | ef·fec·tive *(having effect)* | Egiptian | Egyp·tian |
| efectually | ef·fec·tu·al·ly | egosentric | ego·cen·tric |
| efectuate | ef·fec·tu·ate | egrit | egret |
| efemminate | ef·fem·i·nate | egzaggerate | ex·ag·ger·ate |
| efervescent | ef·fer·ves·cent | egzamine | ex·am·ine *(test)* |
| efete | ef·fete | egzema | ec·ze·ma |
| effase | ef·face | eightyith | eight·i·eth |
| effecacious | ef·fi·ca·cious | eigth | eighth |
| effect | af·fect *(to influence)* | eirie | ee·rie *(weird)* |
| effective | af·fec·tive *(emotional)* | eisel | ea·sel |
| effectualy | ef·fec·tu·al·ly | either | ether *(in chemistry)* |
| effegy | ef·fi·gy | ejakulate | ejac·u·late |
| effemeral | ephem·er·al | ejeck | eject |
| effert | ef·fort | ekanomic | eco·nom·ic |
| effervesent | ef·fer·ves·cent | eklair | éclair |
| efficiancy | ef·fi·cien·cy | eklectic | ec·lec·tic |
| effluent | af·flu·ent *(rich)* | eklesiastic | ec·cle·si·as·tic |
| effrontary | ef·fron·tery | eklipse | eclipse |
| eficatious | ef·fi·ca·cious | eksentric | ec·cen·tric |
| eficiency | ef·fi·cien·cy | ekstasy | ec·sta·sy |
| efigy | ef·fi·gy | ekumenical | ec·u·men·i·cal |
| efluent | ef·flu·ent *(flowing)* | elaberate | elab·o·rate |
| efort | ef·fort | elagence | el·e·gance |
| efrontery | ef·fron·tery | elament | el·e·ment |
| efusive | ef·fu·sive | elamentary | ele·men·ta·ry *(basic)* |
| egaletarian | egal·i·tar·i·an | elavate | el·e·vate |
| eger | ea·ger | elboe | el·bow |
| eggalitarian | egal·i·tar·i·an | eleck | elect |
| | | elecktric | elec·tric |

| WRONG | RIGHT | WRONG | RIGHT |
|---|---|---|---|
| electer | **elec·tor** | ellaborate | **elab·o·rate** |
| electracardiogram **elec·tro·car·di·o·gram** | | ellastic | **elas·tic** |
| | | ellate | **elate** |
| electral | **elec·tor·al** | ellder | **eld·er** |
| electramagnetic **elec·tro·mag·net·ic** | | ellect | **elect** |
| | | ellecteral | **elec·tor·al** |
| electrefy | **elec·tri·fy** | ellection | **elec·tion** |
| electricly | **elec·tri·cal·ly** | ellectric | **elec·tric** |
| electricute | **elec·tro·cute** | ellectrolysis | **elec·trol·y·sis** |
| electrisity | **elec·tric·i·ty** | ellectron | **elec·tron** |
| electrokardiogram **elec·tro·car·di·o·gram** | | ellectronic | **elec·tron·ic** |
| | | ellegance | **el·e·gance** |
| electrollysis | **elec·trol·y·sis** | ellegy | **el·e·gy** |
| electronnic | **elec·tron·ic** | ellement | **el·e·ment** |
| elecution | **el·o·cu·tion** | ellephant | **el·e·phant** |
| elektron | **elec·tron** | ellevate | **el·e·vate** |
| elementary | **ali·men·ta·ry** *(nourishing)* | elleven | **elev·en** |
| | | ellicit | **elic·it** *(evoke)* |
| elementery | **ele·men·ta·ry** *(basic)* | ellicit | **il·lic·it** *(unlawful)* |
| | | elligible | **el·i·gi·ble** |
| elevan | **elev·en** | elliminate | **elim·i·nate** |
| elevater | **el·e·va·tor** | ellipticle | **el·lip·ti·cal** |
| elfs | **elves** | ellite | **elite** *(best)* |
| eligable | **el·i·gi·ble** | ellixir | **elix·ir** |
| eligy | **el·e·gy** | ellocution | **el·o·cu·tion** |
| elimanate | **elim·i·nate** | ellongation | **elon·ga·tion** |
| elimentary | **ele·men·ta·ry** *(basic)* | elloquent | **el·o·quent** |
| | | ellucidate | **elu·ci·date** |
| eliphant | **el·e·phant** | ellude | **elude** *(escape)* |
| elipse | **el·lipse** | ellusion | **elu·sion** *(an escape)* |
| eliptical | **el·lip·ti·cal** | ellusive | **elu·sive** *(hard to grasp)* |
| elixer | **elix·ir** | | |

| WRONG | RIGHT | WRONG | RIGHT |
|---|---|---|---|
| eloquant | **el·o·quent** | emigrate | **im·mi·grate** *(arrive)* |
| El Salvidor | **El Sal·va·dor** | eminate | **em·a·nate** |
| elsewere | **else·where** | eminent | **im·mi·nent** *(impending)* |
| elucedate | **elu·ci·date** | emissery | **em·is·sary** |
| elude | **al·lude** *(refer to)* | emmancipate | **eman·ci·pate** |
| elusive | **al·lu·sive** *(referring to)* | emmense | **im·mense** |
| elusive | **il·lu·sive** *(deceptive)* | emmigrant | **em·i·grant** *(one who leaves)* |
| emanent | **em·i·nent** *(prominent)* | emmigrate | **em·i·grate** *(leave)* |
| emansipate | **eman·ci·pate** | emmisary | **em·is·sary** |
| emashiate | **ema·ci·ate** | emmission | **emis·sion** |
| emaskulate | **emas·cu·late** | emmulate | **em·u·late** |
| embarass | **em·bar·rass** | emnity | **en·mi·ty** |
| embass | **em·boss** | emolient | **emol·li·ent** *(softener)* |
| embasy | **em·bas·sy** | emollument | **emol·u·ment** *(wages)* |
| embelish | **em·bel·lish** | empair | **im·pair** |
| emberrass | **em·bar·rass** | empending | **im·pend·ing** |
| embezle | **em·bez·zle** | emperer | **em·per·or** |
| emblam | **em·blem** | emphases | **em·pha·sis** *(sing.)* |
| embom | **em·balm** | emphasis | **em·pha·ses** *(pl.)* |
| embrase | **em·brace** | empireal | **im·pe·ri·al** *(sovereign)* |
| embrio | **em·bryo** | empithy | **em·pa·thy** |
| embroidary | **em·broi·dery** | employible | **em·ploy·a·ble** |
| emend | **amend** *(revise)* | emporer | **em·per·or** |
| emergancy | **emer·gen·cy** | emrald | **em·er·ald** |
| emerge | **im·merge** *(plunge)* | emrey | **em·ery** |
| emerritus | **emer·i·tus** | enamy | **en·e·my** |
| emersion | **im·mer·sion** *(plunging)* | enbankment | **em·bank·ment** |
| emfasis | **em·pha·sis** *(sing.)* | encapsalate | **en·cap·su·late** |
| emigrant | **im·mi·grant** *(one who arrives)* | | |

| WRONG | RIGHT | WRONG | RIGHT |
|---|---|---|---|
| encefalitis | en·ceph·a·li·tis | entanglment | en·tan·gle·ment |
| encinderator | in·cin·er·a·tor | enterprize | en·ter·prise |
| encrimanate | in·crim·i·nate | entertaned | en·ter·tained |
| encumbrence | en·cum·brance | enthusiasticly | en·thu·si·as·ti·cal·ly |
| encuragement | en·cour·age·ment | entirty | en·tire·ty |
| encyclepedia | en·cy·clo·pe·dia | entise | en·tice |
| endevor | en·deav·or | entomollogy | en·to·mol·o·gy *(insect study)* |
| endorsment | en·dorse·ment | entomology | et·y·mol·o·gy *(word study)* |
| endurence | en·dur·ance | entoorage | en·tou·rage |
| endurible | en·dur·a·ble | entrales | en·trails |
| engeneer | en·gi·neer | entre | en·tree |
| engenue | in·gé·nue | entrepeneur | en·tre·pre·neur |
| engenuity | in·ge·nu·i·ty | enuff | enough |
| engrosing | en·gross·ing | enummerate | enu·mer·ate |
| enhanse | en·hance | enunciate | an·nun·ci·ate *(announce)* |
| enima | en·e·ma | enurgy | en·er·gy |
| enjoyible | en·joy·a·ble | envalope | en·ve·lope *(n.)* |
| enlargment | en·large·ment | envelope | en·vel·op *(v.)* |
| enmaty | en·mi·ty | enveous | en·vi·ous |
| ennable | en·a·ble | envirement | en·vi·ron·ment |
| ennamel | en·am·el | envoke | in·voke *(put into use)* |
| ennema | en·e·ma | enzime | en·zyme |
| ennigma | enig·ma | eon | ion *(atom)* |
| ennumerate | enu·mer·ate | epademic | ep·i·dem·ic |
| enoble | en·no·ble | epagram | ep·i·gram |
| enormaty | enor·mi·ty | epalepsy | ep·i·lep·sy |
| ensamble | en·sem·ble | epalog | ep·i·logue |
| ensephalitis | en·ceph·a·li·tis | epataph | ep·i·taph |
| ensew | en·sue | | |
| ensine | en·sign | | |
| entale | en·tail | | |

| WRONG | RIGHT | WRONG | RIGHT |
|---|---|---|---|
| epegraph | **ep·i·graph** | erasure | **eras·er** |
| epesode | **ep·i·sode** | | *(something that erases)* |
| ephemmeral | **ephem·er·al** | eratic | **er·rat·ic** *(irregular)* |
| epic | **ep·och** *(era)* | erge | **urge** |
| epicurian | **ep·i·cu·re·an** | erid | **ar·id** |
| epifany | **epiph·a·ny** | eriudite | **er·u·dite** |
| epillepsy | **ep·i·lep·sy** | erksome | **irk·some** |
| Episcapalian | **Epis·co·pa·li·an** | erl | **earl** |
| episle | **epis·tle** | erly | **ear·ly** |
| epitaf | **ep·i·taph** | ermin | **er·mine** |
| epitomy | **epit·o·me** | ern | **earn** *(deserve)* |
| epoch | **ep·ic** *(poem)* | ern | **urn** *(vase)* |
| epoxey | **ep·oxy** | ernest | **ear·nest** |
| eppigram | **ep·i·gram** | eroneous | **er·ro·ne·ous** |
| equalibrium | **equi·lib·ri·um** | erotic | **er·rat·ic** *(irregular)* |
| equallity | **equal·i·ty** | erratic | **erot·ic** *(amatory)* |
| equasion | **equa·tion** | errection | **erec·tion** |
| equater | **equa·tor** | errend | **er·rand** |
| equestrien | **eques·tri·an** | errent | **er·rant** |
| equety | **eq·ui·ty** | errode | **erode** |
| equillateral | **equi·lat·er·al** | erronious | **er·ro·ne·ous** |
| equillibrium | **equi·lib·ri·um** | errotic | **erot·ic** *(amatory)* |
| equiped | **equipped** | erruption | **erup·tion** |
| equipmant | **equip·ment** | esaphogus | **esoph·a·gus** |
| equitible | **eq·ui·ta·ble** | esay | **es·say** *(try; composition)* |
| equivelance | **equiv·a·lence** | escalater | **es·ca·la·tor** |
| equivical | **equiv·o·cal** | escallate | **es·ca·late** |
| eradecate | **erad·i·cate** | eschuary | **es·tu·ary** |
| erant | **er·rant** | esence | **es·sence** |
| erascible | **iras·ci·ble** | esential | **es·sen·tial** |
| eraser | **era·sure** | eshelon | **ech·e·lon** |
| | *(something erased)* | Eskemo | **Es·ki·mo** |

| WRONG | RIGHT | WRONG | RIGHT |
|---|---|---|---|
| esofagus | **esoph·a·gus** | eucher | **eu·chre** |
| especally | **espe·cial·ly** | Eucherist | **Eu·cha·rist** |
| espeonage | **es·pi·o·nage** | eu de cologne | **eau de Co·logne** |
| espouze | **es·pouse** | eufemism | **eu·phe·mism** |
| espreso | **es·pres·so** | Eukarist | **Eu·cha·rist** |
| essance | **es·sence** | eukre | **eu·chre** |
| essay | **as·say** *(analyze)* | eullogy | **eu·lo·gy** |
| essentricity | **ec·cen·tric·i·ty** | euphamism | **eu·phe·mism** |
| essoteric | **es·o·ter·ic** | European | **Eu·ro·pe·an** |
| estemation | **esti·ma·tion** | euthenasia | **eu·tha·na·sia** |
| estimible | **es·ti·ma·ble** | evacative | **evoc·a·tive** |
| estragen | **es·tro·gen** | evaccuate | **evac·u·ate** |
| estrangment | **es·trange·ment** | evacive | **eva·sive** |
| estuery | **es·tu·ary** | evadently | **ev·i·dent·ly** |
| etaquette | **et·i·quette** | evalluate | **eval·u·ate** |
| et cetara | **et cet·era** | evally | **evil·ly** |
| eternaly | **eter·nal·ly** | evalution | **ev·o·lu·tion** |
| eternaty | **eter·ni·ty** | evangalist | **evan·gel·ist** |
| ethel | **eth·yl** | evangellical | **evan·gel·i·cal** |
| Etheopia | **Ethi·o·pia** | evaperate | **evap·o·rate** |
| ether | **ei·ther** *(each)* | evassive | **eva·sive** |
| etherial | **ethe·re·al** | evedence | **ev·i·dence** |
| ethicly | **eth·i·cal·ly** | evengelical | **evan·gel·i·cal** |
| ethireal | **ethe·re·al** | eventially | **even·tu·al·ly** |
| ethnik | **eth·nic** | everywere | **ev·ery·where** |
| etible | **ed·i·ble** | eves | **eaves** *(roof edge)* |
| ettiquete | **et·i·quette** | evesdrop | **eaves·drop** |
| ettymology | **et·y·mol·o·gy** *(word study)* | evidance | **ev·i·dence** |
| eturnally | **eter·nal·ly** | evidentally | **ev·i·dent·ly** |
| etymology | **en·to·mol·o·gy** *(insect study)* | evily | **evil·ly** |
| | | evning | **eve·ning** |

63

| WRONG | RIGHT | WRONG | RIGHT |
|---|---|---|---|
| evoke | **in·voke** *(put into use)* | excepted | **ac·cept·ed** *(approved)* |
| evry | **ev·ery** | exceptionly | **ex·cep·tion·al·ly** |
| exackly | **ex·act·ly** | excercise | **ex·er·cise** *(use)* |
| exacution | **ex·e·cu·tion** | excercism | **ex·or·cism** |
| exagerrate | **ex·ag·ger·ate** | excerp | **ex·cerpt** |
| exagesis | **ex·e·ge·sis** | excess | **ac·cess** *(approach)* |
| exalltation | **ex·al·ta·tion** *(rapture)* | excevate | **ex·ca·vate** |
| exaltation | **ex·ul·ta·tion** *(rejoicing)* | excitible | **ex·cit·a·ble** |
| examanation | **ex·am·i·na·tion** | excitment | **ex·cite·ment** |
| examin | **ex·am·ine** *(test)* | excize | **ex·cise** |
| examinor | **ex·am·in·er** | exclame | **ex·claim** |
| exampel | **ex·am·ple** | exclimation | **ex·cla·ma·tion** |
| examplery | **ex·em·pla·ry** | exclusave | **ex·clu·sive** |
| examplify | **ex·em·pli·fy** | exclussion | **ex·clu·sion** |
| exasparate | **ex·as·per·ate** | excomunnicate | **ex·com·mu·ni·cate** |
| exassperate | **ex·as·per·ate** | excreet | **ex·crete** |
| exatic | **ex·ot·ic** | excriment | **ex·cre·ment** |
| exaust | **ex·haust** | excrushiating | **ex·cru·ci·at·ing** |
| exaustion | **ex·haus·tion** | excurzion | **ex·cur·sion** |
| excellence | **ex·cel·lence** | excusible | **ex·cus·a·ble** |
| excavater | **ex·ca·va·tor** | execcutive | **ex·ec·u·tive** |
| excede | **ex·ceed** *(surpass)* | executionor | **ex·e·cu·tion·er** |
| exceed | **ac·cede** *(agree)* | exemplafy | **ex·em·pli·fy** |
| exceled | **ex·celled** | exemtion | **ex·emp·tion** |
| excelency | **ex·cel·len·cy** | exentricity | **ec·cen·tric·i·ty** |
| excelent | **ex·cel·lent** | exercise | **ex·or·cise** *(drive out)* |
| excell | **ex·cel** | exercism | **ex·or·cism** |
| excellancy | **ex·cel·len·cy** | exerpt | **ex·cerpt** |
| excellant | **ex·cel·lent** | exersize | **ex·er·cise** *(use)* |
| except | **ac·cept** *(receive)* | | |

| WRONG | RIGHT | WRONG | RIGHT |
|---|---|---|---|
| exestential | ex·is·ten·tial | expertese | ex·pert·ise |
| exhabition | ex·hi·bi·tion | explacate | ex·pli·cate |
| exhail | ex·hale | explane | ex·plain |
| exhertation | ex·hor·ta·tion | explination | ex·pla·na·tion |
| exhillarate | ex·hil·a·rate | explisit | ex·plic·it |
| exhorbitant | ex·or·bi·tant | explocive | ex·plo·sive |
| exibit | ex·hib·it | explotation | ex·ploi·ta·tion |
| exibition | ex·hi·bi·tion | exponant | ex·po·nent |
| exidus | ex·o·dus | exposer | ex·po·sure |
| exilarate | ex·hil·a·rate | expossitory | ex·pos·i·to·ry |
| existance | ex·ist·ence | expozier | ex·po·sure |
| exitement | ex·cite·ment | expresion | ex·pres·sion |
| exonnerate | ex·on·er·ate | expresive | ex·pres·sive |
| exorbatent | ex·or·bi·tant | expressable | ex·press·i·ble |
| exortation | ex·hor·ta·tion | expresso | es·pres·so |
| expadition | ex·pe·di·tion | expullsion | ex·pul·sion |
| expance | ex·panse | exruciating | ex·cru·ci·at·ing |
| expancion | ex·pan·sion | exsale | ex·hale |
| expantion | ex·pan·sion | exseed | ex·ceed *(surpass)* |
| expatriot | ex·pa·tri·ate | exselled | ex·celled |
| expec | ex·pect | exsept | ex·cept *(omit)* |
| expecially | espe·cial·ly | exsepted | ex·cept·ed *(left out)* |
| expectent | ex·pect·ant | exseptionally | ex·cep·tion·al·ly |
| expecterant | ex·pec·to·rant | | |
| expediant | ex·pe·di·ent | exsess | ex·cess *(surplus)* |
| expell | ex·pel | exsile | ex·ile |
| expencive | ex·pen·sive | exsitement | ex·cite·ment |
| expendature | ex·pend·i·ture | exsize | ex·cise |
| expendible | ex·pend·a·ble | exspanse | ex·panse |
| experament | ex·per·i·ment | exspect | ex·pect |
| expergate | ex·pur·gate | exspell | ex·pel |
| experiance | ex·pe·ri·ence | exspendable | ex·pend·a·ble |

| WRONG | RIGHT | WRONG | RIGHT |
|---|---|---|---|
| exspenditure | **ex·pend·i·ture** | exultation | **ex·al·ta·tion** *(rapture)* |
| exspire | **ex·pire** | | |
| exsponge | **ex·punge** | exultent | **ex·ult·ant** |
| exsport | **ex·port** | exume | **ex·hume** |
| exstinguish | **ex·tin·guish** | exxodus | **ex·o·dus** |
| exsume | **ex·hume** | exzotic | **ex·ot·ic** |
| extant | **ex·tent** *(degree)* | exzuberance | **ex·u·ber·ance** |
| exteerior | **ex·te·ri·or** | eyelet | **is·let** *(small island)* |
| extennuating | **ex·ten·u·at·ing** | eylet | **eye·let** *(small hole)* |
| extent | **ex·tant** *(existing)* | | |
| extercate | **ex·tri·cate** | **F** | |
| extercurricular | **ex·tra·cur·ric·u·lar** | | |
| exterier | **ex·te·ri·or** | fabrecate | **fab·ri·cate** |
| exterminater | **ex·ter·mi·na·tor** | fabulus | **fab·u·lous** |
| extervert | **ex·tro·vert** | facalty | **fac·ul·ty** |
| extinc | **ex·tinct** | faccade | **fa·çade** |
| extordinary | **ex·traor·di·nary** | faceal | **fa·cial** |
| extracate | **ex·tri·cate** | facesious | **fa·ce·tious** |
| extracktion | **ex·trac·tion** | facillitate | **facil·i·tate** |
| extracuricullar | **ex·tra·cur·ric·u·lar** | facillity | **fa·cil·i·ty** |
| | | facinate | **fas·ci·nate** |
| extrapellate | **ex·trap·o·late** | facist | **fas·cist** |
| extravegant | **ex·trav·a·gant** | facsimilies | **fac·sim·i·les** |
| extravert | **ex·tro·vert** | facsion | **fac·tion** |
| extreemly | **ex·treme·ly** | facter | **fac·tor** |
| extremast | **ex·trem·ist** | factery | **fac·to·ry** |
| extrematy | **ex·trem·i·ty** | factitious | **fic·ti·tious** *(imaginary)* |
| extrordinary | **ex·traor·di·nary** | | |
| exuberence | **ex·u·ber·ance** | factry | **fac·to·ry** |
| exulltation | **ex·ul·ta·tion** *(rejoicing)* | factsimile | **fac·sim·i·le** |
| | | factule | **fac·tu·al** |
| | | Fahrenhite | **Fahr·en·heit** |

| WRONG | RIGHT | WRONG | RIGHT |
|---|---|---|---|
| faillure | fail·ure | familier | fa·mil·iar |
| fain | feign *(pretend)* | familierity | famil·i·ar·i·ty |
| faint | feint *(pretense)* | familliarize | famil·iar·ize |
| fair | fare *(fee)* | fammine | fam·ine |
| fairie | fairy *(elf)* | fancey | fan·cy |
| fairwell | fare·well | fancifull | fan·ci·ful |
| fairy | fer·ry *(boat)* | fane | feign *(pretend)* |
| faithfull | faith·ful | fanfair | fan·fare |
| faker | fa·kir *(Muslim beggar)* | fannatic | fa·nat·ic |
| fakir | fak·er *(fraud)* | fantastik | fan·tas·tic |
| faksimile | fac·sim·i·le | fantem | phan·tom |
| falacy | fal·la·cy | fantesy | fan·ta·sy |
| falcan | fal·con | farcicle | far·ci·cal |
| falible | fal·li·ble | fare | fair *(lovely; bazaar)* |
| falicitous | felic·i·tous | farena | fa·ri·na |
| faliure | fail·ure | Farenheit | Fahr·en·heit |
| fallable | fal·li·ble | farensic | fo·ren·sic |
| fallecy | fal·la·cy | farewel | fare·well |
| falloe | fal·low *(inactive)* | farfeched | far-fetched |
| fallsetto | fal·set·to | farmacy | phar·ma·cy |
| fallter | fal·ter | farmasuitical |  |
| falonious | fe·lo·ni·ous |  | phar·ma·ceu·ti·cal |
| Faloppian | Fal·lo·pi·an | Faro | Phar·aoh *(Egyptian ruler)* |
| falout | fall·out | farse | farce |
| falow | fal·low *(inactive)* | farsical | far·ci·cal |
| falsefy | fal·si·fy | fasade | fa·çade |
| falseto | fal·set·to | fascenate | fas·ci·nate |
| falsety | fal·si·ty | fasetious | fa·ce·tious |
| falsly | false·ly | fashien | fash·ion |
| falt | fault | fashionible | fash·ion·a·ble |
| famely | fam·i·ly | fashist | fas·cist |
| fameous | fa·mous | fasile | fac·ile |

| WRONG | RIGHT | WRONG | RIGHT |
|---|---|---|---|
| fasilitate | **facil·i·tate** | feasco | **fi·as·co** |
| fasinate | **fas·ci·nate** | feat | **feet** *(pl. of foot)* |
| fassen | **fas·ten** | featurless | **fea·ture·less** |
| fassenation | **fas·ci·na·tion** | Febuary | **Feb·ru·ary** |
| fassion | **fash·ion** | feching | **fetch·ing** |
| fastenner | **fas·ten·er** | fedaration | **fed·er·a·tion** |
| faston | **fas·ten** | fedral | **fed·er·al** |
| fatallistic | **fa·tal·is·tic** | feeline | **fe·line** |
| fatallity | **fa·tal·i·ty** | feend | **fiend** |
| fataly | **fa·tal·ly** | feesible | **fea·si·ble** |
| fateague | **fa·tigue** | feet | **feat** *(deed)* |
| fatefull | **fate·ful** | feild | **field** |
| fatel | **fa·tal** | fein | **feign** *(pretend)* |
| faten | **fat·ten** | feind | **fiend** |
| fathem | **fath·om** | feint | **faint** *(weak)* |
| fatige | **fa·tigue** | feirce | **fierce** |
| faught | **fought** | felany | **fel·o·ny** |
| faukon | **fal·con** | felisity | **fe·lic·i·ty** |
| faun | **fawn** *(deer; act servilely)* | fellicitous | **felic·i·tous** |
| faver | **fa·vor** | fellonious | **fe·lo·ni·ous** |
| faverite | **fa·vor·ite** | fellony | **fel·o·ny** |
| favorible | **fa·vor·a·ble** | Fellopian | **Fal·lo·pi·an** |
| fawcet | **fau·cet** | felow | **fel·low** |
| fawna | **fau·na** | feminity | **fem·i·nin·i·ty** |
| fax paus | **faux pas** | femminine | **fem·i·nine** |
| faze | **phase** *(stage)* | fendish | **fiend·ish** |
| feable | **fee·ble** | feotus | **fe·tus** |
| feancé | **fi·an·cé** *(m.)* | ferce | **fierce** |
| feancé | **fi·an·cée** *(f.)* | feret | **fer·ret** |
| fearfull | **fear·ful** | feric | **fer·ric** |
| feasable | **fea·si·ble** | ferina | **fa·ri·na** |
| feasant | **pheas·ant** | ferl | **furl** |

| WRONG | RIGHT | WRONG | RIGHT |
|---|---|---|---|
| ferlough | fur·lough | fiancé | fi·an·cée *(f.)* |
| fermament | fir·ma·ment | fiancée | fi·an·cé *(m.)* |
| fernace | fur·nace | fiassco | fi·as·co |
| ferniture | fur·ni·ture | fibreglass | fi·ber·glass |
| feror | fu·ror | fickel | fick·le |
| ferous | fer·rous | ficktion | fic·tion |
| ferrat | fer·ret | fictitious | fac·ti·tious *(artificial)* |
| ferrier | fur·ri·er | fictitous | fic·ti·tious |
| ferris | fer·rous | | *(imaginary)* |
| ferrocious | fe·ro·cious | fiddeler | fid·dler |
| ferry | fairy *(elf)* | fidellity | fi·del·i·ty |
| ferther | fur·ther | fiftyeth | fif·ti·eth |
| ferthermore | fur·ther·more | figarine | fig·u·rine |
| fertillize | fer·til·ize | figerative | fig·u·ra·tive |
| fertive | fur·tive | figget | fidg·et |
| fertle | fer·tile | figgure | fig·ure |
| fervant | fer·vent | figmant | fig·ment |
| ferved | fer·vid | figureen | fig·u·rine |
| ferver | fer·vor | figuretive | fig·u·ra·tive |
| festeval | fes·ti·val | figurhead | fig·ure·head |
| festivaty | fes·tiv·i·ty | fiksation | fix·a·tion |
| festor | fes·ter | filement | fil·a·ment |
| fether | feath·er | filet minion | fi·let mi·gnon |
| fetis | fe·tus | filharmonic | phil·har·mon·ic |
| fettid | fet·id | fillament | fil·a·ment |
| fettish | fet·ish | fillbert | fil·bert |
| feudal | fu·tile *(useless)* | fillial | fil·i·al |
| feudallism | feu·dal·ism | fillie | fil·ly |
| feugitive | fu·gi·tive | fillter | fil·ter |
| feul | fu·el | filthally | filth·i·ly |
| fewd | feud | finalle | fi·na·le |
| fewdalism | feu·dal·ism | finallity | fi·nal·i·ty |

| WRONG | RIGHT | WRONG | RIGHT |
|---|---|---|---|
| finallize | fi·nal·ize | flabbie | flab·by |
| finaly | fi·nal·ly *(in conclusion)* | flabergast | flab·ber·gast |
| financeer | fin·an·cier | flacid | flac·cid |
| financialy | finan·cial·ly | fladdery | flat·tery |
| finantial | fi·nan·cial | flaged | flagged |
| finely | fi·nal·ly *(in conclusion)* | flaggon | flag·on |
| finerie | fin·ery | flagrent | fla·grant |
| fingerring | fin·ger·ing | flair | flare *(blaze)* |
| finnale | fi·na·le | flakey | flaky |
| finnaly | fi·nal·ly *(in conclusion)* | flaks | flax |
| finnancial | fi·nan·cial | flale | flail |
| finnesse | fi·nesse *(skill)* | flamable | flam·ma·ble |
| finnicky | fin·icky | flamboyent | flam·boy·ant |
| finnish | fin·ish | flamenco | fla·min·go *(bird)* |
| fintch | finch | flamingo | fla·men·co *(dance)* |
| fir | fur *(hair)* | flanel | flan·nel |
| firewerks | fire·works | flaped | flapped |
| firey | fi·ery | flare | flair *(knack)* |
| firmentation | fer·men·ta·tion | flashey | flashy |
| firn | fern *(plant)* | flashlite | flash·light |
| first ade | first aid | flassid | flac·cid |
| fiscaly | fis·cal·ly | flatery | flat·tery |
| fishion | fis·sion | flavering | fla·vor·ing |
| fishure | fis·sure | flavorfull | fla·vor·ful |
| fiskle | fis·cal | flea | flee *(run)* |
| fistacuffs | fist·i·cuffs | fleace | fleece |
| fistfull | fist·ful | flee | flea *(insect)* |
| fitfull | fit·ful | fleecey | fleecy |
| fixcher | fix·ture | fleese | fleece |
| fixible | fix·a·ble | flegeling | fledg·ling |
| fizle | fiz·zle | flegmatic | phleg·mat·ic |
| fizzion | fis·sion | flemm | phlegm |

| WRONG | RIGHT | WRONG | RIGHT |
|---|---|---|---|
| flertatious | **flir·ta·tious** | florrid | **flor·id** |
| fleshey | **fleshy** | florrist | **flo·rist** |
| fleur-de-lee | **fleur-de-lis** | flosed | **flossed** |
| flew | **flu** (influenza) | flour | **flow·er** (part of plant) |
| flew | **flue** (pipe) | flow | **floe** (ice) |
| flexable | **flex·i·ble** | flower | **flour** (grain) |
| flimsey | **flim·sy** | flownder | **floun·der** |
| flipancy | **flip·pan·cy** | flowt | **flout** |
| fliped | **flipped** | flu | **flue** (pipe) |
| flippency | **flip·pan·cy** | fluancy | **flu·en·cy** |
| flirtacious | **flir·ta·tious** | fluchuate | **fluc·tu·ate** |
| flite | **flight** (air travel) | flue | **flew** (pt. of fly) |
| flitey | **flighty** | flue | **flu** (influenza) |
| flo | **floe** (ice) | flued | **flu·id** |
| flo | **flow** (glide) | fluidety | **flu·id·i·ty** |
| flod | **flood** | fluoresent | **flu·o·res·cent** (giving light) |
| floe | **flow** (glide) | | |
| floged | **flogged** | fluoresent | **flo·res·cent** (blooming) |
| floidity | **flu·id·i·ty** | | |
| flont | **flaunt** | fluorish | **flour·ish** |
| flook | **fluke** | fluorride | **flu·o·ride** |
| floped | **flopped** | flur-de-lis | **fleur-de-lis** |
| floppie | **flop·py** | flurrie | **flur·ry** |
| Floreda | **Flor·i·da** | fo | **foe** |
| florel | **flo·ral** | foamey | **foamy** |
| florescent | **flu·o·res·cent** (giving light) | fobia | **pho·bia** |
| | | focallize | **fo·cal·ize** |
| floresent | **flo·res·cent** (blooming) | focas | **fo·cus** |
| | | foe pas | **faux pas** |
| floride | **flu·o·ride** | foggey | **fo·gy** (conservative person) |
| florish | **flour·ish** | | |
| florral | **flo·ral** | fogy | **fog·gy** (misty) |

| WRONG | RIGHT | WRONG | RIGHT |
|---|---|---|---|
| foibal | **foi·ble** | forebearance | **for·bear·ance** |
| fokus | **fo·cus** | forebearer | **fore·bear** |
| folage | **fo·li·age** | | *(ancestor)* |
| fole | **foal** | foreboding | **for·bid·ding** |
| folksey | **folk·sy** | | *(dangerous looking)* |
| follacle | **fol·li·cle** | foreceps | **for·ceps** |
| follder | **fold·er** | forelorn | **for·lorn** |
| folley | **fol·ly** | foremula | **for·mu·la** |
| folliage | **fo·li·age** | foresake | **for·sake** |
| follio | **fo·lio** | foresite | **fore·sight** |
| folowing | **fol·low·ing** | foretitude | **for·ti·tude** |
| folter | **fal·ter** | forety | **for·ty** |
| fon | **fawn** *(deer; act servilely)* | foreward | **fore·word** *(preface)* |
| fondoo | **fon·due** | foreward | **for·ward** |
| foney | **pho·ny** | | *(to the front)* |
| foolhardie | **fool·har·dy** | forfather | **fore·fa·ther** |
| foose | **fuse** | forfiet | **for·feit** |
| for | **fore** *(golf cry)* | forfinger | **fore·fin·ger** |
| for | **four** *(number)* | forfront | **fore·front** |
| foram | **fo·rum** | forgary | **for·gery** |
| forarm | **fore·arm** | forgetfull | **for·get·ful** |
| forbear | **fore·bear** *(ancestor)* | forgeting | **for·get·ting** |
| forbearence | **for·bear·ance** | forgo | **fore·go** *(precede)* |
| forbiding | **for·bid·ding** | forgone | **fore·gone** |
| | *(dangerous looking)* | | *(unavoidable)* |
| forboding | **fore·bod·ing** | forgoten | **for·got·ten** |
| | *(foretelling)* | forground | **fore·ground** |
| forcast | **fore·cast** | forhand | **fore·hand** |
| forcefull | **force·ful** | forhead | **fore·head** |
| forclose | **fore·close** | foriegn | **for·eign** |
| fore | **four** *(number)* | formalldehyde | |
| forebear | **for·bear** *(refrain)* | | **form·al·de·hyde** |

| WRONG | RIGHT | WRONG | RIGHT |
|---|---|---|---|
| formallity | **for·mal·i·ty** | fortatude | **for·ti·tude** |
| formallize | **for·mal·ize** | forte | **fort** *(fortified place)* |
| formally | **for·mer·ly** *(in the past)* | forteen | **four·teen** |
| formaly | **for·mal·ly** *(of form)* | fortefy | **for·ti·fy** |
| forman | **fore·man** | forteith | **for·ti·eth** |
| formel | **for·mal** | fortell | **fore·tell** |
| formelize | **for·mal·ize** | forth | **fourth** *(number)* |
| formely | **for·mer·ly** *(in the past)* | fortifecation | **for·ti·fi·ca·tion** |
| formerly | **for·mal·ly** *(of form)* | fortouitous | **for·tu·i·tous** |
| formidible | **for·mi·da·ble** | forward | **fore·word** *(preface)* |
| formost | **fore·most** | forword | **for·ward** *(to the front)* |
| formulla | **for·mu·la** | forword | **fore·word** *(preface)* |
| formullate | **for·mu·late** | fosfate | **phos·phate** |
| fornecation | **for·ni·ca·tion** | fosil | **fos·sil** |
| forocious | **fe·ro·cious** | fossillize | **fos·sil·ize** |
| forrage | **for·age** | fostor | **fos·ter** |
| forray | **for·ay** | fotocopy | **pho·to·copy** |
| forreign | **for·eign** | fotoelectric | **pho·to·e·lec·tric** |
| forrensic | **fo·ren·sic** | fotogenic | **pho·to·gen·ic** |
| forrest | **for·est** | fotos | **pho·tos** |
| forrum | **fo·rum** | fotosynthesis | **pho·to·syn·the·sis** |
| forruner | **for·eign·er** *(stranger)* | foul | **fowl** *(bird)* |
| forrunner | **fore·run·ner** *(herald)* | foundery | **found·ry** |
| forsee | **fore·see** | founten | **foun·tain** |
| forseps | **for·ceps** | fourfinger | **fore·fin·ger** |
| forsight | **fore·sight** | fourth | **forth** *(forward)* |
| forsithia | **for·syth·ia** | fourty | **for·ty** |
| forstall | **fore·stall** | fowl | **foul** *(filthy)* |
| fort | **forte** *(skill)* | fowndation | **foun·da·tion** |
| | | fowndry | **found·ry** |
| | | foyble | **foi·ble** |

| WRONG | RIGHT | WRONG | RIGHT |
|---|---|---|---|
| frachure | **frac·ture** | freese | **freeze** *(become ice)* |
| fractionallize | **frac·tion·al·ize** | freeweeling | **free·wheel·ing** |
| fracton | **frac·tion** | freind | **friend** |
| fradulent | **fraud·u·lent** | freize | **frieze** *(in architecture)* |
| fragill | **frag·ile** | frekle | **freck·le** |
| fragrent | **fra·grant** | frend | **friend** |
| fraight | **freight** | frenzie | **fren·zy** |
| fraighter | **freight·er** | frequant | **fre·quent** |
| fraktion | **frac·tion** | frequensy | **fre·quen·cy** |
| fralty | **frail·ty** | frescoe | **fres·co** |
| framework | **frame·work** | fretfull | **fret·ful** |
| franc | **frank** *(honest)* | freting | **fret·ting** |
| Frances | **Fran·cis** *(m.)* | frett | **fret** |
| franchize | **fran·chise** | friccasee | **fric·as·see** |
| Francis | **Fran·ces** *(f.)* | frieght | **freight** |
| frank | **franc** *(coin)* | frieghter | **freight·er** |
| franticly | **fran·ti·cal·ly** | frier | **fri·ar** *(religious person)* |
| frase | **phrase** | frier | **fry·er** *(food)* |
| fraternaty | **fra·ter·ni·ty** | frieze | **freeze** *(become ice)* |
| fraturnal | **fra·ter·nal** | friggate | **frig·ate** |
| fraut | **fraught** | friggid | **frig·id** |
| frawd | **fraud** | frightning | **fright·en·ing** |
| frawdulent | **fraud·u·lent** | frigit | **frig·ate** |
| frazled | **fraz·zled** | friing | **fry·ing** |
| freckel | **freck·le** | frikassee | **fric·as·see** |
| freckeled | **freck·led** | friskey | **frisky** |
| fredom | **free·dom** | friter | **frit·ter** |
| freedum | **free·dom** | frivelous | **friv·o·lous** |
| freek | **freak** | frivollity | **fri·vol·i·ty** |
| freelanse | **free–lance** | Froidian | **Freud·i·an** |
| freeloder | **free·load·er** | frolicksome | **frol·ic·some** |
| freequency | **fre·quen·cy** | frollic | **frol·ic** |

| WRONG | RIGHT | WRONG | RIGHT |
|---|---|---|---|
| fronteer | **fron·tier** | functionnal | **func·tion·al** |
| frosbite | **frost·bite** | fundamently | |
| frostie | **frosty** | | **fun·da·men·tal·ly** |
| frothey | **frothy** | fundation | **foun·da·tion** |
| frouning | **frown·ing** | fundimental | **fun·da·men·tal** |
| Fruedian | **Freud·i·an** | funel | **fun·nel** |
| frugel | **fru·gal** | funerial | **fu·ne·re·al** |
| fruitfull | **fruit·ful** | funerral | **fu·ner·al** |
| fruntier | **fron·tier** | fungases | **fun·gus·es** |
| frusstration | **frus·tra·tion** | fungecide | **fun·gi·cide** |
| fryed | **fried** | funireal | **fu·ne·re·al** |
| fuchia | **fuch·sia** | funktion | **func·tion** |
| fucilage | **fu·se·lage** | funneral | **fu·ner·al** |
| fudal | **feu·dal** | funtion | **func·tion** |
| fuge | **fugue** | fur | **fir** *(tree)* |
| fuge | **fudge** | fureous | **fu·ri·ous** |
| fugetive | **fu·gi·tive** | furier | **fur·ri·er** |
| fuise | **fuse** | furlow | **fur·lough** |
| fujative | **fu·gi·tive** | furmentation | **fer·men·ta·tion** |
| fulback | **full·back** | furn | **fern** *(plant)* |
| fulcram | **ful·crum** | furnature | **fur·ni·ture** |
| fule | **fu·el** | furnesh | **fur·nish** |
| fulfiled | **ful·filled** | furness | **fur·nace** |
| fullcrum | **ful·crum** | furow | **fur·row** |
| fullength | **full–length** | furrie | **fur·ry** |
| fullfil | **ful·fill** | furrious | **fu·ri·ous** |
| fullfilled | **ful·filled** | furror | **fu·ror** |
| fulness | **full·ness** | furtave | **fur·tive** |
| fumbeling | **fum·bling** | furthurmore | **fur·ther·more** |
| fumegate | **fu·mi·gate** | fushia | **fuch·sia** |
| fumey | **fumy** | fusilage | **fu·se·lage** |
| functionaly | **func·tion·al·ly** | fussally | **fuss·i·ly** |

| WRONG | RIGHT | WRONG | RIGHT |
|---|---|---|---|
| fusselage | **fu·se·lage** | gallavant | **gal·li·vant** |
| fussie | **fussy** | gallaxy | **gal·axy** |
| fussion | **fu·sion** | gallen | **gal·lon** *(liquid measure)* |
| futere | **fu·ture** | gallent | **gal·lant** |
| futeristic | **futur·is·tic** | galleyvant | **gal·li·vant** |
| futile | **feu·dal** | gallies | **gal·leys** |
| futill | **fu·tile** *(useless)* | gallore | **ga·lore** |
| futillity | **fu·til·i·ty** | galloshes | **ga·losh·es** |
| futurristic | **futur·is·tic** | gallup | **gal·lop** |
| | | gallvanize | **gal·va·nize** |
| **G** | | gally | **gal·ley** |
| | | galon | **gal·lon** *(liquid measure)* |
| gabanzo | **gar·ban·zo** | galop | **gal·lop** |
| gabbardine | **gab·ar·dine** | galows | **gal·lows** |
| gabel | **ga·ble** *(roof)* | galvenize | **gal·va·nize** |
| gadgit | **gadg·et** | gama | **gam·ma** |
| gaety | **gai·e·ty** | gambet | **gam·bit** |
| gaff | **gaffe** *(mistake)* | gamble | **gam·bol** *(frolic)* |
| gaffe | **gaff** *(hook)* | gambleing | **gam·bling** |
| gage | **gauge** *(measure)* | gambol | **gam·ble** *(bet)* |
| gaget | **gadg·et** | gamet | **gam·ut** |
| gaging | **gag·ging** *(choking)* | gamey | **gamy** |
| gail | **gale** *(strong wind)* | gammut | **gam·ut** |
| gailey | **gai·ly** | gandola | **gon·do·la** |
| gait | **gate** *(opening)* | gandor | **gan·der** |
| gaje | **gauge** *(measure)* | gane | **gain** |
| galant | **gal·lant** | gangleing | **gan·gling** |
| galery | **gal·lery** | gangreen | **gan·grene** |
| galexy | **gal·axy** | ganre | **gen·re** |
| galey | **gal·ley** | gapeing | **gap·ing** |
| gallactic | **ga·lac·tic** | garanteeing | **guar·an·tee·ing** |
| gallary | **gal·lery** | garbege | **gar·bage** |

| WRONG | RIGHT | WRONG | RIGHT |
|---|---|---|---|
| gard | guard | gasslight | gas·light |
| gardian | guard·i·an | gassoline | gas·o·line |
| gardin | gar·den | gastly | ghast·ly |
| gardner | gar·den·er | gastrick | gas·tric |
| garet | gar·ret | gate | gait *(walk)* |
| garganchuan | gar·gan·tu·an | gaudey | gaudy |
| gargleing | gar·gling | gauk | gawk |
| gargoil | gar·goyle | gaul | gall |
| garilla | guer·ril·la *(soldier)* | gauranteeing | guar·an·tee·ing |
| garilla | go·ril·la *(ape)* | gaurd | guard |
| garison | gar·ri·son | gaurdian | guard·i·an |
| garlend | gar·land | gaushe | gauche |
| garlick | gar·lic | gavle | gav·el |
| garmint | gar·ment | gawnt | gaunt |
| garnesh | gar·nish | gawntlet | gaunt·let |
| garrage | ga·rage | gawze | gauze |
| garralous | gar·ru·lous | gayety | gai·e·ty |
| garrason | gar·ri·son | gayla | ga·la |
| garrbled | gar·bled | gayze | gaze |
| garrish | gar·ish | gazele | ga·zelle |
| garrit | gar·ret | gazete | ga·zette |
| garrlic | gar·lic | gazibo | ga·ze·bo |
| garson | gar·çon | geagraphical | ge·o·graph·i·cal |
| garulous | gar·ru·lous | gealogy | ge·ol·o·gy |
| gasahol | gas·o·hol | geametric | ge·o·met·ric |
| gasaline | gas·o·line | gease | geese |
| gasha | gei·sha | geens | genes *(hereditary units)* |
| gasious | gas·e·ous | geer | gear |
| gaskit | gas·ket | gel | jell *(become jelly)* |
| gaslite | gas·light | gell | gel *(jelly-like substance)* |
| gassamer | gos·sa·mer | gellatin | gel·a·tin |
| gasseous | gas·e·ous | gellding | geld·ing |

| WRONG | RIGHT | WRONG | RIGHT |
|---|---|---|---|
| gelly | **jel·ly** | geomettric | **ge·o·met·ric** |
| Gemmini | **Gem·i·ni** | geraffe | **gi·raffe** |
| genasis | **gen·e·sis** | gerage | **ga·rage** |
| geneology | **ge·ne·al·o·gy** | geraneum | **ge·ra·ni·um** |
| generalaty | **gen·er·al·i·ty** | gerble | **ger·bil** |
| generaly | **gen·er·al·ly** | gereatrics | **ger·i·at·rics** |
| generater | **gen·er·a·tor** | gerkin | **gher·kin** |
| generick | **ge·ner·ic** | germacide | **ger·mi·cide** |
| generousity | **gen·er·os·i·ty** | germain | **ger·mane** |
| generus | **gen·er·ous** | germanate | **ger·mi·nate** |
| genes | **jeans** *(trousers)* | geschure | **ges·ture** *(movement)* |
| genetal | **gen·i·tal** | geshtalt | **ge·stalt** |
| geneticly | **ge·net·i·cal·ly** | gess | **guess** *(surmise)* |
| geneus | **ge·nius** *(talent)* | gest | **guest** *(person)* |
| genger | **gin·ger** | gest | **jest** |
| geniel | **ge·nial** | gesticulate | **ges·tic·u·late** |
| genius | **ge·nus** *(class)* | gestolt | **ge·stalt** |
| genneration | **gen·er·a·tion** | geting | **get·ting** |
| genneric | **ge·ner·ic** | getogether | **get–to·geth·er** |
| genoside | **gen·o·cide** | getto | **ghet·to** |
| genrally | **gen·er·al·ly** | geurilla | **guer·ril·la** *(soldier)* |
| genrous | **gen·er·ous** | geuss | **guess** *(surmise)* |
| genteal | **gen·teel** *(refined)* | gezebo | **ga·ze·bo** |
| genteel | **gen·tile** *(not Jewish)* | gezelle | **ga·zelle** |
| gentile | **gen·tle** *(not rough)* | gheto | **ghet·to** |
| gentile | **gen·teel** *(refined)* | ghool | **ghoul** |
| gentle | **gen·tile** *(not Jewish)* | gibe | **jibe** *(agree)* |
| gentley | **gen·tly** | giberish | **gib·ber·ish** |
| genuen | **gen·u·ine** | giblit | **gib·let** |
| genufleck | **gen·u·flect** | gidance | **guid·ance** |
| genus | **ge·nius** *(talent)* | giddyness | **gid·di·ness** |
| geografical | **ge·o·graph·i·cal** | gient | **gi·ant** |

| WRONG | RIGHT | WRONG | RIGHT |
|---|---|---|---|
| giesha | gei·sha | glanduler | glan·du·lar |
| gigalo | gig·o·lo | glareing | glar·ing |
| gigantick | gi·gan·tic | glashal | gla·cial |
| gigling | gig·gling | glasier | gla·cier |
| gileless | guile·less | glaukoma | glau·co·ma |
| gillotine | guil·lo·tine | gleem | gleam |
| gilt | guilt *(blame)* | gleen | glean |
| gimick | gim·mick | glibb | glib |
| gimlit | gim·let | glideing | glid·ing |
| gimnasium | gym·na·si·um | glimer | glim·mer |
| ginea pig | guin·ea pig | glimse | glimpse |
| ginecology | gyn·e·col·o·gy | glissen | glis·ten |
| gingam | ging·ham | glitery | glit·tery |
| ginnie | jin·ni | globel | glob·al |
| gipsum | gyp·sum | gloomey | gloomy |
| girafe | gi·raffe | glorafy | glo·ri·fy |
| giration | gy·ra·tion | glorius | glo·ri·ous |
| girm | germ | glossery | glos·sa·ry |
| giroscope | gy·ro·scope | glossey | glossy |
| gise | guise *(aspect)* | glote | gloat |
| giser | gey·ser | gloucoma | glau·co·ma |
| giss | gist | gluecose | glu·cose |
| gitar | gui·tar | glueing | glu·ing |
| giudance | guid·ance | glumy | gloomy |
| giveing | giv·ing | gluttenous | glut·ton·ous |
| gizzerd | giz·zard | glyserine | glyc·er·in |
| glaceir | gla·cier | gnarlled | gnarled |
| glaciel | gla·cial | gnawwing | gnaw·ing |
| gladeator | glad·i·a·tor | gnoam | gnome |
| gladeolas | glad·i·o·lus | gnoo | gnu |
| glamorus | glam·or·ous | gobbeling | gob·bling |
| glanceing | glanc·ing | goblen | gob·lin |

| WRONG | RIGHT | WRONG | RIGHT |
|---|---|---|---|
| gobling | **gob·bling** | gosip | **gos·sip** |
| goblit | **gob·let** | gosspel | **gos·pel** |
| goche | **gauche** | gossup | **gos·sip** |
| gock | **gawk** | gost | **ghost** |
| goddy | **gaudy** | goucho | **gau·cho** |
| gode | **goad** | goul | **ghoul** |
| godess | **god·dess** | gourmey | **gour·met** |
| gofer | **go·pher** *(animal)* | goverment | **gov·ern·ment** |
| gogles | **gog·gles** | governer | **gov·er·nor** |
| goldan | **gold·en** | govurn | **gov·ern** |
| golf | **gulf** *(bay; gap)* | gowge | **gouge** |
| goll | **gall** | gowt | **gout** |
| gollbladder | **gall·blad·der** | goyter | **goi·ter** |
| gollden | **gold·en** | goz | **gauze** |
| gondala | **gon·do·la** | grabing | **grab·bing** |
| gondoleer | **gon·do·lier** | gracius | **gra·cious** |
| gonorrea | **gon·or·rhea** | grackel | **grack·le** |
| gont | **gaunt** | gradiant | **gra·di·ent** |
| gontlet | **gaunt·let** | gradiation | **gra·da·tion** |
| goofey | **goofy** | gradualy | **grad·u·al·ly** |
| goolash | **gou·lash** | graduit | **grad·u·ate** |
| gopher | **go·fer** *(errand runner)* | graff | **graft** |
| gophor | **go·pher** *(animal)* | graff | **graph** |
| gord | **gourd** | grafic | **graph·ic** |
| gorey | **gory** | grafite | **graph·ite** |
| gorgous | **gor·geous** | grafitti | **graf·fi·ti** |
| gorila | **go·ril·la** *(ape)* | gragarious | **gre·gar·i·ous** |
| gorilla | **guer·ril·la** *(soldier)* | grainary | **gran·a·ry** |
| gorjeous | **gor·geous** | gram | **gra·ham** *(flour)* |
| gormet | **gour·met** | gramaticly | **gram·mat·i·cal·ly** |
| gorrila | **go·ril·la** *(ape)* | grammer | **gram·mar** |
| gosamer | **gos·sa·mer** | granade | **gre·nade** |

| WRONG | RIGHT | WRONG | RIGHT |
|---|---|---|---|
| grandaughter ......... grand·daugh·ter | | gravetate ............. grav·i·tate | |
| grandeose ............ gran·di·ose | | gravety .................... grav·i·ty | |
| grandure ................ gran·deur *(grandness)* | | gravey ........................ gra·vy | |
| | | gravill ........................ grav·el | |
| granery .................... gran·a·ry | | gravstone ............ grave·stone | |
| granet ............. gran·ite *(stone)* | | gravvity .................... grav·i·ty | |
| granite .... grant·ed *(pt. of grant)* | | gravyard ............... grave·yard | |
| grannola .................. gran·o·la | | grazeing ................. graz·ing | |
| grannular ............... gran·u·lar | | Greace ...................... Greece | |
| granstand ......... grand·stand | | greasey ...................... greasy | |
| granted .......... gran·ite *(stone)* | | great .................... greet *(meet)* | |
| granuler ............... gran·u·lar | | great .................... grate *(scrape)* | |
| grapfruit ............. grape·fruit | | greatfull ................. grate·ful | |
| graphick .................. graph·ic | | greedally .............. greed·i·ly | |
| grapling .................. grap·pling | | greenary ................ green·ery | |
| grappel .................... grap·ple | | greenkeeper ... greens·keep·er | |
| grapvine ............... grape·vine | | Greenwhich ......... Green·wich | |
| grase ........................... grace | | Greese ...................... Greece | |
| grassey .................... grassy | | greesy ...................... greasy | |
| grasshoper ....... grass·hop·per | | gregarrious ........ gre·gar·i·ous | |
| grate .................... great *(large)* | | greif ............................ grief | |
| gratefull .................... grate·ful | | greivance ............ griev·ance | |
| gratefy ..................... grat·i·fy | | greiving ................ griev·ing | |
| grateing .................... grat·ing | | greivous ................ griev·ous | |
| gratetude ............... grat·i·tude | | gremlen .................. grem·lin | |
| gratious .................. gra·cious | | grenery ................ green·ery | |
| grattitude ............... grat·i·tude | | grennade ................ gre·nade | |
| gratuetous ........... gra·tu·i·tous | | grennadine ........... gren·a·dine | |
| gravelly ....... grave·ly *(soberly)* | | Grennich ............ Green·wich | |
| gravely ................ grav·el·ly *(full of gravel)* | | griddiron ................. grid·i·ron | |
| | | gridle ......................... grid·dle | |
| | | grieveing ................. griev·ing | |

81

| WRONG | RIGHT | WRONG | RIGHT |
|---|---|---|---|
| grievence | **griev·ance** | grouseing | **grous·ing** |
| grievius | **griev·ous** | grovell | **grov·el** |
| griffiti | **graf·fi·ti** | growchy | **grouchy** |
| griling | **grill·ing** | growel | **growl** |
| grimey | **grimy** | groweth | **growth** |
| grimmace | **gri·mace** | grown | **groan** (moan) |
| grimmly | **grim·ly** | growsing | **grous·ing** |
| grined | **grind** | growt | **grout** |
| grinestone | **grind·stone** | growwing | **grow·ing** |
| grining | **grin·ning** | groyn | **groin** |
| griping | **grip·ping** (holding) | grubing | **grub·bing** |
| gripping | **grip·ing** (complaining) | gruby | **grub·by** |
| grissle | **gris·tle** | grudgeingly | **grudg·ing·ly** |
| grizzely | **griz·zly** (bear) | gruesum | **grue·some** |
| grizzly | **gris·ly** (horrible) | gruge | **grudge** |
| groan | **grown** (mature) | grugingly | **grudg·ing·ly** |
| grogy | **grog·gy** | gruling | **gru·el·ing** |
| groing | **grow·ing** | grumbleing | **grum·bling** |
| grone | **grown** (mature) | grungey | **grun·gy** |
| grone | **groan** (moan) | grusome | **grue·some** |
| grool | **gru·el** | gruvel | **grov·el** |
| grooling | **gru·el·ing** | gruwel | **gru·el** |
| groosome | **grue·some** | guacomole | **gua·ca·mo·le** |
| gropeing | **grop·ing** | guage | **gauge** (measure) |
| grose | **gross** | guaranteing | **guar·an·tee·ing** |
| grosery | **gro·cery** | guardean | **guard·i·an** |
| grotesk | **gro·tesque** | guerila | **guer·ril·la** (soldier) |
| groth | **growth** | guerilla | **go·ril·la** (ape) |
| groto | **grot·to** | gues | **guest** (person) |
| grouchey | **grouchy** | gufaw | **guf·faw** |
| groupy | **group·ie** | guideing | **guid·ing** |
| | | guidence | **guid·ance** |

| WRONG | RIGHT | WRONG | RIGHT |

| WRONG | RIGHT |
|---|---|
| guilless | **guile·less** |
| guilotine | **guil·lo·tine** |
| guilt | **gilt** *(coated)* |
| guinnea pig | **guin·ea pig** |
| guittar | **gui·tar** |
| gulet | **gul·let** |
| gulf | **golf** *(game)* |
| gullable | **gul·li·ble** |
| gulley | **gul·ly** |
| gullit | **gul·let** |
| gultch | **gulch** |
| gumtion | **gump·tion** |
| gumy | **gum·my** |
| guning | **gun·ning** |
| guocamole | **gua·ca·mo·le** |
| gurdle | **gir·dle** |
| gurgleing | **gur·gling** |
| gurth | **girth** |
| guset | **gus·set** |
| gussto | **gus·to** |
| guter | **gut·ter** |
| gutteral | **gut·tur·al** |
| guvernatorial | **guber·na·to·ri·al** |
| guvernment | **gov·ern·ment** |
| guvnor | **gov·er·nor** |
| guys | **guise** *(aspect)* |
| guyser | **gey·ser** |
| gymnaseum | **gym·na·si·um** |
| gynacology | **gyn·e·col·o·gy** |
| gypsom | **gyp·sum** |
| gyrascope | **gy·ro·scope** |

## H

| WRONG | RIGHT |
|---|---|
| habbitation | **hab·i·ta·tion** |
| habbitual | **ha·bit·u·al** |
| habet | **hab·it** |
| habetation | **hab·i·ta·tion** |
| habitible | **hab·it·a·ble** |
| hachery | **hatch·ery** |
| hachet | **hatch·et** |
| haching | **hatch·ing** |
| hachway | **hatch·way** |
| hacknied | **hack·neyed** |
| hadock | **had·dock** |
| haf | **half** *(n.)* |
| haggerd | **hag·gard** |
| hagle | **hag·gle** |
| haikoo | **hai·ku** |
| hail | **hale** *(healthy; force)* |
| hainous | **hei·nous** |
| hair | **heir** *(inheritor)* |
| hair | **hare** *(rabbit)* |
| hairbrained | **hare·brained** |
| hairey | **hairy** *(hair–covered)* |
| hairlip | **hare·lip** |
| hairloom | **heir·loom** |
| hairpeace | **hair·piece** |
| hairy | **har·ry** *(harass)* |
| haiven | **ha·ven** |
| haize | **haze** |
| haizel | **ha·zel** |
| hakneyed | **hack·neyed** |
| hale | **hail** *(ice; call)* |

83

| WRONG | RIGHT | WRONG | RIGHT |
|---|---|---|---|
| halebut | **hal·i·but** | handeling | **han·dling** |
| halelujah | **hal·le·lu·jah** | handfull | **hand·ful** |
| half | **halve** (v.) | handicaped | **hand·i·capped** |
| hall | **haul** (pull) | handiman | **hand·y·man** |
| hallibut | **hal·i·but** | handkercheif | **hand·ker·chief** |
| hallo | **ha·lo** (ring of light) | handlely | **hand·i·ly** |
| hallowed | **hol·lowed** | handriting | **hand·writ·ing** |
| | (made empty inside) | handsome | **han·som** (carriage) |
| hallucenation | | handsomly | **hand·some·ly** |
| | **hal·lu·ci·na·tion** | handsum | **hand·some** |
| hallucenogenic | | | (good–looking) |
| | **hal·lu·ci·no·gen·ic** | handwriten | **hand·writ·ten** |
| halmark | **hall·mark** | handycraft | **hand·i·craft** |
| halow | **hal·low** (venerate) | handywork | **hand·i·work** |
| halow | **ha·lo** (ring of light) | hangar | **hang·er** |
| halowed | **hal·lowed** | | (garment holder) |
| | (venerated) | hangcuff | **hand·cuff** |
| Haloween | **Hal·low·een** | hanger | **hang·ar** (aircraft shed) |
| halsyon | **hal·cy·on** | hankerchief | **hand·ker·chief** |
| halucinnation | | hansome | **han·som** (carriage) |
| | **hal·lu·ci·na·tion** | hansome | **hand·some** |
| halucinogenic | | | (good–looking) |
| | **hal·lu·ci·no·gen·ic** | hapened | **hap·pened** |
| halve | **half** (n.) | haphazerd | **hap·haz·ard** |
| hamberger | **ham·burg·er** | haram | **ha·rem** |
| hamering | **ham·mer·ing** | harang | **ha·rangue** |
| hammuck | **ham·mock** | harbenger | **har·bin·ger** |
| hanbook | **hand·book** | harber | **har·bor** |
| handcuf | **hand·cuff** | hardwear | **hard·ware** |
| handecapped | **hand·i·capped** | hardy | **hearty** (wholehearted) |
| handcraft | **hand·i·craft** | hardyness | **har·di·ness** |
| handelbar | **han·dle·bar** | | (boldness) |

| WRONG | RIGHT | WRONG | RIGHT |
|---|---|---|---|
| hare | **hair** *(fur)* | hatchit | **hatch·et** |
| haresy | **her·e·sy** | hatefull | **hate·ful** |
| harey | **har·ry** *(harass)* | hater | **hat·ter** *(hat-maker)* |
| harlekin | **har·le·quin** | hatrid | **ha·tred** |
| harlet | **har·lot** | hatter | **hat·er** *(one who hates)* |
| harliquin | **har·le·quin** | hauk | **hawk** |
| harmanic | **har·mon·ic** | hauthorn | **haw·thorn** |
| harmfull | **harm·ful** | hauture | **hau·teur** |
| harmoneca | **har·mon·i·ca** | hauty | **haugh·ty** |
| harmoneous | **har·mo·ni·ous** | havan | **ha·ven** |
| harmoney | **har·mo·ny** | Havanna | **Ha·vana** |
| harmonicly | **har·mon·i·cal·ly** | havec | **hav·oc** |
| harmonnic | **har·mon·ic** | haveing | **hav·ing** |
| harnes | **har·ness** | havock | **hav·oc** |
| harowing | **har·row·ing** | Hawai | **Ha·waii** |
| harpsicord | **harp·si·chord** | Hawaien | **Ha·wai·ian** |
| harrangue | **ha·rangue** | hawl | **haul** *(pull)* |
| harrassment | **har·ass·ment** | hawnch | **haunch** *(hindquarter)* |
| harrem | **ha·rem** | hawnted | **haunt·ed** |
| harry | **hairy** *(hair-covered)* | hawteur | **hau·teur** |
| hart | **heart** *(organ)* | hawthorne | **haw·thorn** |
| hartache | **heart·ache** | hawty | **haugh·ty** |
| harth | **hearth** | haxsaw | **hack·saw** |
| harty | **hearty** *(wholehearted)* | hay | **hey** *(interj.)* |
| harvister | **har·vest·er** | hazally | **ha·zi·ly** |
| hasheesh | **hash·ish** | hazerd | **haz·ard** |
| hassen | **has·ten** | hazerdous | **haz·ard·ous** |
| hassuck | **has·sock** | hazey | **ha·zy** |
| hast | **haste** | hazle | **ha·zel** |
| hastey | **hasty** | hazzard | **haz·ard** |
| hatable | **hate·a·ble** | head | **heed** *(attend to)* |
| hatchary | **hatch·ery** | headake | **head·ache** |

| WRONG | RIGHT | WRONG | RIGHT |
|---|---|---|---|
| headfone | **head·phone** | hedache | **head·ache** |
| headquorters | **head·quar·ters** | hedanist | **he·do·nist** |
| headress | **head·dress** | heddress | **head·dress** |
| heal | **heel** *(part of foot)* | hede | **heed** *(attend to)* |
| healler | **heal·er** | hedgeing | **hedg·ing** |
| healthfull | **health·ful** | hedgrow | **hedge·row** |
| hear | **here** *(on this place)* | hedonnist | **he·do·nist** |
| hearafter | **here·af·ter** | hedquarters | **head·quar·ters** |
| hearby | **here·by** | heel | **heal** *(cure)* |
| heard | **herd** *(group)* | heelium | **he·li·um** |
| heart | **hart** *(deer)* | heelix | **he·lix** |
| heartake | **heart·ache** | heep | **heap** |
| heartally | **heart·i·ly** | heeth | **heath** |
| heartbeet | **heart·beat** | heeve | **heave** |
| heartbern | **heart·burn** | heffer | **heif·er** |
| heartbraking | **heart·break·ing** | heffty | **hefty** |
| heartiness | **har·di·ness** *(boldness)* | hege | **hedge** |
| heartrendering | **heart–rend·ing** | hegehog | **hedge·hog** |
| hearty | **har·dy** *(bold)* | hegerow | **hedge·row** |
| heathan | **hea·then** | heightan | **height·en** |
| heathe | **heath** | heinious | **hei·nous** |
| heavilly | **heav·i·ly** | heirarchy | **hi·er·ar·chy** |
| heavin | **heav·en** | heires | **heir·ess** |
| heavinly | **heav·en·ly** | heiroglyphics | **hi·er·o·glyph·ics** |
| heaviset | **heavy·set** | he'l | **he'll** *(he will)* |
| Hebrue | **He·brew** | helecopter | **hel·i·cop·ter** |
| heckel | **heck·le** | Helenistic | **Hel·len·is·tic** |
| heckeler | **heck·ler** | heleum | **he·li·um** |
| hecks | **hex** | hell | **he'll** *(he will)* |
| hectac | **hec·tic** | hellash | **hell·ish** |
| | | hellicopter | **hel·i·cop·ter** |

| WRONG | RIGHT | WRONG | RIGHT |
|---|---|---|---|
| hellium | **he·li·um** | heresay | **hear·say** |
| hellix | **he·lix** | heretige | **her·it·age** |
| helmit | **hel·met** | hering | **her·ring** |
| helpfull | **help·ful** | heritic | **her·e·tic** |
| helth | **health** | herkulean | **her·cu·le·an** |
| helthful | **health·ful** | herloom | **heir·loom** |
| helthy | **healthy** | hermatage | **her·mit·age** |
| hemaglobin | **he·mo·glo·bin** | hermet | **her·mit** |
| hemarroid | **hem·or·rhoid** | hermitege | **her·mit·age** |
| hemed | **hemmed** | hernea | **her·nia** |
| hemlok | **hem·lock** | heroe | **he·ro** (sing.) |
| hemmisphere | **hem·i·sphere** | heroin | **her·o·ine** (f.; hero) |
| hemmorage | **hem·or·rhage** | heroine | **her·o·in** (narcotic) |
| hemmroid | **hem·or·rhoid** | herold | **her·ald** |
| hemogloben | **he·mo·glo·bin** | heros | **he·roes** (pl.) |
| hemorrage | **hem·or·rhage** | herpez | **her·pes** |
| hemorroid | **hem·or·rhoid** | herrald | **her·ald** |
| hencforth | **hence·forth** | herreditary | **he·red·i·tary** |
| henpek | **hen·peck** | herresy | **her·e·sy** |
| hense | **hence** | herretic | **her·e·tic** |
| hensforth | **hence·forth** | herritage | **her·it·age** |
| hentchman | **hench·man** | herroic | **he·ro·ic** |
| herafter | **here·af·ter** | herroin | **her·o·in** (narcotic) |
| heram | **ha·rem** | herroine | **her·o·ine** (f.; hero) |
| herasy | **her·e·sy** | herron | **her·on** |
| herbacide | **her·bi·cide** | herrowing | **har·row·ing** |
| herbel | **herb·al** | her's | **hers** |
| herby | **here·by** | herse | **hearse** |
| herculian | **her·cu·le·an** | herth | **hearth** |
| herd | **heard** (pt. of hear) | hesetancy | **hes·i·tan·cy** |
| here | **hear** (listen) | hesetate | **hes·i·tate** |
| hereditery | **he·red·i·tary** | hesitasion | **hes·i·ta·tion** |

| WRONG | RIGHT | WRONG | RIGHT |
|---|---|---|---|
| hesitency | hes·i·tan·cy | hidroelectric | hy·dro·e·lec·tric |
| heterogeneous | | hidrogen | hy·dro·gen |
| | het·er·og·e·nous | hieena | hy·e·na |
| | *(of different origin)* | hiefer | heif·er |
| heterrosexual | | hieght | height |
| | het·er·o·sex·u·al | hienous | hei·nous |
| hethen | hea·then | hier | heir *(inheritor)* |
| hether | heath·er | hierchy | hi·er·ar·chy |
| hetrogenius | | hieress | heir·ess |
| | het·er·o·ge·ne·ous | hierloom | heir·loom |
| | *(of different origin)* | hierogliphics | hi·er·o·glyph·ics |
| hevally | heav·i·ly | hietus | hi·a·tus |
| heven | heav·en | higiene | hy·giene |
| hevy | heavy | hijact | hi·jack |
| hevyweight | heavy·weight | hikory | hick·o·ry |
| hew | hue *(color)* | hiku | hai·ku |
| hey | hay *(dried grass)* | hilaraty | hi·lar·i·ty |
| heywire | hay·wire | hilarrious | hi·lar·i·ous |
| hi alai | jai alai | hilbilly | hill·bil·ly |
| hiararchy | hi·er·ar·chy | hilight | high·light |
| hiasinth | hy·a·cinth | hillarious | hi·lar·i·ous |
| hiatas | hi·a·tus | hillarity | hi·lar·i·ty |
| hibrid | hy·brid | hillbillie | hill·bil·ly |
| hiburnate | hi·ber·nate | hiltop | hill·top |
| hichair | high·chair | Himilayas | Hi·ma·la·yas |
| hichhike | hitch·hike | himn | hymn *(song)* |
| hickery | hick·o·ry | hinderance | hin·drance |
| hickup | hic·cup | hinesight | hind·sight |
| hiddeous | hid·e·ous | hingeing | hing·ing |
| hidrant | hy·drant | hiperbola | hy·per·bo·la *(curve)* |
| hidraulic | hy·drau·lic | hiperbole | hy·per·bo·le |
| hidrochloric | hy·dro·chlo·ric | | *(exaggeration)* |

| WRONG | RIGHT | WRONG | RIGHT |
|---|---|---|---|
| hipertension ... | hy·per·ten·sion (high blood pressure) | historecal ............. | his·tor·i·cal |
| hiperventilation .......... .......... | hy·per·ven·ti·la·tion | historrian ............. | his·to·ri·an |
| | | histreonic ............ | his·tri·on·ic |
| hiphen ..................... | hy·phen | hitchike .................... | hitch·hike |
| hipnosis ....... | hyp·no·sis (sing.) | hiway ..................... | high·way |
| hipochondriac .......... .......... | hy·po·chon·dri·ac | hoan ........................ | hone |
| | | hoar ......................... | whore |
| hipocrisy ............. | hy·poc·ri·sy | hoard ............... | horde (crowd) |
| hipodermic ....... | hy·po·der·mic | hoarie ..................... | hoary |
| hipopotamus .......... .......... | hip·po·pot·a·mus | hobbeling ............... | hob·bling |
| | | hobbie ...................... | hob·by |
| hipotension ..... | hy·po·ten·sion (low blood pressure) | hobgoblen ........... | hob·gob·lin |
| | | hobknob ................ | hob·nob |
| hipothesis ......... | hy·poth·e·sis (sing.) | hocky ...................... | hock·ey |
| | | hoged ...................... | hogged |
| hipothetical .... | hy·po·thet·i·cal | hogepoge ........... | hodge·podge |
| 'iipparcritical .. | hyp·o·crit·i·cal (deceitful) | holacaust ............. | hol·o·caust |
| | | Holand ..................... | Hol·land |
| Hippocritic ....... | Hip·po·crat·ic (of Hippocrates) | hole ................... | whole (entire) |
| | | holeday .................. | hol·i·day |
| hirarchy ................ | hi·er·ar·chy | holesale ............... | whole·sale |
| hi–rise ................ | high–rise | holey ................. | ho·ly (sacred) |
| hiroglyphics .. | hi·er·o·glyph·ics | holey ............... | whol·ly (totally) |
| Hispannic ............... | His·pan·ic | hollandase ......... | hol·lan·daise |
| hisself ..................... | him·self | Hollend .................... | Hol·land |
| histemine ............. | his·ta·mine | hollendaise ........ | hol·lan·daise |
| histerectomy .......... .......... | hys·ter·ec·to·my | holliday ................... | hol·i·day |
| | | hollie .................... | hol·ly (plant) |
| histeria .................. | hys·te·ria | hollistic .................. | ho·lis·tic |
| histerical ............. | hys·ter·i·cal | hollocaust ............ | hol·o·caust |
| histery ..................... | his·to·ry | hollograph ........... | hol·o·graph |
| | | hollow .......... | hal·low (venerate) |

| WRONG | RIGHT | WRONG | RIGHT |
|---|---|---|---|
| hollowed | **hal·lowed** (venerated) | honnesty | **hon·es·ty** |
| Holloween | **Hal·low·een** | honney | **hon·ey** |
| hollster | **hol·ster** | honnorable | **hon·or·a·ble** |
| holly | **ho·ly** (sacred) | Honoloolu | **Hon·o·lu·lu** |
| holocost | **hol·o·caust** | honorible | **hon·or·a·ble** |
| holy | **hol·ly** (plant) | honted | **haunt·ed** |
| holy | **holey** (with holes) | hony | **hon·ey** |
| holy | **whol·ly** (totally) | honycomb | **hon·ey·comb** |
| Holywood | **Hol·ly·wood** | honymoon | **hon·ey·moon** |
| homacidal | **hom·i·ci·dal** | honysuckle | **hon·ey·suck·le** |
| homage | **hom·mage** (tribute) | hoodlem | **hood·lum** |
| homaly | **hom·i·ly** | hoola | **hu·la** |
| homanym | **hom·o·nym** | hopefull | **hope·ful** |
| hombray | **hom·bre** | hopfully | **hope·ful·ly** |
| homested | **home·stead** | hoping | **hop·ping** (bouncing) |
| homeword | **home·ward** | hopping | **hop·ing** (wanting) |
| homisidal | **hom·i·ci·dal** | hopskotch | **hop·scotch** |
| homley | **home·ly** | horascope | **hor·o·scope** |
| hommage | **hom·age** (reverence) | horde | **hoard** (reserve) |
| | | hor dourve | **hors d'oeu·vre** |
| hommicidal | **hom·i·ci·dal** | hore | **hoar** (frost) |
| hommily | **hom·i·ly** | hore | **whore** |
| hommogenize | **ho·mog·e·nize** | horemone | **hor·mone** |
| hommonym | **hom·o·nym** | horendous | **hor·ren·dous** |
| homogenious | **ho·mo·ge·ne·ous** | horezontal | **hor·i·zon·tal** |
| | | horible | **hor·ri·ble** |
| homoginize | **ho·mog·e·nize** | horify | **hor·ri·fy** |
| homosexule | **ho·mo·sex·u·al** | horison | **ho·ri·zon** |
| Honalulu | **Hon·o·lu·lu** | horizontel | **hor·i·zon·tal** |
| honering | **hon·or·ing** | hornit | **hor·net** |
| honeysukle | **hon·ey·suck·le** | horor | **hor·ror** |
| | | horrable | **hor·ri·ble** |

| WRONG | RIGHT | WRONG | RIGHT |
|---|---|---|---|
| horrably | **hor·ri·bly** | howlling | **howl·ing** |
| horred | **hor·rid** | hownd | **hound** |
| horrefy | **hor·ri·fy** | hoxe | **hoax** |
| horrer | **hor·ror** | hoziery | **ho·siery** |
| horrescope | **hor·o·scope** | huch | **hutch** |
| horrizen | **ho·ri·zon** | huddeling | **hud·dling** |
| horrizontal | **hor·i·zon·tal** | hue | **hew** (chop) |
| hors derve | **hors d'oeu·vre** | huged | **hugged** |
| horse | **hoarse** (harsh) | hukster | **huck·ster** |
| horshoe | **horse·shoe** | hulla | **hu·la** |
| hortaculture | **hor·ti·cul·ture** | human | **hu·mane** (kind) |
| hosery | **ho·siery** | humane | **hu·man** (person) |
| hospess | **hos·pice** | humaniterian | **human·i·tar·i·an** |
| hospetable | **hos·pi·ta·ble** | humannity | **hu·man·i·ty** |
| hospetal | **hos·pi·tal** | humbelest | **hum·blest** |
| hospetality | **hos·pi·tal·i·ty** | humbley | **hum·bly** |
| hospiece | **hos·pice** | humed | **hu·mid** |
| hospitallity | **hos·pi·tal·i·ty** | humen | **hu·man** (person) |
| hospitallization | **hos·pi·tal·i·za·tion** | humenism | **hu·man·ism** |
| hospitible | **hos·pi·ta·ble** | humer | **hu·mor** |
| hostege | **hos·tage** | humerous | **hu·mer·us** (bone) |
| hostel | **hos·tile** (unfriendly) | humerous | **hu·mor·ous** (funny) |
| hostes | **host·ess** | humidefier | **humid·i·fi·er** |
| hostile | **hos·tel** (inn) | humidety | **hu·mid·i·ty** |
| hostillity | **hos·til·i·ty** | humilliation | **humil·i·a·tion** |
| hottel | **ho·tel** | humillity | **hu·mil·i·ty** |
| houling | **howl·ing** | humingbird | **hum·ming·bird** |
| housekeeper | **house·keep·er** | hummanity | **hu·man·i·ty** |
| houswife | **house·wife** | hummidifier | **humid·i·fi·er** |
| hovvel | **hov·el** | hummiliation | **humil·i·a·tion** |
| hovver | **hov·er** | hummility | **hu·mil·i·ty** |

| WRONG | RIGHT | WRONG | RIGHT |
|---|---|---|---|
| humorous | **hu·mer·us** *(bone)* | hyacenth | **hy·a·cinth** |
| humous | **hu·mus** | hybred | **hy·brid** |
| hunch | **haunch** *(hindquarter)* | hydergen | **hy·dro·gen** |
| hunderd | **hun·dred** | hydracarbon | **hy·dro·car·bon** |
| hundreth | **hun·dredth** | hydrachloric | **hy·dro·chlo·ric** |
| hungerly | **hun·gri·ly** | hydraelectric | **hy·dro·e·lec·tric** |
| hungery | **hun·gry** | hydrafoil | **hy·dro·foil** |
| Hungery | **Hun·ga·ry** | hydragen | **hy·dro·gen** |
| hungrilly | **hun·gri·ly** | hydraphobia | **hy·dro·pho·bia** |
| hunny | **hon·ey** | hydraullic | **hy·drau·lic** |
| huntch | **hunch** | hydrent | **hy·drant** |
| hurbol | **herb·al** | hydrocarben | **hy·dro·car·bon** |
| hurdel | **hur·dle** *(barrier)* | hydrocloric | **hy·dro·chlo·ric** |
| hurdeling | **hur·dling** | hydrofobia | **hy·dro·pho·bia** |
| hurdle | **hur·tle** *(rush)* | hydrolic | **hy·drau·lic** |
| huricane | **hur·ri·cane** | hyecinth | **hy·a·cinth** |
| hurnia | **her·nia** | hyeena | **hy·e·na** |
| hurpes | **her·pes** | hyfen | **hy·phen** |
| hurrecane | **hur·ri·cane** | hygeinic | **hy·gi·en·ic** |
| hurrey | **hur·ry** | hygene | **hy·giene** |
| hurring | **hur·ry·ing** | hym | **hymn** *(song)* |
| hurse | **hearse** | hymnel | **hym·nal** |
| hurtel | **hur·tle** *(rush)* | hypacondriac | **hy·po·chon·dri·ac** |
| hurtfull | **hurt·ful** | hypadermic | **hy·po·der·mic** |
| hurtle | **hur·dle** *(barrier)* | hypatension | **hy·po·ten·sion** *(low blood pressure)* |
| husbandery | **hus·band·ry** | hypathetical | **hy·po·thet·i·cal** |
| husbend | **hus·band** | hyperbola | **hy·per·bo·le** *(exaggeration)* |
| huskie | **husky** | | |
| hussie | **hus·sy** | | |
| hussle | **hus·tle** | | |
| huvel | **hov·el** | | |
| huver | **hov·er** | hyperbole | **hy·per·bo·la** *(curve)* |

| WRONG | RIGHT | WRONG | RIGHT |
|---|---|---|---|
| hypercritical | **hyp·o·crit·i·cal** *(deceitful)* | hyppochondriac | **hy·po·chon·dri·ac** |
| hyperdermic | **hy·po·der·mic** | hyppothalamus | **hy·po·thal·a·mus** |
| hypertension | **hy·po·ten·sion** *(low blood pressure)* | hyppothesis | **hy·poth·e·sis** *(sing.)* |
| hypertention | **hy·per·ten·sion** *(high blood pressure)* | hysterrectomy | **hys·ter·ec·to·my** |
| hyperventillation | **hy·per·ven·ti·la·tion** | hysterria | **hys·te·ria** |
| hyphan | **hy·phen** | hysterrical | **hys·ter·i·cal** |
| hyphennate | **hy·phen·ate** | | |
| hypnatism | **hyp·no·tism** | | |

## I

| WRONG | RIGHT |
|---|---|
| hypnoses | **hyp·no·sis** *(sing.)* |
| hypnosis | **hyp·no·ses** *(pl.)* |
| hypnottic | **hyp·not·ic** | iadine | **io·dine** |
| hypocrasy | **hy·poc·ri·sy** | ian | **ion** *(atom)* |
| Hypocratic | **Hip·po·crat·ic** *(of Hippocrates)* | iceburg | **ice·berg** |
| | | iceing | **ic·ing** |
| | | icey | **icy** |
| hypocrit | **hyp·o·crite** | icickle | **ici·cle** |
| hypocritical | **hy·per·crit·i·cal** *(too critical)* | icilly | **ici·ly** |
| | | iconnoclast | **icon·o·clast** |
| hypotension | **hy·per·ten·sion** *(high blood pressure)* | icycle | **ici·cle** |
| | | iddiocy | **id·i·o·cy** |
| hypothalmus | **hy·po·thal·a·mus** | idealisticly | **ide·al·is·ti·cal·ly** |
| | | ideallism | **ide·al·ism** |
| hypotheses | **hy·poth·e·sis** *(sing.)* | idealogical | **ide·o·log·i·cal** |
| | | idealy | **ide·al·ly** |
| hypothesis | **hy·poth·e·ses** *(pl.)* | idee | **idea** |
| hypothetacal | **hy·po·thet·i·cal** | ideel | **ide·al** |
| hypothurmia | **hy·po·ther·mia** | ideelism | **ide·al·ism** |
| hypottenuse | **hy·pot·e·nuse** | ideelistically | **ide·al·is·ti·cal·ly** |
| hyppacrisy | **hy·poc·ri·sy** | ideelly | **ide·al·ly** |

| WRONG | RIGHT | WRONG | RIGHT |
|---|---|---|---|
| idel | **idyll** *(short poem)* | idyllick | **idyl·lic** |
| idel | **idol** *(object of worship)* | iglue | **ig·loo** |
| idel | **idle** *(inactive)* | ignaramus | **ig·no·ra·mus** |
| identafy | **iden·ti·fy** | ignerance | **ig·no·rance** |
| identefication | **iden·ti·fi·ca·tion** | igneus | **ig·ne·ous** |
| | | ignight | **ig·nite** |
| identety | **iden·ti·ty** | igniminious | **ig·no·min·i·ous** |
| identicly | **iden·ti·cal·ly** | ignious | **ig·ne·ous** |
| ideologecal | **ide·o·log·i·cal** | ignomineous | **ig·no·min·i·ous** |
| ideom | **id·i·om** | ignoreing | **ig·nor·ing** |
| ideomatic | **id·i·o·mat·ic** | ignorence | **ig·no·rance** |
| ideosyncrasy | **id·i·o·syn·cra·sy** | igregious | **egre·gious** |
| ideot | **id·i·ot** | iguanna | **igua·na** |
| iderdown | **ei·der·down** | igwana | **igua·na** |
| idia | **idea** | ikonoclast | **icon·o·clast** |
| idiacy | **id·i·o·cy** | iland | **is·land** |
| idiam | **id·i·om** | Ilead | **Il·i·ad** |
| idiat | **id·i·ot** | ilegal | **il·le·gal** |
| idillic | **idyl·lic** | ilegible | **il·leg·i·ble** |
| idiosincrasy | **id·i·o·syn·cra·sy** | ilegitimate | **il·le·git·i·mate** |
| idle | **idol** *(object of worship)* | ilet | **is·let** *(small island)* |
| idle | **idyll** *(short poem)* | ilicit | **il·lic·it** *(unlawful)* |
| idleing | **idling** | Ilinois | **Il·li·nois** |
| idol | **idle** *(inactive)* | iliteracy | **il·lit·er·a·cy** |
| idollatrous | **idol·a·trous** | iliterate | **il·lit·er·áte** |
| idollatry | **idol·a·try** | Illanois | **Il·li·nois** |
| idollize | **idol·ize** | illate | **elate** |
| idological | **ide·o·log·i·cal** | illegable | **il·leg·i·ble** |
| idolotrous | **idol·a·trous** | illegle | **il·le·gal** |
| idolotry | **idol·a·try** | Illiad | **Il·i·ad** |
| idyll | **idol** *(object of worship)* | illicit | **elic·it** *(evoke)* |
| idyll | **idle** *(inactive)* | illigitimate | **il·le·git·i·mate** |

| WRONG | RIGHT | WRONG | RIGHT |
|---|---|---|---|

| WRONG | RIGHT |
|---|---|
| Illinoi | Il·li·nois |
| illisit | il·lic·it *(unlawful)* |
| illitteracy | il·lit·er·a·cy |
| illogecal | il·log·i·cal |
| illucidate | elu·ci·date |
| illude | elude *(escape)* |
| illumenation | il·lu·mi·na·tion |
| illusion | al·lu·sion *(reference)* |
| illusion | elu·sion *(an escape)* |
| illusive | elu·sive *(hard to grasp)* |
| illustrater | il·lus·tra·tor |
| illustrius | il·lus·tri·ous |
| ilogical | il·log·i·cal |
| ilumination | il·lu·mi·na·tion |
| ilusion | il·lu·sion *(false idea)* |
| ilustration | il·lus·tra·tion |
| ilustrator | il·lus·tra·tor |
| ilustrious | il·lus·tri·ous |
| imaciate | ema·ci·ate |
| imaculate | im·mac·u·late |
| imaganation | imag·i·na·tion |
| imagenary | imag·i·nary |
| imaginible | imag·i·na·ble |
| imanent | im·ma·nent *(inherent)* |
| imasculate | emas·cu·late |
| imatate | im·i·tate |
| imaterial | im·ma·te·ri·al |
| imature | im·ma·ture |
| imbalm | em·balm |
| imbargo | em·bar·go |
| imbark | em·bark |
| imbarras | em·bar·rass |
| imbellish | em·bel·lish |
| imbesile | im·be·cile |
| imbew | im·bue |
| imbezzle | em·bez·zle |
| imbodiment | em·bod·i·ment |
| imboss | em·boss |
| imbrace | em·brace |
| imbroider | em·broi·der |
| imediacy | im·me·di·a·cy |
| imediately | im·me·di·ate·ly |
| imemorial | im·me·mo·ri·al |
| imense | im·mense |
| imensity | im·men·si·ty |
| imeritus | emer·i·tus |
| imersible | im·mers·i·ble |
| imige | im·age |
| imigrant | im·mi·grant *(one who arrives)* |
| imigrate | im·mi·grate *(arrive)* |
| iminent | im·mi·nent *(impending)* |
| imission | emis·sion |
| immacculate | im·mac·u·late |
| immage | im·age |
| immaginable | imag·i·na·ble |
| immaginary | imag·i·nary |
| immagination | imag·i·na·tion |
| immanent | im·mi·nent *(impending)* |
| immatereal | im·ma·te·ri·al |
| immedeacy | im·me·di·a·cy |

| WRONG | RIGHT | WRONG | RIGHT |
|---|---|---|---|

| WRONG | RIGHT |
|---|---|
| immediatly | **im·me·di·ate·ly** |
| immerge | **emerge** *(come out)* |
| immersable | **im·mers·i·ble** |
| immersion | **emer·sion** *(emerging)* |
| immigrant | **em·i·grant** *(one who leaves)* |
| immigrate | **em·i·grate** *(leave)* |
| immigrent | **im·mi·grant** *(one who arrives)* |
| imminent | **em·i·nent** *(prominent)* |
| imminent | **im·ma·nent** *(inherent)* |
| immitate | **im·i·tate** |
| immoble | **im·mo·bile** |
| immolument | **emol·u·ment** *(wages)* |
| immorallity | **im·mo·ral·i·ty** |
| immortallize | **im·mor·tal·ize** |
| immortel | **im·mor·tal** |
| immovible | **im·mov·a·ble** |
| immunety | **im·mu·ni·ty** |
| immutible | **im·mu·ta·ble** |
| imobile | **im·mo·bile** |
| imoderate | **im·mod·er·ate** |
| imodest | **im·mod·est** |
| imolate | **im·mo·late** |
| imoral | **im·mor·al** |
| imorality | **im·mo·ral·i·ty** |
| imortal | **im·mor·tal** |
| imotional | **emo·tion·al** |
| impack | **im·pact** |
| impare | **im·pair** |
| imparment | **im·pair·ment** |
| impasioned | **im·pas·sioned** |
| impasition | **im·po·si·tion** |
| impass | **im·passe** |
| impassable | **im·pas·si·ble** *(cannot feel pain)* |
| impassible | **im·pass·a·ble** *(cannot be passed)* |
| impateince | **im·pa·tience** |
| impeccible | **im·pec·ca·ble** |
| impedement | **im·ped·i·ment** |
| impeech | **im·peach** |
| impeed | **im·pede** |
| impeling | **im·pel·ling** |
| impell | **im·pel** |
| impenatrable | **im·pen·e·tra·ble** |
| impenge | **im·pinge** |
| imperceptable | **im·per·cep·ti·ble** |
| imperetive | **im·per·a·tive** |
| impermiable | **im·per·me·a·ble** |
| imperseptible | **im·per·cep·ti·ble** |
| impersonnate | **im·per·son·ate** |
| impersonnel | **im·per·son·al** |
| impertinance | **im·per·ti·nence** |
| impervius | **im·per·vi·ous** |
| impetence | **im·po·tence** |
| impettuous | **im·pet·u·ous** |

96

| WRONG | RIGHT | WRONG | RIGHT |
|---|---|---|---|
| impettus | im·pe·tus | impunaty | im·pu·ni·ty |
| impireal | im·pe·ri·al *(sovereign)* | impune | im·pugn |
| | | impuraty | im·pu·ri·ty |
| impirical | em·pir·i·cal | impurmeable | im·per·me·a·ble |
| implacible | im·plac·a·ble | impurvious | im·per·vi·ous |
| implecation | im·pli·ca·tion | imulsion | emul·sion |
| impliment | im·ple·ment | imunity | im·mu·ni·ty |
| implisit | im·plic·it | imutable | im·mu·ta·ble |
| employee | em·ploy·ee | inable | en·a·ble |
| implyed | im·plied | inaccessable | in·ac·ces·si·ble |
| impollite | im·po·lite | inacurate | in·ac·cu·rate |
| importence | im·por·tance | inadvertantly | in·ad·vert·ent·ly |
| imposeing | im·pos·ing | | |
| imposibility | im·pos·si·bil·i·ty | inagural | in·au·gu·ral |
| imposter | im·pos·tor *(deceiver)* | inallienable | in·al·ien·a·ble |
| | | inamel | en·am·el |
| impostor | im·pos·ture *(deception)* | inanamate | in·an·i·mate |
| | | inapropriate | in·ap·pro·pri·ate |
| impotant | im·po·tent | inapt | in·ept *(clumsy)* |
| impovrish | im·pov·er·ish | inate | in·nate |
| impracticle | im·prac·ti·cal | inaugral | in·au·gu·ral |
| impregnible | im·preg·na·ble | inbalance | im·bal·ance |
| impresion | im·pres·sion | inbibe | im·bibe |
| imprisise | im·pre·cise | incalcuble | in·cal·cu·la·ble |
| improbible | im·prob·a·ble | incandessent | in·can·des·cent |
| impromtu | im·promp·tu | incapasitate | in·ca·pac·i·tate |
| impropriaty | im·pro·pri·e·ty | incarserate | in·car·cer·ate |
| improvasation | im·prov·i·sa·tion | incedence | in·ci·dence |
| | | incence | in·cense |
| improvment | im·prove·ment | incendery | in·cen·di·ary |
| impudance | im·pu·dence | incephalitis | en·ceph·a·li·tis |
| impullsive | im·pul·sive | incersion | in·cur·sion |

| WRONG | RIGHT | WRONG | RIGHT |
|---|---|---|---|
| incessent | in·ces·sant | inconspickuous | in·con·spic·u·ous |
| incestus | in·ces·tu·ous | incontrovertable | in·con·tro·vert·i·ble |
| incidently | in·ci·den·tal·ly | inconveneince | in·con·ven·ience |
| incinerater | in·cin·er·a·tor | incoppacitate | in·ca·pac·i·tate |
| incipiant | in·cip·i·ent | incorigible | in·cor·ri·gi·ble |
| inciser | in·ci·sor | incorperate | in·cor·po·rate |
| inclemment | in·clem·ent | incorruptable | in·cor·rupt·i·ble |
| inclinnation | in·cli·na·tion | incrament | in·cre·ment |
| inclusave | in·clu·sive | increaseingly | in·creas·ing·ly |
| incode | en·code | incredable | in·cred·i·ble |
| incogneto | in·cog·ni·to | incredulus | in·cred·u·lous |
| incoherance | in·co·her·ence | increese | in·crease |
| incombency | in·cum·ben·cy | incrimminate | in·crim·i·nate |
| incomeing | in·com·ing | incroach | en·croach |
| incompareable | in·com·pa·ra·ble | incubater | in·cu·ba·tor |
| incompatable | in·com·pat·i·ble | incumbincy | in·cum·ben·cy |
| incompatent | in·com·pe·tent | incureable | in·cur·a·ble |
| incomperhensible | in·com·pre·hen·si·ble | incurr | in·cur |
| incompettent | in·com·pe·tent | incurzion | in·cur·sion |
| incomprable | in·com·pa·ra·ble | incyclopedia | en·cy·clo·pe·dia |
| incomprehensable | in·com·pre·hen·si·ble | indacate | in·di·cate |
| incomunicado | in·com·mu·ni·cado | indanger | en·dan·ger |
| inconceivible | in·con·ceiv·a·ble | indead | in·deed |
| incongrous | in·con·gru·ous | indecks | in·dex |
| incongruant | in·con·gru·ent | indefinitly | in·def·i·nite·ly |
| inconsievable | in·con·ceiv·a·ble | indegence | in·di·gence *(poverty)* |
| | | indellible | in·del·i·ble |

| WRONG | RIGHT | WRONG | RIGHT |
|---|---|---|---|
| indemmify | **in·dem·ni·fy** | individal | **in·di·vid·u·al** |
| indemnaty | **in·dem·ni·ty** | individuallity | **in·di·vid·u·al·i·ty** |
| indenchured | **in·den·tured** | indoctranate | **in·doc·tri·nate** |
| independant | **in·de·pend·ent** | indollent | **in·do·lent** |
| indescribeable | **in·de·scrib·a·ble** | indommitable | **in·dom·i·ta·ble** |
| indesent | **in·de·cent** | indorsment | **en·dorse·ment** |
| indespensable | **in·dis·pen·sa·ble** | indubbitably | **in·du·bi·ta·bly** |
| indestructable | **in·de·struct·i·ble** | inducktion | **in·duc·tion** |
| indetted | **in·debt·ed** | inducment | **in·duce·ment** |
| indevidual | **in·di·vid·u·al** | indulgance | **in·dul·gence** |
| indicater | **in·di·ca·tor** | indurance | **en·dur·ance** |
| Indien | **In·di·an** | indusement | **in·duce·ment** |
| indiffrence | **in·dif·fer·ence** | industralize | **in·dus·tri·al·ize** |
| indigence | **in·di·gents** *(poor persons)* | industreal | **in·dus·tri·al** |
| | | industrey | **in·dus·try** |
| indigense | **in·di·gence** *(poverty)* | industriallize | **in·dus·tri·al·ize** |
| | | inebreated | **in·e·bri·at·ed** |
| indiginous | **in·dig·e·nous** | inedable | **in·ed·i·ble** |
| indignaty | **in·dig·ni·ty** | ineficient | **in·ef·fi·cient** |
| indignent | **in·dig·nant** | inelligible | **in·el·i·gi·ble** |
| indipendent | **in·de·pend·ent** | inemical | **in·im·i·cal** |
| indireck | **in·di·rect** | inepp | **in·ept** *(clumsy)* |
| indiscrimanate | **in·dis·crim·i·nate** | inept | **in·apt** *(not apt)* |
| | | inequity | **in·iq·ui·ty** *(wickedness)* |
| indispensible | **in·dis·pen·sa·ble** | | |
| indisscretion | **in·dis·cre·tion** | inevatible | **in·ev·i·ta·ble** |
| inditment | **in·dict·ment** *(formal charge)* | infallable | **in·fal·li·ble** |
| | | infaltrate | **in·fil·trate** |
| | | infamus | **in·fa·mous** |
| | | infantsy | **in·fan·cy** |
| | | infattuation | **in·fat·u·a·tion** |

| WRONG | RIGHT | WRONG | RIGHT |
|---|---|---|---|
| infecktion | **in·fec·tion** | infrequint | **in·fre·quent** |
| infectuous | **in·fec·tious** | infringeing | **in·fring·ing** |
| infedelity | **in·fi·del·i·ty** | infurnal | **in·fer·nal** |
| infency | **in·fan·cy** | infurno | **in·fer·no** |
| infenite | **in·fi·nite** | infuryate | **in·fu·ri·ate** |
| infenitesimal | **in·fin·i·tes·i·mal** | ingagement | **en·gage·ment** |
| infenitive | **in·fin·i·tive** | ingenius | **in·gen·ious** |
| infentry | **in·fan·try** | ingenuety | **in·ge·nu·i·ty** |
| inferance | **in·fer·ence** | ingit | **in·got** |
| inferier | **in·fe·ri·or** | ingraciate | **in·gra·ti·ate** |
| infermation | **in·for·ma·tion** | ingraned | **in·grained** |
| inferr | **in·fer** | ingrave | **en·grave** |
| infidellity | **in·fi·del·i·ty** | ingrediant | **in·gre·di·ent** |
| infilltrate | **in·fil·trate** | ingrossing | **en·gross·ing** |
| infinetesimal | **in·fin·i·tes·i·mal** | inhabbitable | **in·hab·it·a·ble** |
| infinetive | **in·fin·i·tive** | inhabitent | **in·hab·it·ant** |
| infinety | **in·fin·i·ty** | inharent | **in·her·ent** |
| infinnite | **in·fi·nite** | inheret | **in·her·it** |
| infirior | **in·fe·ri·or** | inheritence | **in·her·it·ance** |
| infirmry | **in·fir·ma·ry** | inhibbition | **in·hi·bi·tion** |
| inflamable | **in·flam·ma·ble** | inhibiter | **in·hib·i·tor** |
| inflamation | **in·flam·ma·tion** | inhirent | **in·her·ent** |
| inflateing | **in·flat·ing** | inhospittable | **in·hos·pi·ta·ble** |
| inflatible | **in·flat·a·ble** | inibition | **in·hi·bi·tion** |
| inflationery | **in·fla·tion·ary** | ining | **in·ning** |
| inflexable | **in·flex·i·ble** | iniquity | **in·eq·ui·ty** *(unfairness)* |
| inflick | **in·flict** | inititive | **in·i·tia·tive** |
| influance | **in·flu·ence** | injeck | **in·ject** |
| influencial | **in·flu·en·tial** | injenue | **in·gé·nue** |
| influinza | **in·flu·en·za** | injenuity | **in·ge·nu·i·ty** |
| informallity | **in·for·mal·i·ty** | injenuous | **in·gen·u·ous** |
| informent | **in·form·ant** | injery | **in·ju·ry** |

| WRONG | RIGHT | WRONG | RIGHT |
|---|---|---|---|
| injest | in·gest | innerupt | in·ter·rupt |
| injoin | en·join | innerval | in·ter·val |
| injunktion | in·junc·tion | innervene | in·ter·vene |
| injurius | in·ju·ri·ous | innervention | in·ter·ven·tion |
| inkandescent | in·can·des·cent | innerview | in·ter·view |
| inkey | inky | innimical | in·im·i·cal |
| inkubation | in·cu·ba·tion | innitial | in·i·tial |
| inlayed | in·laid | innitiate | in·i·ti·ate |
| innacence | in·no·cence | innitiative | in·i·ti·a·tive |
| innane | in·ane | innoccuous | in·noc·u·ous |
| innanimate | in·an·i·mate | innoculation | in·oc·u·la·tion |
| innapt | in·apt (not apt) | innordinate | in·or·di·nate |
| innavation | in·no·va·tion | innosense | in·no·cence |
| innebriated | in·e·bri·at·ed | innundate | in·un·date |
| inneresting | in·ter·est·ing | innure | in·ure |
| innerject | in·ter·ject | inoble | ig·no·ble |
| innerlude | in·ter·lude | inoculation | in·oc·u·la·tion |
| innermediary | in·ter·me·di·ary | inocence | in·no·cence |
| innermediate | in·ter·me·di·ate | inocent | in·no·cent |
| innermission | in·ter·mis·sion | inocuous | in·noc·u·ous |
| innermittent | in·ter·mit·tent | inordenate | in·or·di·nate |
| innernational | in·ter·na·tion·al | inormous | enor·mous |
| innerogative | in·ter·rog·a·tive | inovation | in·no·va·tion |
| innerpersonal | in·ter·per·son·al | inpacted | im·pact·ed |
| innerracial | in·ter·ra·cial | inpale | im·pale |
| innersect | in·ter·sect | inpartial | im·par·tial |
| innersection | in·ter·sec·tion | inpeach | im·peach |
| innersperse | in·ter·sperse | inpending | im·pend·ing |
| innertia | in·er·tia | inpersonal | im·per·son·al |
| | | inpersonate | im·per·son·ate |
| | | inpractical | im·prac·ti·cal |
| | | inprecise | im·pre·cise |

| WRONG | RIGHT | WRONG | RIGHT |
|---|---|---|---|
| inprint | im·print | insisive | in·ci·sive |
| inpromptu | im·promp·tu | insisor | in·ci·sor |
| inpropriety | im·pro·pri·e·ty | insistance | in·sist·ence |
| inquery | in·quiry | insite | in·sight *(understanding)* |
| inquireing | in·quir·ing | insite | in·cite *(rouse)* |
| inquisative | in·quis·i·tive | insollent | in·so·lent |
| inrage | en·rage | insomnea | in·som·nia |
| insalation | in·su·la·tion | inspeck | in·spect |
| insamnia | in·som·nia | inspecter | in·spec·tor |
| insanety | in·san·i·ty | insperation | in·spi·ra·tion |
| inseck | in·sect | instagate | in·sti·gate |
| insectecide | in·sec·ti·cide | instalation | in·stal·la·tion |
| insemanation | in·sem·i·na·tion | instance | in·stants *(moments)* |
| insendiary | in·cen·di·ary | instantaneus | in·stan·ta·ne·ous |
| insense | in·cense | instants | in·stance *(occasion)* |
| insentive | in·cen·tive | instatution | in·sti·tu·tion |
| inseperable | in·sep·a·ra·ble | insted | in·stead |
| insergence | in·sur·gence | insterment | in·stru·ment |
| inserrection | in·sur·rec·tion | instince | in·stance *(occasion)* |
| insessant | in·ces·sant | instinctave | in·stinc·tive |
| insestuous | in·ces·tu·ous | instink | in·stinct |
| insicure | in·se·cure | instrament | in·stru·ment |
| insidence | in·ci·dence | instruck | in·struct |
| insideous | in·sid·i·ous | instructer | in·struc·tor |
| insight | in·cite *(rouse)* | insue | en·sue |
| insignea | in·sig·nia | insuffrable | in·suf·fer·a·ble |
| insinerator | in·cin·er·a·tor | insulater | in·su·la·tor |
| insinnuate | in·sin·u·ate | insulen | in·su·lin |
| insiped | in·sip·id | insuler | in·su·lar |
| insipient | in·cip·i·ent | insullation | in·su·la·tion |
| insision | in·ci·sion | insurection | in·sur·rec·tion |

| WRONG | RIGHT | WRONG | RIGHT |
|---|---|---|---|
| insurence | in·sur·ance | interlood | in·ter·lude |
| insurjence | in·sur·gence | intermedeary | in·ter·me·di·ary |
| insurt | in·sert | intermision | in·ter·mis·sion |
| intail | en·tail | intermitent | in·ter·mit·tent |
| intamet | in·ti·mate | intermural | in·tra·mu·ral |
| intanation | in·to·na·tion | internationel | in·ter·na·tion·al |
| intangable | in·tan·gi·ble | internel | in·ter·nal |
| inteference | in·ter·fer·ence | interogate | in·ter·ro·gate |
| integrel | in·te·gral | interogative | in·ter·rog·a·tive |
| integrety | in·teg·ri·ty | interpersonnal | in·ter·per·son·al |
| intelectual | in·tel·lec·tu·al | interpetation | in·ter·pre·ta·tion |
| inteligence | in·tel·li·gence | interpollate | in·ter·po·late |
| inteligible | in·tel·li·gi·ble | | *(insert; estimate)* |
| intence | in·tense | interseck | in·ter·sect |
| intensefy | in·ten·si·fy | intersecktion | in·ter·sec·tion |
| intensety | in·ten·si·ty | intersede | in·ter·cede |
| intentionly | in·ten·tion·al·ly | intersept | in·ter·cept |
| interacial | in·ter·ra·cial | intersession | in·ter·ces·sion |
| interceed | in·ter·cede | | *(an interceding)* |
| interchangable | in·ter·change·a·ble | interspurse | in·ter·sperse |
| interdisiplinary | in·ter·dis·ci·pli·nary | interupt | in·ter·rupt |
| interductory | in·tro·duc·to·ry | interveiw | in·ter·view |
| interem | in·ter·im | intervel | in·ter·val |
| interferance | in·ter·fer·ence | intervenous | in·tra·ve·nous |
| interger | in·te·ger | intervension | in·ter·ven·tion |
| intergral | in·te·gral | intervine | in·ter·vene |
| intergrate | in·te·grate | intestenal | in·tes·tin·al |
| intergration | in·te·gra·tion | intice | en·tice |
| interier | in·te·ri·or | intiger | in·te·ger |
| interjeck | in·ter·ject | intigrate | in·te·grate |

| WRONG | RIGHT | WRONG | RIGHT |
|---|---|---|---|
| intimadate | in·tim·i·date | inturn | in·tern |
| intimmacy | in·ti·ma·cy | inuendo | in·nu·en·do |
| intimmate | in·ti·mate | inumerable | in·nu·mer·a·ble |
| intirety | en·tire·ty | inunciate | enun·ci·ate |
| intirior | in·te·ri·or | | *(pronounce)* |
| intolerence | in·tol·er·ance | inurtia | in·er·tia |
| intollerable | in·tol·er·a·ble | invacation | in·vo·ca·tion |
| intoxacate | in·tox·i·cate | invadeing | in·vad·ing |
| intracacy | in·tri·ca·cy | invagle | in·vei·gle |
| intraduce | in·tro·duce | invallid | in·va·lid |
| intraductory | in·tro·duc·to·ry | invalluable | in·val·u·a·ble |
| intramurral | in·tra·mu·ral | invantory | in·ven·to·ry |
| intransagent | in·tran·si·gent | invaribly | in·var·i·a·bly |
| intransative | in·tran·si·tive | invatation | in·vi·ta·tion |
| intravenus | in·tra·ve·nous | invay | in·veigh |
| intraverted | in·tro·vert·ed | invazion | in·va·sion |
| intreeg | in·trigue | invecktive | in·vec·tive |
| intreging | in·trigu·ing | inventer | in·ven·tor |
| intrensic | in·trin·sic | investagate | in·ves·ti·gate |
| intreppid | in·trep·id | investature | in·ves·ti·ture |
| intresting | in·ter·est·ing | invetarate | in·vet·er·ate |
| intricasy | in·tri·ca·cy | inviegh | in·veigh |
| intrige | in·trigue | inviegle | in·vei·gle |
| intrigueing | in·trigu·ing | invigerate | in·vig·or·ate |
| intrinsick | in·trin·sic | invinsible | in·vin·ci·ble |
| introductry | in·tro·duc·to·ry | invisable | in·vis·i·ble |
| introduse | in·tro·duce | involuntery | in·vol·un·tary |
| introvurted | in·tro·vert·ed | invurse | in·verse |
| intrust | en·trust | inyure | in·ure |
| intruzion | in·tru·sion | ion | eon *(time period)* |
| intuative | in·tu·i·tive | iphemeral | ephem·er·al |
| intuision | in·tu·i·tion | iradiate | ir·ra·di·ate |

| WRONG | RIGHT | WRONG | RIGHT |
|---|---|---|---|
| irassible | **iras·ci·ble** | irreguler | **ir·reg·u·lar** |
| irational | **ir·ra·tion·al** | irrelavent | **ir·rel·e·vant** |
| irection | **erec·tion** | irrepairable | **ir·rep·a·ra·ble** |
| ireducible | **ir·re·duc·i·ble** | irresistable | **ir·re·sist·i·ble** |
| irefutable | **ir·ref·u·ta·ble** | irresponsable | **ir·re·spon·si·ble** |
| iregular | **ir·reg·u·lar** | irretreivable | **ir·re·triev·a·ble** |
| irellevant | **ir·rel·e·vant** | irreverance | **ir·rev·er·ence** |
| iren | **iron** | irreversable | **ir·re·vers·i·ble** |
| ireny | **iro·ny** | irrevokable | **ir·rev·o·ca·ble** |
| ireplaceable | **ir·re·place·a·ble** | irridescent | **ir·i·des·cent** |
| irepparable | **ir·rep·a·ra·ble** | irritent | **ir·ri·tant** |
| irepressible | **ir·re·press·i·ble** | irritible | **ir·ri·ta·ble** |
| ires | **iris** | irronical | **iron·i·cal** |
| iresistible | **ir·re·sist·i·ble** | isalate | **iso·late** |
| iresponsible | **ir·re·spon·si·ble** | isametrics | **iso·met·rics** |
| iretrievable | **ir·re·triev·a·ble** | isatope | **iso·tope** |
| ireverence | **ir·rev·er·ence** | ishue | **is·sue** |
| ireversible | **ir·re·vers·i·ble** | isle | **aisle** *(passage)* |
| irevocable | **ir·rev·o·ca·ble** | Islem | **Is·lam** |
| iridessent | **ir·i·des·cent** | islet | **eye·let** *(small hole)* |
| irie | **aer·ie** *(nest)* | ismus | **isth·mus** |
| irigate | **ir·ri·gate** | isometricks | **iso·met·rics** |
| iritable | **ir·ri·ta·ble** | Isreal | **Is·ra·el** |
| iritation | **ir·ri·ta·tion** | isshue | **is·sue** |
| irksum | **irk·some** | issolate | **iso·late** |
| irode | **erode** | issometrics | **iso·met·rics** |
| ironicle | **iron·i·cal** | isue | **is·sue** |
| irradicate | **erad·i·cate** | Itallian | **Ital·ian** |
| irragate | **ir·ri·gate** | itallics | **ital·ics** |
| irratation | **ir·ri·ta·tion** | itchey | **itchy** |
| irreduceable | **ir·re·duc·i·ble** | itinnerary | **itin·er·ary** |
| irrefutible | **ir·ref·u·ta·ble** | | |

| WRONG | RIGHT | WRONG | RIGHT |
|---|---|---|---|
| its | **it's** *(it is; it has)* | Jappanese | **Jap·a·nese** |
| it's | **its** *(poss.)* | jared | **jarred** |
| itsself | **it·self** | jargen | **jar·gon** |
| ivasion | **eva·sion** | jasmen | **jas·mine** |
| ivery | **ivo·ry** | jaundes | **jaun·dice** |
| ivey | **ivy** | jauntey | **jaun·ty** |
| ivoke | **evoke** *(draw forth)* | javellin | **jav·e·lin** |
| ivolve | **evolve** | jawl | **jowl** |
| | | jawnt | **jaunt** |
| **J** | | jax | **jacks** |
| | | jazmine | **jas·mine** |
| jackel | **jack·al** | jeallous | **jeal·ous** |
| jackit | **jack·et** | jealoussy | **jeal·ousy** |
| jacknife | **jack·knife** | jealousy | **jal·ou·sie** *(shade)* |
| jaged | **jag·ged** | jeans | **genes** *(hereditary units)* |
| jagwire | **jag·uar** | jeapardy | **jeop·ardy** |
| Jahovah | **Je·ho·vah** | jear | **jeer** |
| jaid | **jade** | jeens | **jeans** *(trousers)* |
| jai lai | **jai alal** | Jehoveh | **Je·ho·vah** |
| jailbrake | **jail·break** | jejoon | **je·june** |
| jailler | **jail·er** | jelatin | **gel·a·tin** |
| jalousy | **jeal·ousy** | jell | **gel** *(jelly-like substance)* |
| jalousy | **jal·ou·sie** *(shade)* | jelley | **jel·ly** |
| jam | **jamb** *(side post)* | jellyed | **jel·lied** |
| Jamaca | **Ja·mai·ca** | jelous | **jeal·ous** |
| jamb | **jam** *(jelly)* | jem | **gem** |
| jamberee | **jam·bo·ree** | jender | **gen·der** |
| jamed | **jammed** | jenealogy | **ge·ne·al·o·gy** |
| jangeled | **jan·gled** | jenetically | **ge·net·i·cal·ly** |
| janiter | **jan·i·tor** | jenial | **ge·nial** |
| Jannuary | **Jan·u·ary** | jenie | **jin·ni** |
| janquil | **jon·quil** | jenital | **gen·i·tal** |

| WRONG | RIGHT | WRONG | RIGHT |
|---|---|---|---|
| jenius | **ge·nius** *(talent)* | jifey | **jif·fy** |
| jenre | **gen·re** | jigalo | **gig·o·lo** |
| jentry | **gen·try** | jiger | **jig·ger** |
| jepardy | **jeop·ardy** | jiggsaw | **jig·saw** |
| jeranium | **ge·ra·ni·um** | jigled | **jig·gled** |
| jerbil | **ger·bil** | jijune | **je·june** |
| jeriatrics | **ger·i·at·rics** | jimied | **jim·mied** |
| jerkey | **jerky** | jin | **gin** |
| jernalism | **jour·nal·ism** | jingley | **jin·gly** |
| jersies | **jer·seys** | jinks | **jinx** |
| Jeruselam | **Je·ru·sa·lem** | jinny | **jin·ni** |
| Jessuit | **Jes·u·it** | jipsum | **gyp·sum** |
| jestation | **ges·ta·tion** | jist | **gist** |
| jester | **ges·ture** *(movement)* | jive | **gibe** *(taunt)* |
| jesticulate | **ges·tic·u·late** | jocand | **joc·und** |
| jestor | **jest·er** *(clown)* | jockular | **joc·u·lar** |
| jetisson | **jet·ti·son** | jocky | **jock·ey** |
| jeuse | **juice** | joger | **jog·ger** |
| Jewash | **Jew·ish** | johnquil | **jon·quil** |
| Jewery | **Jew·ry** | joinning | **join·ing** |
| jewjitsu | **ju·jit·su** | jokeing | **jok·ing** |
| jewl | **jew·el** | jokund | **joc·und** |
| jewler | **jew·el·er** | jondice | **jaun·dice** |
| jewlery | **jew·el·ry** | jonquill | **jon·quil** |
| jewlip | **ju·lep** | jont | **jaunt** |
| jewvenile | **ju·ven·ile** | jontey | **jaun·ty** |
| ji ali | **jai alai** | joobilation | **ju·bi·la·tion** |
| jiant | **gi·ant** | Jordon | **Jor·dan** |
| jibbrish | **gib·ber·ish** | jornalism | **jour·nal·ism** |
| jibe | **gibe** *(taunt)* | jossle | **jos·tle** |
| jibe | **jive** *(nonsense)* | joted | **jot·ted** |
| jiblet | **gib·let** | joul | **jowl** |

| WRONG | RIGHT | WRONG | RIGHT |
|---|---|---|---|
| journallism | **jour·nal·ism** | juniper | **ju·ni·per** |
| journel | **jour·nal** | juise | **juice** |
| journied | **jour·neyed** | jule | **jew·el** |
| journy | **jour·ney** | julien | **ju·li·enne** |
| jovvial | **jo·vi·al** | julip | **ju·lep** |
| joyfullness | **joy·ful·ness** | jullienne | **ju·li·enne** |
| jubalee | **ju·bi·lee** | juncsure | **junc·ture** |
| jubelation | **ju·bi·la·tion** | jungel | **jun·gle** |
| jubillant | **ju·bi·lant** | junier | **jun·ior** |
| jubillation | **ju·bi·la·tion** | junipar | **ju·ni·per** |
| jubillee | **ju·bi·lee** | junkit | **jun·ket** |
| juce | **juice** | junktion | **junc·tion** |
| juddicious | **ju·di·cious** | junkture | **junc·ture** |
| Judeism | **Ju·da·ism** | juornal | **jour·nal** |
| judgemint | **judg·ment** | Jupeter | **Ju·pi·ter** |
| judiciery | **ju·di·ci·ary** | jurasdiction | **ju·ris·dic·tion** |
| judicous | **ju·di·cious** | jurasprudence | |
| judishal | **ju·di·cial** | | **ju·ris·pru·dence** |
| juggeler | **jug·u·lar** | jurer | **ju·ror** |
| | *(of the throat)* | jurey | **ju·ry** |
| juggeler | **jug·gler** *(performer)* | jurisdiksion | **ju·ris·dic·tion** |
| juggeling | **jug·gling** | jurisprudance | |
| juggement | **judg·ment** | | **ju·ris·pru·dence** |
| juggler | **jug·u·lar** *(of the throat)* | jurk | **jerk** |
| jugitsu | **ju·jit·su** | jurnal | **jour·nal** |
| jugling | **jug·gling** | jurney | **jour·ney** |
| jugular | **jug·gler** *(performer)* | jurrisdiction | **ju·ris·dic·tion** |
| juguler | **jug·u·lar** *(of the throat)* | jurrisprudence | |
| juicey | **juicy** | | **ju·ris·pru·dence** |
| juidicial | **ju·di·cial** | jurry | **ju·ry** |
| juidiciary | **ju·di·ci·ary** | jurseys | **jer·seys** |
| juidicious | **ju·di·cious** | justace | **jus·tice** |

| WRONG | RIGHT | WRONG | RIGHT |
|---|---|---|---|
| justafiable | **jus·ti·fi·a·ble** | kebob | **ke·bab** |
| justafication | **jus·ti·fi·ca·tion** | kechup | **ketch·up** |
| justafy | **jus·ti·fy** | keewee | **ki·wi** |
| justapose | **jux·ta·pose** | kelo | **ki·lo** |
| justfieble | **jus·ti·fi·a·ble** | kemp | **kempt** |
| justifacation | **jus·ti·fi·ca·tion** | ken | **kin** *(relatives)* |
| justise | **jus·tice** | kendle | **kin·dle** |
| juvanile | **ju·ven·ile** | kendling | **kin·dling** |
| juxtipose | **jux·ta·pose** | kendred | **kin·dred** |
| jymnasium | **gym·na·si·um** | kenetic | **ki·net·ic** |
| jyration | **gy·ra·tion** | kennal | **ken·nel** |
| | | kenship | **kin·ship** |
| **K** | | Kentukey | **Ken·tucky** |
| | | keosk | **ki·osk** |
| kadre | **ca·dre** | kerasene | **ker·o·sene** |
| Kajun | **Ca·jun** | kercheif | **ker·chief** |
| kakhi | **kha·ki** | kernel | **colo·nel** *(officer)* |
| kalleidoscope | **ka·lei·do·scope** | kettel | **ket·tle** |
| kalrabi | **kohl·ra·bi** | kewe | **ki·wi** |
| kamono | **ki·mo·no** | key | **quay** *(wharf)* |
| kangeroo | **kan·ga·roo** | keybord | **key·board** |
| kanine | **ca·nine** | keyestone | **key·stone** |
| kaos | **cha·os** | kiak | **kay·ak** |
| karafe | **ca·rafe** | kibbutz | **kib·itz** *(meddle)* |
| Karea | **Ko·rea** | kibutz | **kib·butz** *(settlement)* |
| karet | **car·at** *(gem weight)* | kiche | **quiche** |
| karrat | **kar·at** *(1/24)* | kichen | **kitch·en** |
| karrate | **ka·ra·te** | kidnies | **kid·neys** |
| kawala | **ko·a·la** | kielbassa | **kiel·ba·sa** |
| Kawanis | **Ki·wa·nis** | kilagram | **kil·o·gram** |
| keal | **keel** | kilameter | **ki·lo·me·ter** |
| kean | **keen** | kilawatt | **kil·o·watt** |

| WRONG | RIGHT | WRONG | RIGHT |
|---|---|---|---|
| kilbasa | kiel·ba·sa | knicknack | knick·knack |
| killogram | kil·o·gram | knicks | nix *(disapprove of)* |
| killometer | ki·lo·me·ter | knifeing | knif·ing |
| killowatt | kil·o·watt | knifes | knives *(pl.)* |
| kimona | ki·mo·no | knikers | knick·ers *(short pants)* |
| kin | ken *(understanding)* | knite | knight *(rank)* |
| kindel | kin·dle | kniting | knit·ting |
| kindeling | kin·dling | knitwit | nit·wit |
| kinderd | kin·dred | knive | knife *(sing.)* |
| kindergarden | kin·der·gar·ten | knoby | knob·by |
| kinely | kind·ly | knoted | knot·ted |
| kingdum | king·dom | knowledgable | knowl·edge·a·ble |
| kingley | king·ly | knowlege | knowl·edge |
| kingpen | king·pin | knuckel | knuck·le |
| kinkey | kinky | koalla | ko·a·la |
| kinly | kind·ly | koasher | ko·sher |
| kinnetic | ki·net·ic | kolidoscope | ka·lei·do·scope |
| kitch | kitsch | kolrabi | kohl·ra·bi |
| kitchan | kitch·en | koochen | ku·chen |
| kitchenwear | kitch·en·ware | Koria | Ko·rea |
| kiten | kit·ten | Korran | Ko·ran |
| kleptomaneac | klep·to·ma·ni·ac | Kremlen | Krem·lin |
| kluts | klutz | kuken | ku·chen |
| knackworst | knack·wurst | kumkwat | kum·quat |
| knak | knack | kurchief | ker·chief |
| knapsak | knap·sack | kurnel | ker·nel *(grain)* |
| knave | nave *(part of a church)* | kuzoo | ka·zoo |
| knaveish | knav·ish | kwafure | coif·fure *(hair style)* |
| knead | need *(require)* | kwagmire | quag·mire |
| kneal | kneel | kwagulate | co·ag·u·late |
| kneed | knead *(work dough)* | | |

| WRONG | RIGHT | WRONG | RIGHT |
|---|---|---|---|
| kwala | **ko·a·la** | lacsivious | **las·civ·i·ous** |
| kwell | **quell** | ladden | **lad·en** |
| kwintet | **quin·tet** | ladder | **lat·ter** *(more recent)* |
| kwixotic | **quix·ot·ic** | lade | **laid** *(pt. of lay)* |
| Kwonset | **Quon·set** | ladel | **la·dle** |
| kworum | **quo·rum** | ladeling | **la·dling** |
| kyudos | **ku·dos** | lader | **lad·der** |
| | | | *(framework of steps)* |
| **L** | | ladys | **la·dies** *(pl.)* |
| | | laety | **la·i·ty** |
| labarinth | **lab·y·rinth** | laffable | **laugh·a·ble** |
| labborious | **la·bo·ri·ous** | lafter | **laugh·ter** |
| laber | **la·bor** | lager | **lag·ger** *(one who lags)* |
| laberatory | **lab·o·ra·to·ry** | lagger | **la·ger** *(beer)* |
| laberor | **la·bor·er** | laggoon | **la·goon** |
| labirynth | **lab·y·rinth** | laghable | **laugh·a·ble** |
| lable | **la·bel** | lagitemate | **legit·i·mate** |
| laborrious | **la·bo·ri·ous** | lai | **lei** *(wreath)* |
| labratory | **lab·o·ra·to·ry** | laim | **lame** *(crippled)* |
| labrinth | **lab·y·rinth** | lain | **lane** *(road)* |
| lacerration | **lac·er·a·tion** | laing | **lay·ing** |
| lached | **latched** | lair | **lay·er** *(stratum)* |
| lachkey | **latch·key** | laissay faire | **lais·sez faire** |
| lacker | **lac·quer** | laithe | **lathe** *(cutting machine)* |
| lackidaisical | **lack·a·dai·si·cal** | lakadaisical | **lack·a·dai·si·cal** |
| lackies | **lack·eys** | lakluster | **lack·lus·ter** |
| lacks | **lax** *(loose)* | lam | **lamb** *(sheep)* |
| lacksative | **lax·a·tive** | lama | **lla·ma** *(animal)* |
| lacktic | **lac·tic** | lamay | **la·mé** *(fabric)* |
| lacluster | **lack·lus·ter** | lamb | **lam** *(flight)* |
| lacquor | **lac·quer** | lamenated | **lam·i·nat·ed** |
| lacross | **la·crosse** | lamma | **la·ma** *(monk)* |

| WRONG | RIGHT | WRONG | RIGHT |
|---|---|---|---|
| lamme | **la·mé** (fabric) | larseny | **lar·ce·ny** |
| lamment | **la·ment** | larve | **lar·va** |
| lamminated | **lam·i·nat·ed** | lasania | **la·sa·gna** |
| lamppoon | **lam·poon** | lasor | **la·ser** |
| lampray | **lam·prey** | lassagna | **la·sa·gna** |
| landow | **lan·dau** | lasseration | **lac·er·a·tion** |
| landscaipe | **land·scape** | lassivious | **las·civ·i·ous** |
| lane | **lain** (pp. of lie) | lassoo | **las·so** |
| lanelin | **lan·o·lin** | Las Vagas | **Las Ve·gas** |
| langauge | **lan·guage** | latant | **la·tent** |
| langerrie | **lin·ge·rie** | latecks | **la·tex** |
| langourous | **lan·guor·ous** | Laten | **Lat·in** |
| langwid | **lan·guid** | later | **lat·ter** (more recent) |
| langwish | **lan·guish** | laterrel | **lat·er·al** |
| lankey | **lanky** | latetude | **lat·i·tude** |
| lanlady | **land·la·dy** | lath | **lathe** (cutting machine) |
| lanlord | **land·lord** | lathargic | **le·thar·gic** |
| lannolin | **lan·o·lin** | lathe | **lath** (wood strip) |
| lanscape | **land·scape** | latice | **lat·tice** |
| lanturn | **lan·tern** | latreen | **la·trine** |
| laped | **lapped** | latter | **lad·der** (framework of steps) |
| lappel | **la·pel** | | |
| laquer | **lac·quer** | latter | **lat·er** (subsequently) |
| larciny | **lar·ce·ny** | latteral | **lat·er·al** |
| lare | **lair** (den) | lattess | **lat·tice** |
| lareit | **lar·i·at** | lattex | **la·tex** |
| larengitis | **lar·yn·gi·tis** | lattitude | **lat·i·tude** |
| largly | **large·ly** | laudible | **laud·a·ble** |
| larinx | **lar·ynx** | laughible | **laugh·a·ble** |
| larriat | **lar·i·at** | laugter | **laugh·ter** |
| larryngitis | **lar·yn·gi·tis** | laundermat | **laun·dro·mat** |
| larrynx | **lar·ynx** | laundery | **laun·dry** |

| WRONG | RIGHT | WRONG | RIGHT |
|---|---|---|---|
| laurreate | lau·re·ate | leakedge | leak·age |
| laurel | lau·rel | leakey | leaky |
| lauyer | law·yer | lean | lien *(legal claim)* |
| lavendar | lav·en·der | lear | leer |
| lavertory | lav·a·to·ry | leatard | le·o·tard |
| lavesh | lav·ish | leavenning | leav·en·ing |
| lavinder | lav·en·der | leaway | lee·way |
| lavitory | lav·a·to·ry | Lebinon | Leb·a·non |
| lavva | la·va | Lebra | Li·bra |
| lavvish | lav·ish | lechorous | lech·er·ous |
| lawd | laud *(praise)* | lectrolysis | elec·trol·y·sis |
| lawfull | law·ful | lecturn | lec·tern |
| lawsoot | law·suit | lecturor | lec·tur·er |
| lawwer | law·yer | led | lead *(chemical; to guide)* |
| lax | lacks *(needs)* | ledgend | leg·end |
| lax | lox *(salmon)* | ledgeslature | leg·is·la·ture |
| laxitive | lax·a·tive | | *(lawmaking body)* |
| lay | lei *(wreath)* | ledgible | leg·i·ble |
| layed | laid *(pt. of lay)* | ledgor | ledg·er |
| layity | la·i·ty | leech | leach *(filter)* |
| lazally | la·zi·ly | leef | leaf *(plant organ)* |
| lazay faire | lais·sez faire | leegal | le·gal |
| lazer | la·ser | leegion | le·gion |
| lazey | la·zy | leek | leak *(escape)* |
| leach | leech *(worm)* | leen | lean *(bend; thin)* |
| leacherous | lech·er·ous | leep | leap |
| lead | led *(pt. of lead)* | leeves | leaves |
| leader | li·ter *(metric unit)* | leeword | lee·ward |
| leafey | leafy | leftenant | lieu·ten·ant |
| leage | league | legable | leg·i·ble |
| leaison | li·ai·son | legallity | le·gal·i·ty |
| leak | leek *(vegetable)* | legallization | legal·i·za·tion |

| WRONG | RIGHT | WRONG | RIGHT |
|---|---|---|---|
| legand | leg·end | leperosy | lep·ro·sy |
| legasy | leg·a·cy | leprachaun | lep·re·chaun |
| legel | le·gal | leprasy | lep·ro·sy |
| legeslation | leg·is·la·tion | lerch | lurch |
| leggacy | leg·a·cy | lerning | learn·ing |
| leggendary | leg·end·ary | lerynx | lar·ynx |
| legger | ledg·er | lese | lease |
| leggislation | leg·is·la·tion | lessen | les·son *(instruction)* |
| leggume | leg·ume | lesser | les·sor *(landlord)* |
| legian | le·gion | lesson | less·en *(decrease)* |
| legilazation | legal·i·za·tion | lessor | less·er *(smaller)* |
| legindary | leg·end·ary | lest | least |
| leging | leg·ging | lesure | lei·sure |
| legionaire | legion·naire | leter | li·ter *(metric unit)* |
| legislater | leg·is·la·tor *(lawmaker)* | lethel | le·thal |
| legislator | leg·is·la·ture *(lawmaking body)* | lether | leath·er |
| | | leting | let·ting |
| legitamate | legit·i·mate | letrine | la·trine |
| legoom | leg·ume | lettice | let·tuce |
| lein | lien *(legal claim)* | leud | lewd |
| leisier | lei·sure | leutenant | lieu·ten·ant |
| leisurly | lei·sure·ly | levarege | lev·er·age |
| leiu | lieu | leve | leave |
| leman | lem·on *(fruit)* | levee | levy *(tax)* |
| lemonaid | lem·on·ade | leven | elev·en |
| leniant | le·ni·ent | levening | leav·en·ing |
| lentel | len·til *(pea)* | levetation | lev·i·ta·tion |
| lenthen | length·en | levie | lev·ee *(embankment)* |
| lenthy | lengthy | levie | levy *(tax)* |
| lentil | lin·tel *(beam)* | levrage | lev·er·age |
| leoperd | leop·ard | levy | lev·ee *(embankment)* |
| | | ley | lei *(wreath)* |

| WRONG | RIGHT | WRONG | RIGHT |
|---|---|---|---|
| liabillity | li·a·bil·i·ty | lie | lye *(alkaline substance)* |
| liable | li·bel *(defame)* | lien | lean *(bend; thin)* |
| liannize | li·on·ize | liesure | lei·sure |
| liar | lyre *(harp)* | liesurely | lei·sure·ly |
| liason | li·ai·son | lieutenent | lieu·ten·ant |
| liballous | li·bel·ous | liggament | lig·a·ment |
| libarian | li·brar·i·an | lightening | light·ning *(flash of light)* |
| libary | li·brary | | |
| libbelous | li·bel·ous | lightin | light·en |
| libberalize | lib·er·al·ize | lightning | light·en·ing *(making less heavy)* |
| libberally | lib·er·al·ly | | |
| libberation | lib·er·a·tion | likelyhood | like·li·hood |
| libberty | lib·er·ty | likley | like·ly |
| libedo | li·bi·do | liklihood | like·li·hood |
| libel | li·a·ble *(likely)* | likness | like·ness |
| liberallize | lib·er·al·ize | lile | lisle |
| liberetto | li·bret·to | lillac | li·lac |
| liberration | lib·er·a·tion | lilly | lily |
| Libia | Lib·ya | lim | limb *(branch)* |
| libility | li·a·bil·i·ty | limb | limn *(draw)* |
| lible | li·bel *(defame)* | limboe | lim·bo |
| lible | li·a·ble *(likely)* | limetation | lim·i·ta·tion |
| libralize | lib·er·al·ize | limitting | lim·it·ing |
| librally | lib·er·al·ly | limmerick | lim·er·ick |
| librarean | li·brar·i·an | limmitation | lim·i·ta·tion |
| librery | li·brary | limmiting | lim·it·ing |
| libreto | li·bret·to | limosine | lim·ou·sine |
| licarice | lic·o·rice | limph | lymph |
| licence | li·cense | limrick | lim·er·ick |
| licencious | licen·tious | limstone | lime·stone |
| licker | liq·uor *(alcoholic drink)* | linament | lin·i·ment *(salve)* |
| licorish | lic·o·rice | linan | lin·en |

| WRONG | RIGHT | WRONG | RIGHT |
|---|---|---|---|
| linch | **lynch** | liquify | **liq·ue·fy** |
| lindseed | **lin·seed** | liquor | **li·queur** *(flavored liquor)* |
| lineament | **lin·i·ment** *(salve)* | lire | **li·ar** *(one who tells lies)* |
| linege | **lin·age** *(number of lines)* | lire | **lyre** *(harp)* |
| lineing | **lin·ing** | lirecal | **lyr·i·cal** |
| lingeray | **lin·ge·rie** | lisense | **li·cense** |
| lingueenie | **lin·gui·ne** | lisentious | **licen·tious** |
| lingwistics | **lin·guis·tics** | listenning | **lis·ten·ing** |
| linier | **lin·e·ar** | litagation | **lit·i·ga·tion** |
| liniment | **lin·e·a·ment** *(outline)* | litarel | **lit·er·al** *(actual)* |
| linjerie | **lin·ge·rie** | litargy | **lit·ur·gy** |
| linkege | **link·age** | liteny | **lit·a·ny** |
| links | **lynx** *(animal)* | liter | **lit·ter** *(rubbish; young)* |
| linnament | **lin·i·ment** *(salve)* | literachure | **lit·er·a·ture** |
| linneage | **lin·e·age** *(ancestry)* | literal | **lit·to·ral** *(on the shore)* |
| linneament | **lin·e·a·ment** *(outline)* | literaly | **lit·er·al·ly** |
| linnear | **lin·e·ar** | literecy | **lit·er·a·cy** |
| linnen | **lin·en** | literrary | **lit·er·ary** |
| linnoleum | **li·no·le·um** | lith | **lithe** |
| linsede | **lin·seed** | litheum | **lith·i·um** |
| lintel | **len·til** *(pea)* | litmas | **lit·mus** |
| lintil | **lin·tel** *(beam)* | litning | **light·ning** *(flash of light)* |
| linx | **links** *(golf course)* | litning | **light·en·ing** *(making less heavy)* |
| linx | **lynx** *(animal)* | | |
| Lio | **Leo** | litoral | **lit·to·ral** *(on the shore)* |
| lionnize | **li·on·ize** | litrature | **lit·er·a·ture** |
| lip–sink | **lip–sync** | littany | **lit·a·ny** |
| liqeur | **li·queur** *(flavored liquor)* | littlest | **lit·tlest** |
| liquadate | **liq·ui·date** | litter | **li·ter** *(metric unit)* |
| liquer | **liq·uor** *(alcoholic drink)* | litteral | **lit·er·al** *(actual)* |
| | | litteral | **lit·to·ral** *(on the shore)* |

| WRONG | RIGHT | WRONG | RIGHT |
|---|---|---|---|
| litterary | lit·er·ary | lockit | lock·et |
| litterature | lit·er·a·ture | locks | lox *(salmon)* |
| littergy | lit·ur·gy | locus | lo·cust *(grasshopper)* |
| littigation | lit·i·ga·tion | lode | load *(burden)* |
| liutenant | lieu·ten·ant | lodge | loge *(theater box)* |
| livary | liv·ery | lodgeing | lodg·ing |
| liveable | liv·a·ble | lofer | loaf·er |
| livelyhood | live·li·hood | logarhythm | log·a·rithm |
| liverworst | liv·er·wurst | loge | lodge *(house)* |
| livley | live·ly | loger | log·ger *(lumberjack)* |
| livlihood | live·li·hood | logger | la·ger *(beer)* |
| livry | liv·ery | loggistics | lo·gis·tics |
| livver | liv·er | logicly | log·i·cal·ly |
| livvid | liv·id | logorithm | log·a·rithm |
| lizerd | liz·ard | loiterring | loi·ter·ing |
| llama | la·ma *(monk)* | lolypop | lol·li·pop |
| load | lode *(ore)* | lome | loam |
| loan | lone *(solitary)* | lone | loan *(something lent)* |
| loar | lore | lonelyness | lone·li·ness |
| loath | loathe *(detest)* | longetude | lon·gi·tude |
| loathe | loath *(unwilling)* | longevety | lon·gev·i·ty |
| loathesome | loath·some | lonliness | lone·li·ness |
| lobbie | lob·by | looau | lu·au |
| lobstar | lob·ster | loobricant | lu·bri·cant |
| local | lo·cale *(place)* | loocid | lu·cid |
| locale | lo·cal *(of a district)* | loominary | lu·mi·nary |
| locallity | lo·cal·i·ty | loored | lu·rid *(startling)* |
| locallize | lo·cal·ize | loose | lose *(mislay)* |
| localy | lo·cal·ly | loosing | los·ing *(mislaying)* |
| locamotive | lo·co·mo·tive | loot | lute *(musical instrument)* |
| loccation | lo·ca·tion | loped | lopped *(cut)* |
| loces | lo·cus *(place)* | loreate | lau·re·ate |

117

| WRONG | RIGHT | WRONG | RIGHT |
|---|---|---|---|
| lorel | **lau·rel** | lukemia | **leu·ke·mia** |
| lose | **loose** *(free)* | lukerative | **lu·cra·tive** |
| loseing | **los·ing** *(mislaying)* | lukwarm | **luke·warm** |
| lose–leaf | **loose–leaf** | lulaby | **lull·a·by** |
| losenge | **loz·enge** | lumanescent | **lumi·nes·cent** |
| lossed | **lost** | lumbar | **lum·ber** *(timber)* |
| Los Vegas | **Las Ve·gas** | lumbego | **lum·ba·go** |
| lotery | **lot·tery** | lumber | **lum·bar** *(of the loins)* |
| lotien | **lo·tion** | lumenous | **lu·mi·nous** |
| lotis | **lo·tus** | luminesent | **lumi·nes·cent** |
| lottary | **lot·tery** | lumminary | **lu·mi·nary** |
| lou | **lieu** | lunchen | **lunch·eon** |
| loud | **laud** *(praise)* | lunessy | **lu·na·cy** |
| loungeing | **loung·ing** | lung | **lunge** *(thrust)* |
| lousey | **lousy** | lunge | **lung** *(breathing organ)* |
| Lousiana | **Lou·i·si·ana** | lunnacy | **lu·na·cy** |
| lovliness | **love·li·ness** | luow | **lu·au** |
| lovly | **love·ly** | lured | **lu·rid** *(startling)* |
| lowse | **louse** | lushious | **lus·cious** |
| loyelty | **loy·al·ty** | lusid | **lu·cid** |
| loyer | **law·yer** | lustey | **lusty** |
| lubrecant | **lu·bri·cant** | lustfull | **lust·ful** |
| lubricater | **lubri·ca·tor** | lute | **loot** *(plunder)* |
| luced | **lu·cid** | Lutharen | **Lu·ther·an** |
| Lucefer | **Lu·ci·fer** | luxerious | **lux·u·ri·ous** |
| luckey | **lucky** | luxery | **lux·u·ry** |
| lucretive | **lu·cra·tive** | luxurient | **lux·u·ri·ant** |
| lucsious | **lus·cious** | lyrecs | **lyr·ics** |
| lude | **lewd** | lyrrical | **lyr·i·cal** |
| ludecrous | **lu·di·crous** | | |
| luggege | **lug·gage** | | |
| Luisiana | **Lou·i·si·ana** | | |

| WRONG | RIGHT | WRONG | RIGHT |
|---|---|---|---|

## M

| Wrong | Right |
|---|---|
| mabbe | **may·be** |
| macabb | **ma·ca·bre** |
| macarroni | **mac·a·ro·ni** |
| macarroon | **mac·a·roon** |
| maccaroni | **mac·a·ro·ni** |
| maccaroon | **mac·a·roon** |
| macedamia | **mac·a·dam·ia** |
| macerel | **mack·er·el** |
| mach | **match** *(equal)* |
| machanation | **mach·i·na·tion** |
| machanic | **me·chan·ic** |
| machene | **ma·chine** |
| machesmo | **ma·chis·mo** |
| machette | **ma·che·te** |
| Machievellian | **Mach·i·a·vel·li·an** |
| machinary | **ma·chin·ery** |
| machinest | **ma·chin·ist** |
| mackaral | **mack·er·el** |
| mackaroni | **mac·a·ro·ni** |
| mackaroon | **mac·a·roon** |
| mackentosh | **mack·in·tosh** *(coat)* |
| mackerrel | **mack·er·el** |
| Mackiavellian | **Mach·i·a·vel·li·an** |
| mackination | **mach·i·na·tion** |
| mackintosh | **Mc·In·tosh** *(apple)* |
| mackrame | **mac·ra·mé** |
| macobre | **ma·ca·bre** |
| macramay | **mac·ra·mé** |
| madam | **mad·ame** *(title)* |
| madame | **mad·am** *(lady)* |
| madamoiselle | **made·moi·selle** |
| maddam | **mad·am** *(lady)* |
| madder | **mat·ter** *(substance)* |
| made | **maid** *(servant)* |
| madem | **mad·am** *(lady)* |
| mademoizelle | **made·moi·selle** |
| maden | **maid·en** |
| mader | **mad·der** *(angrier)* |
| Madera | **Ma·deira** |
| madicinal | **me·dic·i·nal** |
| madley | **mad·ly** |
| madmaselle | **made·moi·selle** |
| madona | **ma·don·na** |
| magasine | **mag·a·zine** |
| magestic | **ma·jes·tic** |
| magesty | **maj·es·ty** |
| maggazine | **mag·a·zine** |
| maggic | **mag·ic** |
| maggit | **mag·got** |
| maggma | **mag·ma** |
| maggnolia | **mag·no·lia** |
| maggpie | **mag·pie** |
| magick | **mag·ic** |
| magickal | **mag·i·cal** |
| maginta | **ma·gen·ta** |
| magisian | **ma·gi·cian** |

119

| WRONG | RIGHT | WRONG | RIGHT |
|---|---|---|---|
| magistarial | mag·is·te·ri·al | magor | ma·jor |
| magistrait | mag·is·trate | magorette | ma·jor·ette |
| magizine | mag·a·zine | magot | mag·got |
| magna cum loude | mag·na cum lau·de | magpye | mag·pie |
| | | mahagany | ma·hog·a·ny |
| magnafication | mag·ni·fi·ca·tion | mahem | may·hem |
| magnanimaty | mag·na·nim·i·ty | mahogony | ma·hog·a·ny |
| | | maid | made *(prepared)* |
| magnanimus | mag·nan·i·mous | maidin | maid·en |
| | | mail | male *(masculine)* |
| magnate | mag·net *(iron attracter)* | main | mane *(hair)* |
| | | mainge | mange |
| magnatise | mag·net·ize | mainger | man·ger |
| magnatude | mag·ni·tude | mainia | ma·nia |
| magnesia | mag·ne·si·um *(element)* | mainnaise | may·on·naise |
| | | maintane | main·tain |
| magnesium | mag·ne·sia *(laxative)* | maintenence | main·te·nance |
| | | mair | mare *(female horse)* |
| magnet | mag·nate *(important person)* | maitre dee | mai·tre d' |
| | | maize | maze *(labyrinth)* |
| magnetick | mag·net·ic | majarity | ma·jor·i·ty |
| magnettism | mag·net·ism | majenta | ma·gen·ta |
| magnezium | mag·ne·si·um *(element)* | majer | ma·jor |
| | | majerette | ma·jor·ette |
| magnifficence | mag·nif·i·cence | majestick | ma·jes·tic |
| | | majesticly | ma·jes·ti·cal·ly |
| magnificant | mag·nif·i·cent | majic | mag·ic |
| magnifisense | mag·nif·i·cence | majisterial | mag·is·te·ri·al |
| magnifyer | mag·ni·fi·er | majistrate | mag·is·trate |
| magninimity | mag·na·nim·i·ty | majisty | maj·es·ty |
| magnolya | mag·no·lia | majong | mah–jongg |
| | | majoraty | ma·jor·i·ty |

| WRONG | RIGHT | WRONG | RIGHT |
|---|---|---|---|
| majoret | ma·jor·ette | malladjusted | mal·ad·just·ed |
| makadamia | mac·a·dam·ia | malladroit | mal·a·droit |
| makaw | ma·caw | mallady | mal·a·dy |
| makeing | mak·ing | mallapropism | mal·a·prop·ism |
| makismo | ma·chis·mo | mallaria | ma·lar·ia |
| makup | make·up | mallarkey | ma·lar·key |
| malace | mal·ice | mallcontent | mal·con·tent |
| maladdy | mal·a·dy | mallerd | mal·lard |
| maladroyt | mal·a·droit | mallevolence | malev·o·lence |
| malaize | ma·laise | mallevolent | malev·o·lent |
| malaprapism | mal·a·prop·ism | mallfeasance | mal·fea·sance |
| malard | mal·lard | mallformation | mal·for·ma·tion |
| malasses | mo·las·ses | mallfunction | mal·func·tion |
| malatto | mu·lat·to | mallice | mal·ice |
| malayse | ma·laise | mallicious | ma·li·cious |
| malcantent | mal·con·tent | mallify | mol·li·fy |
| male | mail *(letters)* | mallignant | ma·lig·nant |
| maleable | mal·le·a·ble | mallinger | ma·lin·ger |
| malee | me·lee | mallit | mal·let |
| maleria | ma·lar·ia | mallnourished | mal·nour·ished |
| malest | mo·lest | mallnutrition | mal·nu·tri·tion |
| malet | mal·let | mallodorous | mal·o·dor·ous |
| malevalence | malev·o·lence | mallpractice | mal·prac·tice |
| malevolant | malev·o·lent | mallted | malt·ed |
| malfeesance | mal·fea·sance | malnurished | mal·nour·ished |
| malicius | ma·li·cious | maloderous | mal·o·dor·ous |
| malignansy | ma·lig·nan·cy | mamal | mam·mal |
| malignent | ma·lig·nant | mamary | mam·ma·ry |
| maline | ma·lign | mame | maim |
| malise | mal·ice | | |
| mall | maul *(injure)* | | |
| mallable | mal·le·a·ble | | |

| WRONG | RIGHT | WRONG | RIGHT |
|---|---|---|---|
| mammagraphy ......... ......... mam·mog·ra·phy | | manea ....................... **ma·nia** | |
| mammel ................ **mam·mal** | | maneac .................... **ma·ni·ac** | |
| mammery ............. **mam·ma·ry** | | manefest ................ **man·i·fest** | |
| mammeth ............. **mam·moth** | | manege ........ **man·age** *(control)* | |
| mammry ............... **mam·ma·ry** | | maneger ................ **man·ag·er** | |
| mamography .......... ......... mam·mog·ra·phy | | manequin ........... **man·ne·quin** | |
| | | maner .......... **man·ner** *(method)* | |
| mamoth ................ **mam·moth** | | manerism ........... **man·ner·ism** | |
| mana ....................... **man·na** | | manestery ........... **mon·as·tery** | |
| manacal ................ **man·a·cle** | | manetain ................ **main·tain** | |
| manacotti ............. **man·i·cot·ti** | | mangel ................... **man·gle** | |
| manacure ............. **man·i·cure** | | mangey ................... **man·gy** | |
| manafest ............. **man·i·fest** | | mangleing ............. **man·gling** | |
| manafesto ........... **man·i·fes·to** | | mangrel ................... **mon·grel** | |
| manafold ............... **man·i·fold** | | Manhatten ......... **Man·hat·tan** | |
| managable ....... **man·age·a·ble** | | maniack .................. **ma·ni·ac** | |
| manageing ........ **man·ag·ing** | | maniacle ............. **ma·ni·a·cal** | |
| managemint .... **man·age·ment** | | manicle .................... **man·a·cle** | |
| managerie ......... **me·nag·er·ie** | | manicurest ......... **man·i·cur·ist** | |
| managment ..... **man·age·ment** | | manifess ............... **man·i·fest** | |
| managor .............. **man·ag·er** | | manifessto ........... **man·i·fes·to** | |
| manarch ................ **mon·arch** | | manilla ....................... **ma·nila** | |
| manarchy ............ **mon·ar·chy** | | manipalate ......... **manip·u·late** | |
| mancion .................. **man·sion** | | maniplative ..... **manip·u·la·tive** | |
| mandable ............ **man·di·ble** | | manippulate ....... **manip·u·late** | |
| mandalin ............. **man·do·lin** | | manipulater ..... **manip·u·la·tor** | |
| mander ................... **maun·der** | | manitor ................... **mon·i·tor** | |
| manderin ............. **man·da·rin** | | manje ....................... **mange** | |
| mandetory ......... **man·da·to·ry** | | manjer ....................... **man·ger** | |
| mandolen .............. **man·do·lin** | | mankine ................ **man·kind** | |
| mane ............. **main** *(important)* | | manley ....................... **man·ly** | |
| | | mannacle ................ **man·a·cle** | |

| WRONG | RIGHT | WRONG | RIGHT |
|---|---|---|---|
| mannage | man·age *(control)* | manuer | ma·nure |
| mannaise | may·on·naise | manuever | ma·neu·ver |
| manndate | man·date | manufacter | man·u·fac·ture |
| mannekin | man·ne·quin | manuskript | man·u·script |
| manner | man·or *(estate)* | manuver | ma·neu·ver |
| manneuver | ma·neu·ver | manyascript | man·u·script |
| mannicure | man·i·cure | mapel | ma·ple |
| mannifest | man·i·fest | maping | map·ping |
| mannifesto | man·i·fes·to | marader | ma·raud·er |
| mannifold | man·i·fold | maragold | mar·i·gold |
| mannila | ma·nila | maranade | mar·i·nade |
| mannipulate | manip·u·late | maranara | ma·ri·na·ra |
| mannor | man·ner *(method)* | maranate | mar·i·nate *(v.)* |
| mannsion | man·sion | maraner | mar·i·ner |
| mannual | man·u·al | marascheno | mar·a·schi·no |
| mannufacture | man·u·fac·ture | maratal | mar·i·tal *(of marriage)* |
| mannure | ma·nure | maratime | mar·i·time |
| manocle | mon·o·cle | marbel | mar·ble |
| manogamy | mo·nog·a·my | marbleing | mar·bling |
| manologue | mon·o·logue | mare | may·or *(official)* |
| manopolize | mo·nop·o·lize | mareachi | ma·ri·a·chi |
| manopoly | mo·nop·o·ly | marejuana | ma·ri·jua·na |
| manotonous | mo·not·o·nous | marena | ma·ri·na |
| manslotter | man·slaugh·ter | marenate | mar·i·nate *(v.)* |
| mansoon | mon·soon | marene | ma·rine |
| manster | mon·ster | mareonette | mar·i·o·nette |
| manstrosity | mon·stros·i·ty | margen | mar·gin |
| mantal | man·tel *(shelf)* | margenalia | mar·gi·na·lia |
| mantel | man·tle *(cloak)* | margerine | mar·ga·rine *(spread)* |
| mantice | man·tis | | |
| mantle | man·tel *(shelf)* | marginale | mar·gin·al |
| manuel | man·u·al | marginallia | mar·gi·na·lia |

| WRONG | RIGHT | WRONG | RIGHT |
|---|---|---|---|
| marginel | **mar·gin·al** | marraschino | **mar·a·schi·no** |
| margrin | **mar·ga·rine** *(spread)* | marrathon | **mar·a·thon** |
| mariage | **mar·riage** | marrble | **mar·ble** |
| marianette | **mar·i·o·nette** | marriachi | **ma·ri·a·chi** |
| maridian | **me·rid·i·an** | marriagable | **mar·riage·a·ble** |
| maried | **mar·ried** | marriege | **mar·riage** |
| maring | **mar·ring** | marrigold | **mar·i·gold** |
| maringue | **me·ringue** *(pie topping)* | marrijuana | **ma·ri·jua·na** |
| | | marrimba | **ma·rim·ba** |
| marinnara | **ma·ri·na·ra** | marrinade | **mar·i·nade** |
| marionet | **mar·i·o·nette** | marrinara | **ma·ri·na·ra** |
| marital | **mar·tial** *(military)* | marrinate | **mar·i·nate** *(v.)* |
| maritle | **mar·i·tal** *(of marriage)* | marrionette | **mar·i·o·nette** |
| mariuana | **ma·ri·jua·na** | marrital | **mar·i·tal** *(of marriage)* |
| marjeram | **mar·jo·ram** *(plant)* | marry | **mer·ry** *(happy)* |
| marjin | **mar·gin** | marryed | **mar·ried** |
| marjinalia | **mar·gi·na·lia** | marshal | **mar·tial** *(military)* |
| marjorine | **mar·ga·rine** *(spread)* | marshall | **mar·shal** *(law officer)* |
| markee | **mar·quee** | Marshen | **Mar·tian** *(of Mars)* |
| marketible | **mar·ket·a·ble** | marshmellow | **marsh·mal·low** |
| marketting | **mar·ket·ing** | Marsian | **Mar·tian** *(of Mars)* |
| markidly | **mark·ed·ly** | marsipan | **mar·zi·pan** |
| markit | **mar·ket** | marsupeal | **mar·su·pi·al** |
| Marksism | **Marx·ism** | marten | **mar·tin** *(bird)* |
| marlen | **mar·lin** *(fish)* | martenet | **mar·ti·net** |
| marmelade | **mar·ma·lade** | martengale | **mar·tin·gale** |
| marow | **mar·row** | marteni | **mar·ti·ni** |
| marquey | **mar·quee** | marter | **mar·tyr** |
| marr | **mar** | martial | **mar·shal** *(law officer)* |
| marraca | **ma·ra·ca** | martial | **mar·i·tal** *(of marriage)* |
| marrage | **mar·riage** | martin | **mar·ten** *(mammal)* |

| WRONG | RIGHT | WRONG | RIGHT |
|---|---|---|---|
| Martin | **Mar·tian** *(of Mars)* | maskuline | **mas·cu·line** |
| martinette | **mar·ti·net** | masokism | **mas·och·ism** |
| martordom | **mar·tyr·dom** | masoleum | **mau·so·le·um** |
| marune | **ma·roon** | masonrey | **ma·son·ry** |
| marvalous | **mar·vel·ous** | masque | **mask** *(cover)* |
| marvell | **mar·vel** | masquito | **mos·qui·to** |
| marvelus | **mar·vel·ous** | masquorade | **mas·quer·ade** |
| marygold | **mar·i·gold** | massacer | **mas·sa·cre** |
| marzapan | **mar·zi·pan** | Massachusets | **Mas·sa·chu·setts** |
| masa | **me·sa** | | |
| masachism | **mas·och·ism** | massage | **mes·sage** *(communication)* |
| Masachusetts | **Mas·sa·chu·setts** | | |
| masacre | **mas·sa·cre** | massaje | **mas·sage** *(a rubbing)* |
| masage | **mas·sage** *(a rubbing)* | massakre | **mas·sa·cre** |
| masc | **mask** *(cover)* | masscara | **mas·ca·ra** |
| mascera | **mas·ca·ra** | massectomy | **mas·tec·to·my** |
| mascet | **mas·cot** | masser | **mas·seur** *(m.)* |
| masculen | **mas·cu·line** | massiah | **mes·si·ah** |
| mase | **mace** | massochism | **mas·och·ism** |
| masen | **ma·son** | masson | **ma·son** |
| masenry | **ma·son·ry** | Massonic | **Ma·son·ic** |
| maseur | **mas·seur** *(m.)* | massquerade | **mas·quer·ade** |
| maseuse | **mas·seuse** *(f.)* | massticate | **mas·ti·cate** |
| mashete | **ma·che·te** | masstiff | **mas·tiff** |
| mashination | **mach·i·na·tion** | masstodon | **mas·to·don** |
| mashine | **ma·chine** | massuer | **mas·seur** *(m.)* |
| masive | **mas·sive** | massuse | **mas·seuse** *(f.)* |
| mask | **masque** *(masked ball)* | mastacate | **mas·ti·cate** |
| maskara | **mas·ca·ra** | mastadon | **mas·to·don** |
| maskerade | **mas·quer·ade** | mastead | **mast·head** |
| maskot | **mas·cot** | masterbate | **mas·tur·bate** |
| | | masterey | **mas·tery** |

125

| WRONG | RIGHT | WRONG | RIGHT |
|---|---|---|---|
| masterfull | **mas·ter·ful** | matirial | **ma·te·ri·al** *(cloth)* |
| masterley | **mas·ter·ly** | matiriel | **ma·te·ri·el** *(supplies)* |
| mastermine | **mas·ter·mind** | matoor | **ma·ture** *(full-grown)* |
| masterry | **mas·tery** | matramonial | **mat·ri·mo·ni·al** |
| mastro | **ma·es·tro** | matrearch | **ma·tri·arch** |
| mat | **matte** *(dull finish)* | matre d' | **maî·tre d'** |
| matabolism | **me·tab·o·lism** | matren | **ma·tron** |
| matallic | **me·tal·lic** | matress | **mat·tress** |
| matcher | **ma·ture** *(full-grown)* | matriark | **ma·tri·arch** |
| matchuration | **mat·u·ra·tion** | matricks | **ma·trix** |
| mateing | **mat·ing** *(joining)* | matrickulate | **matric·u·late** |
| matenee | **mat·i·nee** | matriculateing | |
| mater de | **maî·tre d'** | | **matric·u·lat·ing** |
| material | **ma·te·ri·el** *(supplies)* | matrimonal | **mat·ri·mo·ni·al** |
| materiallism | **ma·te·ri·al·ism** | matriside | **mat·ri·cide** |
| materiallize | **ma·te·ri·al·ize** | mattador | **mat·a·dor** |
| materiel | **ma·te·ri·al** *(cloth)* | matte | **mat** *(floor covering)* |
| maternaty | **ma·ter·ni·ty** | matter | **mad·der** *(angrier)* |
| maternel | **ma·ter·nal** | mattinee | **mat·i·nee** |
| math | **moth** | matting | **mat·ing** *(joining)* |
| mathamatical | | mattled | **mot·tled** |
| | **math·e·mat·i·cal** | mattriculate | **matric·u·late** |
| mathematicks | **math·e·mat·ics** | mattrimonial | **mat·ri·mo·ni·al** |
| mathematitian | | mattrimony | **mat·ri·mo·ny** |
| | **math·e·ma·ti·cian** | mattriss | **mat·tress** |
| mathmatical | **math·e·mat·i·cal** | matturation | **mat·u·ra·tion** |
| mathmatician | | maturaty | **ma·tu·ri·ty** |
| | **math·e·ma·ti·cian** | maturnal | **ma·ter·nal** |
| mathmatics | **math·e·mat·ics** | maturnity | **ma·ter·ni·ty** |
| maticulous | **metic·u·lous** | maudlen | **maud·lin** |
| matinay | **mat·i·nee** | maukish | **mawk·ish** |
| mating | **mat·ting** *(interweaving)* | maul | **mall** *(shopping center)* |

| WRONG | RIGHT | WRONG | RIGHT |
|---|---|---|---|
| mausolium | **mau·so·le·um** | mechannic | **me·chan·ic** |
| mave | **mauve** (purple) | mechenism | **mech·a·nism** |
| mavrick | **mav·er·ick** | meckanic | **me·chan·ic** |
| maxamal | **max·i·mal** | meckanism | **mech·a·nism** |
| maxamize | **max·i·mize** | medacal | **med·i·cal** |
| maxamum | **max·i·mum** | medacation | **med·i·ca·tion** |
| maxem | **max·im** | medal | **med·dle** (interfere) |
| mayem | **may·hem** | medal | **met·al** (iron, etc.) |
| mayer | **may·or** (official) | medalion | **me·dal·lion** |
| mayme | **maim** | medatation | **med·i·ta·tion** |
| mayonaise | **may·on·naise** | Medaterranean | **Med·i·ter·ra·ne·an** |
| mayorality | **may·or·al·ty** | meddallion | **me·dal·lion** |
| maze | **maize** (corn) | meddication | **med·i·ca·tion** |
| mcintosh | **mack·in·tosh** (coat) | Medditerranean | **Med·i·ter·ra·ne·an** |
| meak | **meek** | meddle | **med·al** (award) |
| mean | **mien** (manner) | meddle | **met·tle** (courage) |
| meanial | **me·ni·al** | meddlesum | **med·dle·some** |
| meaningfull | **mean·ing·ful** | medea | **me·dia** |
| meanning | **mean·ing** | medean | **me·di·an** |
| measels | **mea·sles** | medecine | **med·i·cine** |
| measley | **mea·sly** | Medeira | **Ma·deira** |
| measureable | **meas·ur·a·ble** | medel | **med·al** (award) |
| measureing | **meas·ur·ing** | medelist | **med·al·ist** |
| measurment | **meas·ure·ment** | medeocre | **me·di·o·cre** |
| meat | **meet** (encounter) | medeocrity | **me·di·oc·ri·ty** |
| meat | **mete** (distribute) | medeum | **me·di·um** |
| meatey | **meaty** | medeval | **me·di·e·val** |
| meazles | **mea·sles** | mediateing | **me·di·at·ing** |
| meazure | **meas·ure** | mediater | **me·di·a·tor** |
| mebbe | **may·be** | medicel | **med·i·cal** |
| mecaw | **ma·caw** | | |
| mechanicle | **me·chan·i·cal** | | |

127

| WRONG | RIGHT | WRONG | RIGHT |
|---|---|---|---|
| medick | med·ic | melancolly | mel·an·choly |
| medievil | me·di·e·val | melaria | ma·lar·ia |
| mediocer | me·di·o·cre | melay | me·lee |
| mediocraty | me·di·oc·ri·ty | meld | melt *(dissolve)* |
| mediokre | me·di·o·cre | melenoma | mel·a·no·ma |
| medion | me·di·an | melinger | ma·lin·ger |
| medisinal | me·dic·i·nal | melinkoly | mel·an·choly |
| medisine | med·i·cine | melled | meld *(cards; blend)* |
| Mediteranean | Med·i·ter·ra·ne·an | mellodic | me·lod·ic |
| medle | med·dle *(interfere)* | mellodious | me·lo·di·ous |
| medlesome | med·dle·some | mellodrama | mel·o·dra·ma |
| medly | med·ley | mellody | mel·o·dy |
| medow | mead·ow | mellon | mel·on |
| meeger | mea·ger | mellt | melt *(dissolve)* |
| meel | meal | melodick | me·lod·ic |
| meen | mean *(middle)* | melodius | me·lo·di·ous |
| meer | mere | melow | mel·low |
| meesles | mea·sles | melt | meld *(cards; blend)* |
| meesly | mea·sly | memarandum | mem·o·ran·dum |
| meet | meat *(food)* | membor | mem·ber |
| meet | mete *(distribute)* | membrain | mem·brane |
| meeting | met·ing *(distributing)* | memerabilia | mem·o·ra·bil·ia |
| meetting | meet·ing *(encountering)* | memerize | mem·o·rize |
| meggaphone | meg·a·phone | memery | mem·o·ry |
| meggaton | meg·a·ton | memior | mem·oir |
| meladic | me·lod·ic | memmorial | me·mo·ri·al |
| meladrama | mel·o·dra·ma | memmorize | mem·o·rize |
| melady | mel·o·dy | memor | mem·oir |
| melaise | ma·laise | memorabillia | mem·o·ra·bil·ia |
| melan | mel·on | memorandom | mem·o·ran·dum |

| WRONG | RIGHT | WRONG | RIGHT |
|---|---|---|---|
| memoreal | me·mo·ri·al | mercyful | mer·ci·ful |
| memrable | mem·o·ra·ble | mercyless | mer·ci·less |
| memry | mem·o·ry | merder | mur·der |
| memwar | mem·oir | mere | mare *(female horse)* |
| menajerie | me·nag·er·ie | meret | mer·it |
| menapause | men·o·pause | meretorious | mer·i·to·ri·ous |
| menase | men·ace | meridean | me·rid·i·an |
| menastrate | men·stru·ate | merinade | mar·i·nade |
| mendacant | men·di·cant | merine | ma·rine |
| meneal | me·ni·al | meritorius | mer·i·to·ri·ous |
| menice | men·ace | merje | merge |
| mennopause | men·o·pause | merkantile | mer·can·tile |
| menshun | men·tion | merky | murky |
| menstrate | men·stru·ate | merly | mere·ly |
| menstrul | men·stru·al | mermade | mer·maid |
| ment | **meant** *(pt. of mean)* | mermur | mur·mur |
| ment | mint | merridian | me·rid·i·an |
| mentallity | men·tal·i·ty | merrimint | mer·ri·ment |
| mentaly | men·tal·ly | merrit | mer·it |
| mentel | men·tal | merritorious | mer·i·to·ri·ous |
| menthal | men·thol | merrow | mar·row |
| mently | men·tal·ly | merry | mar·ry *(wed)* |
| menue | menu | merryment | mer·ri·ment |
| merange | me·ringue *(pie topping)* | mersenary | mer·ce·nary |
| | | mersiful | mer·ci·ful |
| meraschino | mar·a·schi·no | mersiless | mer·ci·less |
| merathon | mar·a·thon | mersy | mer·cy |
| merauder | ma·raud·er | merth | mirth |
| mercanary | mer·ce·nary | mesage | mes·sage *(communication)* |
| merchendise | mer·chan·dise | | |
| merchent | mer·chant | mesenger | mes·sen·ger |
| mercurey | mer·cu·ry | mesiah | mes·si·ah |

| WRONG | RIGHT | WRONG | RIGHT |
|---|---|---|---|

message .. **mas·sage** *(a rubbing)*
messinger ........... **mes·sen·ger**
mesure .................... **meas·ure**
metabalism ...... **me·tab·o·lism**
metafor ................ **met·a·phor**
metal ........... **met·tle** *(courage)*
metal .............. **med·al** *(award)*
metalic ................... **me·tal·lic**
metalurgy .......... **met·al·lur·gy**
metamorfosis ..........
.......... **met·a·mor·pho·sis** *(sing.)*
metamorphick ..........
.......... **met·a·mor·phic**
metamorphosis ..........
.......... **met·a·mor·pho·ses** *(pl.)*
mete ............. **meet** *(encounter)*
mete .................... **meat** *(food)*
metear ...................... **me·te·or**
metearology ... **mete·or·ol·o·gy**
meteing ... **met·ing** *(distributing)*
metellurgy .......... **met·al·lur·gy**
meterology ..... **mete·or·ol·o·gy**
methadical .......... **method·i·cal**
methadology .. **meth·od·ol·o·gy**
methed .................... **meth·od**
metickulous ........ **metic·u·lous**
meting .................... **meet·ing**
                        *(encountering)*
metle ............ **met·tle** *(courage)*
metomorphosis ..........
.......... **met·a·mor·pho·sis** *(sing.)*
metranome ........ **met·ro·nome**

metrapolitan .. **met·ro·pol·i·tan**
metrick ...................... **met·ric**
metricle ................... **met·ri·cal**
metropollitan ..........
.......... **met·ro·pol·i·tan**
mettabolism ..... **me·tab·o·lism**
mettal ........... **met·al** *(iron, etc.)*
mettamorphic ..........
.......... **met·a·mor·phic**
mettamorphosis ..........
.......... **met·a·mor·pho·sis** *(sing.)*
mettaphor ............ **met·a·phor**
metticulous ........ **metic·u·lous**
mettronome ...... **met·ro·nome**
mettropolitan ..........
.......... **met·ro·pol·i·tan**
Mexaco .................... **Mex·i·co**
mezanine ............ **mez·za·nine**
mezmerize .......... **mes·mer·ize**
Micheal .................... **Mi·chael**
micraphone ....... **mi·cro·phone**
micrascope ........ **mi·cro·scope**
micrawave ......... **mi·cro·wave**
microfeche .......... **mi·cro·fiche**
microfone .......... **mi·cro·phone**
microscopec ..... **mi·cro·scop·ic**
micsellanious ..........
.......... **mis·cel·la·ne·ous**
miday ...................... **mid·day**
middair ...................... **mid·air**
middel ...................... **mid·dle**
middleing ................ **mid·dling**

| WRONG | RIGHT | WRONG | RIGHT |
|---|---|---|---|
| midgit | **midg·et** | millagram | **mil·li·gram** |
| midieval | **me·di·e·val** | millameter | **mil·li·me·ter** |
| midle | **mid·dle** | milldew | **mil·dew** |
| midling | **mid·dling** | milleage | **mile·age** |
| midruff | **mid·riff** | millenary | **mil·li·nery** (hat shop) |
| mien | **mean** (middle) | | |
| miget | **midg·et** | millieu | **mi·lieu** |
| might | **mite** (insect; small amount) | millinery | **mil·le·nary** (a thousand) |
| migrane | **mi·graine** | millinnium | **mil·len·ni·um** |
| migrateing | **mi·grat·ing** | millionare | **mil·lion·aire** |
| migrent | **mi·grant** | millit | **mil·let** |
| mika | **mi·ca** | millitant | **mil·i·tant** |
| mikrofiche | **mi·cro·fiche** | millitary | **mil·i·tary** |
| mikrofilm | **mi·cro·film** | millitia | **mi·li·tia** |
| milatary | **mil·i·tary** | milliun | **mil·lion** |
| mildley | **mild·ly** | Millwaukee | **Mil·wau·kee** |
| mildue | **mil·dew** | mimeagraph | **mim·e·o·graph** |
| mileiu | **mi·lieu** | mimick | **mim·ic** |
| milenium | **mil·len·ni·um** | mimickry | **mim·ic·ry** |
| milicia | **mi·li·tia** | mimmeograph | **mim·e·o·graph** |
| miligram | **mil·li·gram** | | |
| milimeter | **mil·li·me·ter** | mimmic | **mim·ic** |
| milinery | **mil·li·nery** (hat shop) | minamal | **min·i·mal** |
| milion | **mil·lion** | minamum | **min·i·mum** |
| milionaire | **mil·lion·aire** | minarity | **mi·nor·i·ty** |
| militent | **mil·i·tant** | minaster | **min·is·ter** |
| militery | **mil·i·tary** | minasterial | **min·is·te·ri·al** |
| miliue | **mi·lieu** | minastrone | **mine·strone** |
| milktoast | **milque·toast** (timid person) | minature | **min·i·a·ture** |
| | | minceing | **minc·ing** |
| milkyness | **milk·i·ness** | mind | **mine** (pron.) |

131

| WRONG | RIGHT | WRONG | RIGHT |
|---|---|---|---|
| mine | **mind** *(intellect)* | miricle | **mir·a·cle** |
| miner | **mi·nor** *(underage person)* | mirrage | **mi·rage** |
| | | mirrer | **mir·ror** |
| minerel | **min·er·al** | mirrh | **myrrh** |
| Minesota | **Min·ne·so·ta** | mirtle | **myr·tle** |
| miniscule | **mi·nus·cule** | miscarrege | **mis·car·riage** |
| ministery | **min·is·try** | miscelaneous | **mis·cel·la·ne·ous** |
| ministrone | **mine·strone** | mischeif | **mis·chief** |
| minits | **min·utes** | mischevious | **mis·chie·vous** |
| miniture | **min·i·a·ture** | misconstrew | **mis·con·strue** |
| Minnasota | **Min·ne·so·ta** | misdemeaner | **mis·de·mean·or** |
| minneral | **min·er·al** | | |
| minnestrone | **mine·strone** | mishapen | **mis·shap·en** |
| minniature | **min·i·a·ture** | misile | **mis·sile** |
| minnimal | **min·i·mal** | mision | **mis·sion** |
| minnimum | **min·i·mum** | misionary | **mis·sion·ary** |
| minnister | **min·is·ter** | Misissippi | **Mis·sis·sippi** |
| minnisterial | **min·is·te·ri·al** | Misouri | **Mis·souri** |
| minor | **min·er** *(mine worker)* | mispell | **mis·spell** |
| minoraty | **mi·nor·i·ty** | mispernounce | **mis·pro·nounce** |
| minow | **min·now** | | |
| minsing | **minc·ing** | misrable | **mis·er·a·ble** |
| mint | **meant** *(pt. of mean)* | misrey | **mis·ery** |
| mintion | **men·tion** | missal | **mis·sile** |
| mintsmeat | **mince·meat** | missap | **mis·hap** |
| minuette | **min·u·et** | misscarriage | **mis·car·riage** |
| minural | **min·er·al** | misscellaneous | **mis·cel·la·ne·ous** |
| minuts | **min·utes** | | |
| miracel | **mir·a·cle** | misschief | **mis·chief** |
| mirackulous | **mirac·u·lous** | misschievous | **mis·chie·vous** |
| miraje | **mi·rage** | missconstrue | **mis·con·strue** |
| miriad | **myr·i·ad** | | |

| WRONG | RIGHT | WRONG | RIGHT |
|---|---|---|---|
| missdemeanor | mis·de·mean·or | miten | mit·ten |
| missellaneous | mis·cel·la·ne·ous | mithical | myth·i·cal |
| missfit | mis·fit | mithological | myth·o·log·i·cal |
| missfortune | mis·for·tune | mithology | my·thol·o·gy |
| missile | mis·sal (book) | mitst | midst (middle) |
| missionery | mis·sion·ary | mittigate | mit·i·gate |
| Missisippi | Mis·sis·sippi | mittin | mit·ten |
| missle | mis·sile | mixchure | mix·ture |
| misslead | mis·lead | mizer | mi·ser |
| missletoe | mis·tle·toe | mizerable | mis·er·a·ble |
| missplace | mis·place | mizery | mis·ery |
| misspronounce | mis·pro·nounce | mnemonick | mne·mon·ic |
| missrepresent | mis·rep·re·sent | moan | mown (pp. of mow) |
| misstake | mis·take | moat | mote (particle) |
| misstress | mis·tress | mobillize | mo·bi·lize |
| misstrial | mis·tri·al | moble | mo·bile |
| Missuri | Mis·souri | mockasin | moc·ca·sin |
| mist | midst (middle) | mockry | mock·ery |
| misterious | mys·te·ri·ous | modal | mod·el (a copy) |
| mistey | misty | modallity | mo·dal·i·ty |
| mistical | mys·ti·cal | modaration | mod·er·a·tion |
| misticism | mys·ti·cism | moddern | mod·ern |
| mistify | mys·ti·fy | moddest | mod·est |
| mistique | mys·tique | moddo | mot·to |
| mistriss | mis·tress | modecum | mod·i·cum |
| mistro | ma·es·tro | modefier | mod·i·fi·er |
| mitagate | mit·i·gate | model | mod·al (of a mode) |
| mite | might (aux.v.; power) | moderater | mod·er·a·tor |
| | | modifecation | mod·i·fi·ca·tion |
| | | modjule | mod·ule |
| | | modlin | maud·lin |
| | | modren | mod·ern |

| WRONG | RIGHT | WRONG | RIGHT |
|---|---|---|---|
| moduler | **mod·u·lar** | monapoly | **mo·nop·o·ly** |
| mogel | **mo·gul** | monarcical | **mo·nar·chi·cal** |
| moing | **mow·ing** | monarcy | **mon·ar·chy** |
| moissen | **mois·ten** | monark | **mon·arch** |
| moister | **mois·ture** *(wetness)* | monasstic | **mo·nas·tic** |
| molacule | **mol·e·cule** | monastary | **mon·as·tery** |
| molases | **mo·las·ses** | monatone | **mon·o·tone** |
| moldey | **moldy** | monder | **maun·der** |
| moleculer | **mo·lec·u·lar** | mone | **moan** *(groan)* |
| moler | **mo·lar** | mone | **mown** *(pp. of mow)* |
| molesstation | **moles·ta·tion** | mongrul | **mon·grel** |
| molify | **mol·li·fy** | monimental | **mon·u·men·tal** |
| mollecular | **mo·lec·u·lar** | monitary | **mon·e·tary** |
| mollecule | **mol·e·cule** | moniter | **mon·i·tor** |
| mollesk | **mol·lusk** | monky | **mon·key** |
| mollest | **mo·lest** | monnarchical | **mo·nar·chi·cal** |
| mollestation | **moles·ta·tion** | monnetary | **mon·e·tary** |
| mollten | **mol·ten** | monney | **mon·ey** |
| molusk | **mol·lusk** | monnitor | **mon·i·tor** |
| momemtery | **mo·men·tary** | monnogram | **mon·o·gram** |
| momentem | **mo·men·tum** | monnolith | **mon·o·lith** |
| momenterily | **momen·tar·i·ly** | monnotny | **mo·not·o·ny** |
| momento | **me·men·to** | monnumental | **mon·u·men·tal** |
| momentus | **mo·men·tous** | mononukleosis | |
| momint | **mo·ment** | | **mon·o·nu·cle·o·sis** |
| monacle | **mon·o·cle** | monoply | **mo·nop·o·ly** |
| monagamy | **mo·nog·a·my** | monopollize | **mo·nop·o·lize** |
| monagram | **mon·o·gram** | monostery | **mon·as·tery** |
| monagraph | **mon·o·graph** | monotany | **mo·not·o·ny** |
| monalith | **mon·o·lith** | monotnous | **mo·not·o·nous** |
| monalogue | **mon·o·logue** | Monseigneur | **Mon·si·gnor** |
| monapolize | **mo·nop·o·lize** | | *(Catholic title)* |

| WRONG | RIGHT | WRONG | RIGHT |
|---|---|---|---|
| Monsignor | **Mon·sei·gneur** *(French title)* | morgage | **mort·gage** |
| monstrosaty | **mon·stros·i·ty** | morge | **morgue** |
| monstrus | **mon·strous** | moring | **moor·ing** |
| monsune | **mon·soon** | moritorium | **mor·a·to·ri·um** |
| montaj | **mon·tage** | Morman | **Mor·mon** |
| monthley | **month·ly** | morning | **mourn·ing** *(grieving)* |
| monumentel | **mon·u·men·tal** | morover | **more·over** |
| mony | **mon·ey** | morphene | **mor·phine** |
| mooce | **moose** | morral | **mor·al** *(ethical)* |
| moodey | **moody** | morrale | **mo·rale** *(spirit)* |
| mool | **mule** | morrass | **mo·rass** |
| moor | **more** *(additional)* | morratorium | **mor·a·to·ri·um** |
| moosse | **mousse** *(food)* | morron | **mo·ron** |
| moping | **mop·ping** *(washing)* | morrose | **mo·rose** |
| mopping | **mop·ing** *(sulking)* | morsle | **mor·sel** |
| moral | **mo·rale** *(spirit)* | mortafy | **mor·ti·fy** |
| moralaty | **mo·ral·i·ty** | mortallity | **mor·tal·i·ty** |
| morale | **mor·al** *(ethical)* | mortarbord | **mor·tar·board** |
| morall | **mo·rale** *(spirit)* | mortel | **mor·tal** |
| morallistic | **mor·al·is·tic** | morter | **mor·tar** |
| morallity | **mo·ral·i·ty** | mortgege | **mort·gage** |
| moran | **mo·ron** | mortitian | **mor·ti·cian** |
| moratoreum | **mor·a·to·ri·um** | mortle | **mor·tal** |
| morays | **mo·res** | mortuery | **mor·tu·ary** |
| morbed | **mor·bid** | mosaick | **mo·sa·ic** |
| morbidety | **mor·bid·i·ty** | mosion | **mo·tion** |
| morchuary | **mor·tu·ary** | mosk | **mosque** |
| more | **moor** *(secure a ship)* | moskito | **mos·qui·to** |
| morel | **mor·al** *(ethical)* | mossoleum | **mau·so·le·um** |
| morelistick | **mor·al·is·tic** | motavate | **mo·ti·vate** |
| morfine | **mor·phine** | mote | **moat** *(ditch)* |
| | | moteef | **mo·tif** |

| WRONG | RIGHT | WRONG | RIGHT |
|---|---|---|---|
| motell | **mo·tel** | mownt | **mount** |
| moter | **mo·tor** | mowse | **mouse** (rodent) |
| motercade | **mo·tor·cade** | mowthful | **mouth·ful** |
| motiff | **mo·tif** | mowwing | **mow·ing** |
| motled | **mot·tled** | moysture | **mois·ture** (wetness) |
| motly | **mot·ley** | mozaic | **mo·sa·ic** |
| moto | **mot·to** | mozarella | **moz·za·rel·la** |
| motorcaid | **mo·tor·cade** | muchually | **mu·tu·al·ly** |
| motorcross | **mo·to·cross** | mucous | **mu·cus** (n.) |
| motorcykle | **mo·tor·cy·cle** | mucsle | **mus·cle** (brawn) |
| motorest | **mo·tor·ist** | mucus | **mu·cous** (adj.) |
| motsarella | **moz·za·rel·la** | muddey | **mud·dy** |
| mottel | **mo·tel** | mudey | **moody** |
| mottivate | **mo·ti·vate** | mudled | **mud·dled** |
| mottley | **mot·ley** | muffen | **muf·fin** |
| mouce | **mouse** (rodent) | mufler | **muf·fler** |
| mounteneer | **moun·tain·eer** | muger | **mug·ger** |
| mountin | **moun·tain** | muggey | **mug·gy** |
| mountnous | **moun·tain·ous** | mukraker | **muck·rak·er** |
| mournfull | **mourn·ful** | mulato | **mu·lat·to** |
| mourning | **morn·ing** (part of day) | mulet | **mul·let** |
| | | mullberry | **mul·ber·ry** |
| mouse | **mousse** (food) | mullish | **mul·ish** |
| mouthfull | **mouth·ful** | mullit | **mul·let** |
| move | **mauve** (purple) | multafarious | **mul·ti·far·i·ous** |
| moveing | **mov·ing** | multaple | **mul·ti·ple** |
| movemint | **move·ment** | multaplication | |
| movey | **mov·ie** | | **mul·ti·pli·ca·tion** |
| movible | **mov·a·ble** | multaplicity | **mul·ti·plic·i·ty** |
| movment | **move·ment** | multatude | **mul·ti·tude** |
| mown | **moan** (groan) | multatudinous | |
| mownd | **mound** | | **mul·ti·tu·di·nous** |

| WRONG | RIGHT | WRONG | RIGHT |
|---|---|---|---|
| multch | mulch | muscet | mus·ket |
| multifairious | mul·ti·far·i·ous | muscle | mus·sel *(shellfish)* |
| multipal | mul·ti·ple | muscrat | musk·rat |
| multiplacation | mul·ti·pli·ca·tion | musculer | mus·cu·lar |
| multiplisity | mul·ti·plic·i·ty | museing | mus·ing |
| multitudanous | mul·ti·tu·di·nous | mushmelon | musk·mel·on |
| mumbleing | mum·bling | mushrum | mush·room |
| mummyfy | mum·mi·fy | musicall | mu·si·cale *(social affair)* |
| mundain | mun·dane | musick | mu·sic |
| Munday | Mon·day | musicle | mu·si·cal *(of music)* |
| munger | mon·ger | musitian | mu·si·cian |
| municipallity | mu·nic·i·pal·i·ty | musium | mu·se·um |
| municiple | mu·nic·i·pal | muskatel | mus·ca·tel |
| munifisent | munif·i·cent | muskey | musky |
| munisipality | mu·nic·i·pal·i·ty | muskit | mus·ket |
| munk | monk | muskmellon | musk·mel·on |
| munkey | mon·key | muslen | mus·lin |
| munnitions | mu·ni·tions | mussey | mussy |
| munth | month | mussle | mus·sel *(shellfish)* |
| murcantile | mer·can·tile | mussle | mus·cle *(brawn)* |
| murcurial | mer·cu·ri·al | mussmelon | musk·mel·on |
| murcury | mer·cu·ry | mussrat | musk·rat |
| murcy | mer·cy | musstache | mus·tache |
| murderus | mur·der·ous | musterd | mus·tard |
| murel | mu·ral | mutanous | mu·ti·nous |
| murge | merge | mute | moot *(debatable)* |
| murkey | murky | muteable | mu·ta·ble |
| murmer | mur·mur | mutent | mu·tant |
| murral | mu·ral | muteny | mu·ti·ny |
| murtle | myr·tle | muther | moth·er |
| | | mutible | mu·ta·ble |

| WRONG | RIGHT | WRONG | RIGHT |
|---|---|---|---|
| mutillate | **mu·ti·late** | naghty | **naugh·ty** |
| mutinus | **mu·ti·nous** | nagotiate | **ne·go·ti·ate** |
| mutten | **mut·ton** | naigh | **neigh** *(whinny)* |
| muttilate | **mu·ti·late** | naivte | **na·ive·té** |
| mutualy | **mu·tu·al·ly** | namly | **name·ly** |
| muzeum | **mu·se·um** | namsake | **name·sake** |
| muzic | **mu·sic** | nannie | **nan·ny** |
| muzical | **mu·si·cal** *(of music)* | naped | **napped** |
| muzle | **muz·zle** | napken | **nap·kin** |
| muzlin | **mus·lin** | napsack | **knap·sack** |
| myread | **myr·i·ad** | naration | **nar·ra·tion** |
| myrh | **myrrh** | narative | **nar·ra·tive** |
| myrtel | **myr·tle** | narator | **nar·ra·tor** |
| mystefy | **mys·ti·fy** | narcisism | **nar·cis·sism** |
| mysteke | **mys·tique** | naritive | **nar·ra·tive** |
| mysterius | **mys·te·ri·ous** | narkotic | **nar·cot·ic** |
| mystickal | **mys·ti·cal** | narled | **gnarled** |
| mystirious | **mys·te·ri·ous** | narow | **nar·row** |
| mystisism | **mys·ti·cism** | narrater | **nar·ra·tor** |
| mystry | **mys·tery** | narretive | **nar·ra·tive** |
| mythalogical | **myth·o·log·i·cal** | narsicism | **nar·cis·sism** |
| mythalogy | **my·thol·o·gy** | nasallize | **na·sal·ize** |
| mythicel | **myth·i·cal** | Nasau | **Nas·sau** |
| | | nasel | **na·sal** |
| **N** | | nashing | **gnash·ing** |
| | | Nassaw | **Nas·sau** |
| Nabraska | **Ne·bras·ka** | nastey | **nas·ty** |
| nachure | **na·ture** | nat | **gnat** |
| nack | **knack** | natave | **na·tive** |
| nader | **na·dir** | natel | **na·tal** |
| naeve | **na·ive** | naterallize | **nat·u·ral·ize** |
| naevete | **na·ive·té** | naterally | **nat·u·ral·ly** |

*138*

| WRONG | RIGHT | WRONG | RIGHT |
|---|---|---|---|
| natetorium | na·ta·to·ri·um | nawtical | nau·ti·cal |
| natianally | na·tion·al·ly | nay | neigh *(whinny)* |
| natily | nat·ti·ly | nay | nee *(f.; born)* |
| nationallistic | na·tion·al·is·tic | nazel | na·sal |
| nationallity | na·tion·al·i·ty | Nazereth | Naz·a·reth |
| nationallize | na·tion·al·ize | Nazie | Na·zi |
| nationaly | na·tion·al·ly | nead | knead *(work dough)* |
| nativety | na·tiv·i·ty | neaded | need·ed *(required)* |
| nattally | nat·ti·ly | nealism | ni·hil·ism |
| nattivity | na·tiv·i·ty | nean | ne·on |
| natur | na·ture | Neanderthol | Nean·der·thal |
| naturallize | nat·u·ral·ize | neaphyte | ne·o·phyte |
| naturely | nat·u·ral·ly | Neapollitan | Nea·pol·i·tan |
| naturralist | nat·u·ral·ist | neatenning | neat·en·ing |
| nausiate | nau·se·ate | nebulla | neb·u·la |
| nausious | nau·seous | nebullous | neb·u·lous |
| nauticle | nau·ti·cal | necesary | nec·es·sary |
| nauty | naugh·ty | necesity | ne·ces·si·ty |
| Navada | Ne·vada | necessarally | nec·es·sar·i·ly |
| navagation | nav·i·ga·tion | neckercheif | neck·er·chief |
| navagible | nav·i·ga·ble | neckless | neck·lace |
| naval | na·vel *(umbilicus)* | necktarine | nec·tar·ine |
| nave | knave *(rogue)* | necsesary | nec·es·sary |
| navegator | nav·i·ga·tor | necter | nec·tar |
| Naveho | Nav·a·ho | necterine | nec·tar·ine |
| navel | na·val *(of a navy)* | nee | knee |
| navery | knav·ery | nee | né *(m.; born)* |
| navice | nov·ice | need | knead *(work dough)* |
| navigater | nav·i·ga·tor | neel | kneel |
| navish | knav·ish | nefew | neph·ew |
| navvigation | nav·i·ga·tion | neggation | ne·ga·tion |
| nawing | gnaw·ing | neggative | neg·a·tive |

| WRONG | RIGHT | WRONG | RIGHT |
|---|---|---|---|
| neggotiate | **ne·go·ti·ate** | neted | **net·ted** |
| neghbor | **neigh·bor** | nether | **nei·ther** *(not either)* |
| negitive | **neg·a·tive** | Netholands | **Neth·er·lands** |
| neglagible | **neg·li·gi·ble** | netled | **net·tled** |
| negleck | **neg·lect** | netwark | **net·work** |
| neglectfull | **neg·lect·ful** | neuance | **nu·ance** |
| neglegee | **neg·li·gee** | neumatic | **pneu·mat·ic** |
| negligable | **neg·li·gi·ble** | neumonia | **pneu·mo·nia** |
| negligance | **neg·li·gence** | neurallgia | **neu·ral·gia** |
| neglige | **neg·li·gee** | neurollogy | **neu·rol·o·gy** |
| neice | **niece** | neuroses | **neu·ro·sis** *(sing.)* |
| neighber | **neigh·bor** | neurosis | **neu·ro·ses** *(pl.)* |
| neither | **neth·er** *(lower)* | neurottic | **neu·rot·ic** |
| neklace | **neck·lace** | neute | **newt** |
| nektar | **nec·tar** | neuteron | **neu·tron** |
| nell | **knell** | neutrallity | **neu·tral·i·ty** |
| nemeses | **nem·e·sis** *(sing.)* | neutrallize | **neu·tral·ize** |
| nemesis | **nem·e·ses** *(pl.)* | neutril | **neu·tral** |
| nemonic | **mne·mon·ic** | neverthaless | **nev·er·the·less** |
| neophite | **ne·o·phyte** | New Jersy | **New Jer·sey** |
| Neopolitan | **Nea·pol·i·tan** | newliwed | **new·ly·wed** |
| nepatism | **nep·o·tism** | New Orleens | **New Or·le·ans** |
| neralgia | **neu·ral·gia** | newral | **neu·ral** |
| neroses | **neu·ro·ses** *(pl.)* | newveau riche | **nou·veau riche** |
| nerration | **nar·ra·tion** | | |
| nerture | **nur·ture** | New Zeeland | **New Zea·land** |
| nervana | **nir·va·na** | nexous | **nex·us** |
| nervey | **nervy** | ney | **nee** *(f.; born)* |
| nervus | **nerv·ous** | ney | **nay** *(no)* |
| nesesary | **nec·es·sary** | ney | **neigh** *(whinny)* |
| nesesity | **ne·ces·si·ty** | Niagera | **Ni·ag·a·ra** |
| nessle | **nes·tle** | nialism | **ni·hil·ism** |

| WRONG | RIGHT | WRONG | RIGHT |
|---|---|---|---|
| nibbeling | **nib·bling** | niped | **nipped** |
| nicatine | **nic·o·tine** | nippel | **nip·ple** |
| niceaty | **ni·ce·ty** | nitch | **niche** |
| Niceragua | **Nic·a·ra·gua** | nitragen | **ni·tro·gen** |
| nich | **niche** | nitraglycerin | **ni·tro·glyc·er·in** |
| nickers | **knick·ers** (short pants) | nitrait | **ni·trate** |
| nickknack | **knick·knack** | nitrick | **ni·tric** |
| nickle | **nick·el** | nitroglisserin | **ni·tro·glyc·er·in** |
| nickotine | **nic·o·tine** | nittie–grittie | **nit·ty–grit·ty** |
| nicks | **nix** (disapprove of) | nitting | **knit·ting** |
| nie | **nigh** | nittwit | **nit·wit** |
| nieghbor | **neigh·bor** | niusance | **nui·sance** |
| niese | **niece** | nives | **knives** (pl.) |
| niether | **nei·ther** (not either) | Noa | **No·ah** |
| nieve | **na·ive** | nobby | **knob·by** |
| nife | **knife** (sing.) | nobel | **no·ble** |
| nigation | **ne·ga·tion** | nobeler | **no·bler** |
| night | **knight** (rank) | nobelman | **no·ble·man** |
| nightengale | **night·in·gale** | nobillity | **no·bil·i·ty** |
| nightime | **night·time** | Noble | **No·bel** |
| nightmair | **night·mare** | nobley | **no·bly** |
| niglect | **neg·lect** | nock | **knock** (rap) |
| nihalism | **ni·hil·ism** | nockout | **knock·out** |
| nikname | **nick·name** | nockwurst | **knack·wurst** |
| nikotine | **nic·o·tine** | nocternal | **noc·tur·nal** |
| nilon | **ny·lon** | nodjule | **nod·ule** |
| nimbley | **nim·bly** | Noell | **No·el** |
| nimph | **nymph** | noisally | **nois·i·ly** |
| ninconpoop | **nin·com·poop** | noisey | **noisy** |
| ninteen | **nine·teen** | noissome | **noi·some** |
| nintieth | **nine·ti·eth** | nomanee | **nom·i·nee** |
| ninty | **nine·ty** | nome | **gnome** |

141

| WRONG | RIGHT | WRONG | RIGHT |
|---|---|---|---|
| nominaly | nom·i·nal·ly | normallize | nor·mal·ize |
| nominnation | nom·i·na·tion | normalsy | nor·mal·cy |
| nommad | no·mad | normelly | nor·mal·ly |
| nomminally | nom·i·nal·ly | northurn | north·ern |
| nommination | nom·i·na·tion | northword | north·ward |
| nomminee | nom·i·nee | Norwejian | Nor·we·gian |
| non | none | nostallgia | nos·tal·gia |
| noncense | non·sense | nostrel | nos·tril |
| nonchallance | non·cha·lance | notabley | no·ta·bly |
| noncomittal | non·com·mit·tal | notafication | noti·fi·ca·tion |
| nonconformest | non·con·form·ist | notariety | no·to·ri·e·ty |
| | | notarrize | no·ta·rize |
| nondiscrept | non·de·script | noteably | no·ta·bly |
| nonpariel | non·pa·reil | notefy | no·ti·fy |
| nonpartesan | non·par·ti·san | noteriety | no·to·ri·e·ty |
| nonpluss | non·plus | noterize | no·ta·rize |
| nonprofet | non·prof·it | notery | no·ta·ry |
| nonsence | non·sense | noticably | notice·a·bly |
| nonsensecal | non·sen·si·cal | notical | nau·ti·cal |
| non sequiter | non se·qui·tur | noticeing | no·tic·ing |
| nonshalance | non·cha·lance | notifacation | noti·fi·ca·tion |
| nontheless | none·the·less | notoriaty | no·to·ri·e·ty |
| nonuclear | non·nu·cle·ar | notorrious | no·to·ri·ous |
| noodel | noo·dle | notted | knot·ted |
| noogat | nou·gat *(confection)* | notworthy | note·wor·thy |
| nooter | neu·ter | nougat | nug·get *(lump)* |
| nootrient | nu·tri·ent | novellet | nov·el·ette |
| nootritionally | nutri·tion·al·ly | novellist | nov·el·ist |
| nootritous | nutri·tious | novilty | nov·el·ty |
| Nordick | Nor·dic | nowere | no·where |
| norishment | nour·ish·ment | noxous | nox·ious |
| normallity | nor·mal·i·ty | nozle | noz·zle |

| WRONG | RIGHT | WRONG | RIGHT |
|---|---|---|---|
| nu | gnu | nurishment | nour·ish·ment |
| nuckle | knuck·le | nuritis | neu·ri·tis |
| nucleas | nu·cle·us | nurology | neu·rol·o·gy |
| nucular | nu·cle·ar | nurrosis | neu·ro·sis *(sing.)* |
| nuculus | nu·cle·us | nurrotic | neu·rot·ic |
| nudety | nu·di·ty | nurseing | nurs·ing |
| nudgeing | nudg·ing | nursmaid | nurse·maid |
| nuence | nu·ance | nursrey | nurs·ery |
| nueral | neu·ral | nusance | nui·sance |
| nueron | neu·ron | nute | newt |
| nuerosis | neu·ro·sis *(sing.)* | nuter | neu·ter |
| nueter | neu·ter | nutreant | nu·tri·ent |
| nuetral | neu·tral | nutricious | nutri·tious |
| nuetron | neu·tron | nutritionaly | nutri·tion·al·ly |
| nugget | nou·gat *(confection)* | nuveau riche | nou·veau riche |
| nuggit | nug·get *(lump)* | nylong | ny·lon |
| nuging | nudg·ing | nymf | nymph |
| nuisence | nui·sance | | |
| nukleer | nu·cle·ar | **O** | |
| nukleus | nu·cle·us | | |
| nulify | nul·li·fy | oad | ode |
| num | numb | oakan | oak·en |
| numarel | nu·mer·al | oar | ore *(mineral)* |
| numbor | num·ber | oases | oa·sis *(sing.)* |
| numerater | nu·mer·a·tor | oasis | oa·ses *(pl.)* |
| numerrical | nu·mer·i·cal | oatmeel | oat·meal |
| numerus | nu·mer·ous | obalisk | ob·e·lisk |
| nummeral | nu·mer·al | obasance | obei·sance |
| nummerical | nu·mer·i·cal | obay | obey |
| nummskull | num·skull | obbelisk | ob·e·lisk |
| nuptual | nup·tial | obbese | obese |
| nurchure | nur·ture | obbituary | obit·u·ary |

143

| WRONG | RIGHT | WRONG | RIGHT |
|---|---|---|---|
| obbligatory | **ob·lig·a·to·ry** | observent | **ob·serv·ant** |
| obblivion | **ob·liv·i·on** | observible | **ob·serv·a·ble** |
| obece | **obese** | observitory | **ob·serv·a·to·ry** |
| obediance | **obe·di·ence** | obsesion | **ob·ses·sion** |
| obediant | **obe·di·ent** | obsesive | **ob·ses·sive** |
| obeisence | **obei·sance** | obsidean | **ob·sid·i·an** |
| obeyance | **abey·ance** | obsiquies | **ob·se·quies** |
| obeysance | **obei·sance** | obsolescense | **ob·so·les·cence** |
| obichuary | **obit·u·ary** | obsolessent | **ob·so·les·cent** |
| objeck | **ob·ject** | obstanately | **ob·sti·nate·ly** |
| objecktion | **ob·jec·tion** | obstatrician | **ob·ste·tri·cian** |
| objectionible | **ob·jec·tion·a·ble** | obstetricks | **ob·stet·rics** |
| objectivety | **ob·jec·tiv·i·ty** | obstickle | **ob·sta·cle** |
| oblagation | **ob·li·ga·tion** | obstinasy | **ob·sti·na·cy** |
| obleke | **ob·lique** | obstinatly | **ob·sti·nate·ly** |
| obligeing | **oblig·ing** | obstruck | **ob·struct** |
| obligetory | **ob·lig·a·to·ry** | obstrucktion | **ob·struc·tion** |
| oblije | **oblige** | obsurvation | **ob·ser·va·tion** |
| oblitterate | **ob·lit·er·ate** | obtane | **ob·tain** |
| obliveon | **ob·liv·i·on** | obtoose | **ob·tuse** |
| obliveous | **ob·liv·i·ous** | obtrussive | **ob·tru·sive** |
| obnoctious | **ob·nox·ious** | obveate | **ob·vi·ate** |
| obow | **oboe** | obveous | **ob·vi·ous** |
| obsalescent | **ob·so·les·cent** | obvurse | **ob·verse** |
| obsalete | **ob·so·lete** | obzervable | **ob·serv·a·ble** |
| obscenaty | **ob·scen·i·ty** | obzervation | **ob·ser·va·tion** |
| obscuraty | **ob·scu·ri·ty** | occasionly | **oc·ca·sion·al·ly** |
| obseckwies | **ob·se·quies** | occassion | **oc·ca·sion** |
| obsene | **ob·scene** | occelot | **oce·lot** |
| obsenity | **ob·scen·i·ty** | occidentel | **oc·ci·den·tal** |
| obsequius | **ob·se·qui·ous** | occular | **oc·u·lar** |
| observence | **ob·serv·ance** | occupansy | **oc·cu·pan·cy** |

| WRONG | RIGHT | WRONG | RIGHT |
|---|---|---|---|
| occupent | oc·cu·pant | o da cologne | eau de Co·logne |
| occupie | oc·cu·py | | |
| occured | oc·curred | oddaty | odd·i·ty |
| occuring | oc·cur·ring | oddometer | odom·e·ter |
| occurrance | oc·cur·rence | oddyssey | od·ys·sey |
| oceanagraphy | oce·an·og·ra·phy | odeous | odi·ous |
| | | oder | odor |
| oceanick | oce·an·ic | oderus | odor·ous |
| ocellot | oce·lot | Odisseus | Odys·se·us |
| ocian | ocean | odissey | od·ys·sey |
| ocktagon | oc·ta·gon | odity | odd·i·ty |
| ocktane | oc·tane | odius | odi·ous |
| Ocktober | Oc·to·ber | odrous | odor·ous |
| ocktopus | oc·to·pus | Odyseus | Odys·se·us |
| oclock | o'clock | odyssy | od·ys·sey |
| oclusion | oc·clu·sion | Oedapus | Oed·i·pus |
| ocra | okra | ofal | of·fal |
| ocsidental | oc·ci·den·tal | ofe | oaf |
| ocsillate | os·cil·late | ofend | of·fend |
| octain | oc·tane | ofense | of·fense |
| octapus | oc·to·pus | ofensive | of·fen·sive |
| octive | oc·tave | ofer | of·fer |
| octogon | oc·ta·gon | ofering | of·fer·ing |
| oculer | oc·u·lar | offace | of·fice |
| ocult | oc·cult | offel | of·fal |
| ocupancy | oc·cu·pan·cy | offen | of·ten |
| ocupant | oc·cu·pant | offerring | of·fer·ing |
| ocupational | oc·cu·pa·tion·al | officiery | of·fi·ci·ary |
| ocupy | oc·cu·py | officius | of·fi·cious |
| ocurred | oc·curred | offiser | of·fi·cer |
| ocurrence | oc·cur·rence | offishal | of·fi·cial |
| ocurring | oc·cur·ring | offishiary | of·fi·ci·ary |

| WRONG | RIGHT | WRONG | RIGHT |
|---|---|---|---|
| offishiate | **of·fi·ci·ate** | Olympicks | **Olym·pics** |
| oficer | **of·fi·cer** | ombudzman | **om·buds·man** |
| oficial | **of·fi·cial** | ome | **ohm** |
| oficiary | **of·fi·ci·ary** | omellet | **om·e·let** |
| oficiate | **of·fi·ci·ate** | omenous | **om·i·nous** |
| oficious | **of·fi·cious** | omin | **omen** |
| ofing | **off·ing** | omision | **omis·sion** |
| ofset | **off·set** | omiting | **omit·ting** |
| oftin | **of·ten** | omlet | **om·e·let** |
| oger | **ogre** | ommen | **omen** |
| oggled | **ogled** | omminous | **om·i·nous** |
| ohem | **ohm** | ommision | **omis·sion** |
| oiller | **oil·er** | omnabus | **om·ni·bus** |
| oilly | **oily** | omnipitence | **om·nip·o·tence** |
| ointmint | **oint·ment** | omnipotant | **om·nip·o·tent** |
| oister | **oys·ter** | omnisciance | **om·nis·cience** |
| oke | **oak** *(tree)* | omnisciant | **om·nis·cient** |
| oker | **ocher** | omniverous | **om·niv·o·rous** |
| okre | **okra** | onamatopoeia | |
| olagarchy | **ol·i·gar·chy** | | **on·o·mat·o·poe·ia** |
| oldin | **old·en** | oncore | **en·core** |
| oleomargerine | | one | **won** *(pt. of win)* |
| | **ole·o·mar·ga·rine** | onerus | **on·er·ous** |
| olfactry | **ol·fac·to·ry** | oness | **onus** |
| oligarky | **ol·i·gar·chy** | onesself | **one·self** |
| Olimpics | **Olym·pics** | onian | **on·ion** |
| oliomargarine | | onix | **on·yx** |
| | **ole·o·mar·ga·rine** | onley | **on·ly** |
| ollfactory | **ol·fac·to·ry** | onomatapoeia | |
| olligarchy | **ol·i·gar·chy** | | **on·o·mat·o·poe·ia** |
| ollive | **ol·ive** | onorous | **on·er·ous** |
| ol–timer | **old–tim·er** | on route | **en route** |

| WRONG | RIGHT | WRONG | RIGHT |
|---|---|---|---|
| onse | once | oportunism | op·por·tun·ism |
| onsemble | en·sem·ble | oportunity | op·por·tu·ni·ty |
| onslot | on·slaught | oposite | op·po·site |
| ontourage | en·tou·rage | opossition | op·po·si·tion |
| ontray | en·tree | opp | opt |
| onvoy | en·voy | oppalescent | opal·es·cent |
| onword | on·ward | oppaque | opaque |
| onyon | on·ion | oppen | open |
| oozo | ou·zo | oppera | op·era |
| opake | opaque | opperant | op·er·ant |
| opalessent | opal·es·cent | opperate | op·er·ate |
| opasity | opac·i·ty | opperational | op·er·a·tion·al |
| opeate | opi·ate | opperetta | op·er·et·ta |
| opel | opal | oppertune | op·por·tune |
| openner | open·er | oppertunity | op·por·tu·ni·ty |
| openning | open·ing | oppinion | opin·ion |
| operater | op·er·a·tor | opponant | op·po·nent |
| operatick | op·er·at·ic | opportuneism | op·por·tun·ism |
| operationel | op·er·a·tion·al | opposeable | op·pos·a·ble |
| operent | op·er·ant | opposeing | op·pos·ing |
| opereta | op·er·et·ta | opposission | op·po·si·tion |
| operible | op·er·a·ble | opposite | op·po·site |
| opes | opus | oppossum | opos·sum |
| opeum | opi·um | oppresed | op·pressed |
| ophthamology | oph·thal·mol·o·gy | oppresion | op·pres·sion |
| opiam | opi·um | oppresser | op·pres·sor |
| opin | open | opprobrius | op·pro·bri·ous |
| opinian | opin·ion | oppulent | op·u·lent |
| opinionnated | opin·ion·at·ed | opra | op·era |
| oponent | op·po·nent | oprable | op·er·a·ble |
| oportune | op·por·tune | opratic | op·er·at·ic |
| | | oprative | op·er·a·tive |

| WRONG | RIGHT | WRONG | RIGHT |
|---|---|---|---|
| opressed | **op·pressed** | orcesstra | **or·ches·tra** |
| opression | **op·pres·sion** | orched | **or·chid** |
| oprobrious | **op·pro·bri·ous** | orcherd | **or·chard** |
| opsional | **op·tion·al** | orchestrel | **or·ches·tral** |
| optacal | **op·ti·cal** | orchistra | **or·ches·tra** |
| optamal | **op·ti·mal** | orcid | **or·chid** |
| optamism | **op·ti·mism** | ordanal | **or·di·nal** |
| optamistic | **op·ti·mis·tic** | ordanance | **or·di·nance** |
| opthalmology | **oph·thal·mol·o·gy** | | *(regulation)* |
| optick | **op·tic** | ordanarily | **or·di·nar·i·ly** |
| opticle | **op·ti·cal** | ordanary | **or·di·nary** |
| optimel | **op·ti·mal** | ordanation | **or·di·na·tion** |
| optimistick | **op·ti·mis·tic** | ordane | **or·dain** |
| optimizm | **op·ti·mism** | ordeel | **or·deal** |
| optionel | **op·tion·al** | orderley | **or·der·ly** |
| optitian | **op·ti·cian** | ordinance | **ord·nance** |
| optomatrist | **op·tom·e·trist** | | *(military weapons)* |
| optomology | **oph·thal·mol·o·gy** | ordinaraly | **or·di·nar·i·ly** |
| opulant | **op·u·lent** | ordnance | **or·di·nance** |
| or | **oar** *(paddle)* | | *(regulation)* |
| or | **ore** *(mineral)* | ordnarily | **or·di·nar·i·ly** |
| oracal | **or·a·cle** *(wise person)* | ordnary | **or·di·nary** |
| orafice | **or·i·fice** | ordnation | **or·di·na·tion** |
| oragin | **or·i·gin** | ordnence | **ord·nance** |
| oral | **au·ral** *(of the ear)* | | *(military weapons)* |
| orangatan | **orang·u·tan** | ore | **oar** *(paddle)* |
| orateing | **orat·ing** | ore | **or** *(conj.)* |
| orater | **or·a·tor** | ore d'oeuvre | **hors d'oeu·vre** |
| oratoricle | **ora·tor·i·cal** | oregeno | **oreg·a·no** |
| orbet | **or·bit** | oreintal | **ori·en·tal** |
| | | oreintate | **ori·en·tate** |
| | | orel | **oral** *(of the mouth)* |

148

| WRONG | RIGHT | WRONG | RIGHT |
|---|---|---|---|
| orenge | or·ange | orregano | oreg·a·no |
| orfan | or·phan | orthadontist | or·tho·don·tist |
| organazation | or·gan·i·za·tion | orthadox | or·tho·dox |
| organick | or·gan·ic | orthapedics | or·tho·pe·dics |
| organizeing | or·gan·iz·ing | oscilate | os·cil·late |
| organizm | or·gan·ism | oscillater | os·cil·la·tor |
| orgazm | or·gasm | oseanic | oce·an·ic |
| orgeastic | or·gi·as·tic | oselot | oce·lot |
| orgen | or·gan | oshean | ocean |
| orgendy | or·gan·dy | osmossis | os·mo·sis |
| orgenism | or·gan·ism | ossafy | os·si·fy |
| orgenization | or·gan·i·za·tion | ossillate | os·cil·late |
| orgiastick | or·gi·as·tic | osstensible | os·ten·si·ble |
| oriantal | ori·en·tal | osstentatious | os·ten·ta·tious |
| oriantate | ori·en·tate | osteapath | os·te·o·path |
| oricle | or·a·cle *(wise person)* | ostensable | os·ten·si·ble |
| oriface | or·i·fice | ostentatius | os·ten·ta·tious |
| origanal | orig·i·nal | ostiopath | os·te·o·path |
| origen | or·i·gin | ostrasize | os·tra·cize |
| origenate | orig·i·nate | ostritch | os·trich |
| originallity | orig·i·nal·i·ty | otemeal | oat·meal |
| originaly | orig·i·nal·ly | oter | ot·ter |
| originel | orig·i·nal | othe | oath |
| Origon | Or·e·gon | Ottowa | Ot·ta·wa |
| orjiastic | or·gi·as·tic | ouht | ought |
| orjy | or·gy | oul | owl |
| ornamint | or·na·ment | ounse | ounce |
| ornry | or·nery | outragious | out·ra·geous |
| orphanege | or·phan·age | outriger | out·rig·ger |
| orphen | or·phan | outter | out·er |
| orrangutang | orang·u·tan | outting | out·ing |
| orratorical | ora·tor·i·cal | outword | out·ward |

| WRONG | RIGHT | WRONG | RIGHT |
|---|---|---|---|
| ouze | **ooze** | oxigen | **ox·y·gen** |
| ovature | **over·ture** | oxydation | **ox·i·da·tion** |
| ovel | **oval** | oze | **ooze** |
| overals | **over·alls** | ozmosis | **os·mo·sis** |
| overate | **over·rate** *(rate too highly)* | ozzone | **ozone** |
| overawd | **over·awed** | | |
| overbering | **over·bear·ing** | **P** | |
| overbord | **over·board** | | |
| overchure | **over·ture** | pacefier | **pac·i·fi·er** |
| overlaping | **over·lap·ping** | pacefist | **pac·i·fist** |
| overrought | **over·wrought** | pachiderm | **pach·y·derm** |
| overule | **over·rule** | pack | **pact** *(agreement)* |
| overun | **over·run** | packedge | **pack·age** |
| overwelm | **over·whelm** | packyderm | **pach·y·derm** |
| overy | **ova·ry** | paddel | **pad·dle** |
| oveture | **over·ture** | paddeling | **pad·dling** |
| ovewlation | **ovu·la·tion** | paddy | **pat·ty** *(cake)* |
| ovin | **ov·en** | padock | **pad·dock** |
| ovry | **ova·ry** | pageantrey | **pag·eant·ry** |
| ovuler | **ovu·lar** | pagen | **pa·gan** |
| ovullation | **ovu·la·tion** | pagenation | **pag·i·na·tion** |
| ovurt | **overt** | pagent | **pag·eant** |
| oweing | **ow·ing** | pail | **pale** *(white)* |
| owllish | **owl·ish** | pain | **pane** *(window)* |
| ownce | **ounce** | painfull | **pain·ful** |
| ownly | **on·ly** | pair | **pare** *(trim)* |
| owst | **oust** | pair | **pear** *(fruit)* |
| owter | **out·er** | pairody | **par·o·dy** |
| oxedation | **ox·i·da·tion** | pajammas | **pa·ja·mas** |
| oxferd | **ox·ford** | Pakestan | **Pa·ki·stan** |
| oxidental | **oc·ci·den·tal** | palacial | **pa·la·tial** |
| | | palate | **pal·let** *(bed; platform)* |

| WRONG | RIGHT | WRONG | RIGHT |
|---|---|---|---|
| palate | **pal·ette** *(paint board)* | papreka | **pa·pri·ka** |
| pale | **pail** *(bucket)* | paradice | **par·a·dise** |
| paletable | **pal·at·a·ble** | paradime | **par·a·digm** |
| palette | **pal·ate** *(roof of mouth)* | parady | **par·o·dy** |
| palette | **pal·let** *(bed; platform)* | parafin | **par·af·fin** |
| Palistine | **Pal·es·tine** | paralel | **par·al·lel** |
| pallace | **pal·ace** | paralize | **par·a·lyze** |
| paller | **pal·lor** | parallysis | **pa·ral·y·sis** |
| Pallestine | **Pal·es·tine** | parameter | **pe·rim·e·ter** |
| pallet | **pal·ate** *(roof of mouth)* | | *(boundary)* |
| palletible | **pal·at·a·ble** | paraphenalia | |
| pallette | **pal·ette** *(paint board)* | | **par·a·pher·na·lia** |
| pallsy | **pal·sy** | parden | **par·don** |
| palmestry | **palm·is·try** | pare | **pair** *(two)* |
| palpatate | **pal·pi·tate** | pare | **pear** *(fruit)* |
| palpible | **pal·pa·ble** | pareble | **par·a·ble** |
| palsey | **pal·sy** | paredigm | **par·a·digm** |
| paltrey | **pal·try** *(trifling)* | parefenalia | **par·a·pher·na·lia** |
| paltry | **poul·try** *(fowls)* | paregaric | **par·e·gor·ic** |
| pamflit | **pam·phlet** | paregraph | **par·a·graph** |
| panarama | **pan·o·ra·ma** | Pareguay | **Par·a·guay** |
| pancrias | **pan·cre·as** | parentheses | **pa·ren·the·sis** |
| pane | **pain** *(hurt)* | | *(sing.)* |
| paned | **panned** *(pt. of pan)* | parenthesis | **pa·ren·the·ses** |
| panellist | **pan·el·ist** | | *(pl.)* |
| paniking | **pan·ick·ing** | paresite | **par·a·site** |
| pannel | **pan·el** | parfay | **par·fait** |
| pansie | **pan·sy** | paridise | **par·a·dise** |
| pantamine | **pan·to·mime** | paridox | **par·a·dox** |
| paper-maché | **pa·pier–mâ·ché** | pariffin | **par·af·fin** |
| pappal | **pa·pal** | parigon | **par·a·gon** |
| pappaya | **pa·pa·ya** | parikeet | **par·a·keet** |

| WRONG | RIGHT | WRONG | RIGHT |
|---|---|---|---|
| parimount | par·a·mount | parrity | par·i·ty |
| parinoia | par·a·noia | parsel | par·cel |
| parish | per·ish *(die)* | parsen | par·son |
| parishute | par·a·chute | parsly | pars·ley |
| parisol | par·a·sol | partecle | par·ti·cle |
| paritrooper | par·a·troop·er | partesan | par·ti·san |
| parkay | par·quet | partiallity | par·ti·al·i·ty |
| parlay | par·ley *(confer)* | partialy | par·tial·ly |
| parler | par·lor | participial | par·ti·ci·ple *(n.)* |
| parley | par·lay *(bet)* | participle | par·ti·cip·i·al *(adj.)* |
| parliment | par·lia·ment | particuler | par·tic·u·lar |
| parocheal | pa·ro·chi·al | partime | part–time |
| parolled | pa·roled | partisipant | par·tic·i·pant |
| parot | par·rot | partisipeal | par·ti·cip·i·al *(adj.)* |
| parrable | par·a·ble | partisiple | par·ti·ci·ple *(n.)* |
| parrachute | par·a·chute | partrige | par·tridge |
| parrade | pa·rade | paruse | pe·ruse |
| parradox | par·a·dox | pasable | pass·a·ble |
| parragon | par·a·gon | pasage | pas·sage |
| parragraph | par·a·graph | pasay | pas·sé |
| parrakeet | par·a·keet | Pasedena | Pas·a·de·na |
| parralel | par·al·lel | pasemaker | pace·mak·er |
| parralysis | pa·ral·y·sis | pasenger | pas·sen·ger |
| parralyze | par·a·lyze | Pasific | Pa·cif·ic |
| parrameter | pa·ram·e·ter *(math constant)* | pasionnate | pas·sion·ate |
| | | pasive | pas·sive |
| parramount | par·a·mount | pasport | pass·port |
| parranoia | par·a·noia | passanger | pas·sen·ger |
| parraphrase | par·a·phrase | passed | past *(over; beyond)* |
| parrasol | par·a·sol | passege | pas·sage |
| parrental | pa·ren·tal | passeve | pas·sive |
| parret | par·rot | passible | pass·a·ble |

| WRONG | RIGHT | WRONG | RIGHT |
|---|---|---|---|
| passifier | **pac·i·fi·er** | patriat | **pa·tri·ot** |
| passifist | **pac·i·fist** | patrinagee | **pa·tron·age** |
| passionite | **pas·sion·ate** | patroleum | **pe·tro·le·um** |
| passtel | **pas·tel** | patroling | **pa·trol·ling** |
| passteurize | **pas·teur·ize** | patronnage | **pa·tron·age** |
| passtime | **pas·time** | patronnize | **pa·tron·ize** |
| passtrami | **pas·tra·mi** | pattent | **pat·ent** |
| past | **passed** (pt. of pass) | patternal | **pa·ter·nal** |
| paster | **pas·ture** (field) | pattriotic | **pa·tri·ot·ic** |
| paster | **pas·tor** (clergyman) | patturn | **pat·tern** |
| pasteral | **pas·to·ral** | patty | **pad·dy** (rice) |
| pastesh | **pas·tiche** | paun | **pawn** |
| pastor | **pas·ture** (field) | paverty | **pov·er·ty** |
| pastrey | **pas·try** | pavillion | **pa·vil·ion** |
| pastural | **pas·to·ral** | payible | **pay·a·ble** |
| pasture | **pas·tor** (clergyman) | peacan | **pe·can** |
| pastureize | **pas·teur·ize** | peace | **piece** (part) |
| patassium | **po·tas·si·um** | peacefull | **peace·ful** |
| pateo | **pa·tio** | peacemeal | **piece·meal** |
| patern | **pat·tern** | peak | **peek** (glance) |
| paternize | **pa·tron·ize** | peak | **pique** (offend) |
| pathas | **pa·thos** | peal | **peel** (skin) |
| pathelogical | **path·o·log·i·cal** | peany | **pe·o·ny** |
| patholegist | **pa·thol·o·gist** | pear | **pare** (trim) |
| pathollogical | **path·o·log·i·cal** | pear | **pair** (two) |
| patience | **pa·tients** (pl. of patient) | pearce | **pierce** |
| | | pearl | **purl** (stitch) |
| patients | **pa·tience** (endurance) | peasantrey | **peas·ant·ry** |
| | | peasent | **peas·ant** |
| patition | **pe·ti·tion** | peble | **peb·ble** |
| patrearch | **pa·tri·arch** | pecon | **pe·can** |
| patren | **pa·tron** | peculierity | **pecu·li·ar·i·ty** |

153

| WRONG | RIGHT | WRONG | RIGHT |
|---|---|---|---|
| pedagree | **ped·i·gree** | pendullum | **pen·du·lum** |
| pedal | **ped·dle** *(sell)* | pengwin | **pen·guin** |
| peddeler | **ped·dler** | penicilin | **pen·i·cil·lin** |
| peddestal | **ped·es·tal** | penitentiery | **pen·i·ten·tia·ry** |
| peddestrian | **pe·des·tri·an** | penitration | **pen·e·tra·tion** |
| peddle | **ped·al** *(foot lever)* | pennalize | **pe·nal·ize** |
| pedeatrician | **pe·di·a·tri·cian** | pennalty | **pen·al·ty** |
| pedistal | **ped·es·tal** | pennance | **pen·ance** |
| peech | **peach** | pennent | **pen·nant** |
| peecock | **pea·cock** | pennetration | **pen·e·tra·tion** |
| peek | **peak** *(summit)* | pennicillin | **pen·i·cil·lin** |
| peek | **pique** *(offend)* | penninsula | **pen·in·su·la** |
| peel | **peal** *(a ringing)* | Pennsilvania | **Penn·syl·va·nia** |
| peenut | **pea·nut** | pensave | **pen·sive** |
| peeple | **peo·ple** | Pentacostal | **Pen·te·cos·tal** |
| peer | **pier** *(structure)* | pentamiter | **pen·tam·e·ter** |
| peice | **piece** *(part)* | Pentatuch | **Pen·ta·teuch** |
| peir | **pier** *(structure)* | pentigon | **pen·ta·gon** |
| peirce | **pierce** | pention | **pen·sion** |
| pejoritive | **pejo·ra·tive** | peonie | **pe·o·ny** |
| pelet | **pel·let** | pepermint | **pep·per·mint** |
| pellican | **pel·i·can** | peragoric | **par·e·gor·ic** |
| pellit | **pel·let** | perascope | **per·i·scope** |
| pelvas | **pel·vis** | peratrooper | **par·a·troop·er** |
| penacillin | **pen·i·cil·lin** | percarious | **pre·car·i·ous** |
| penall | **pe·nal** | percaution | **pre·cau·tion** |
| penallize | **pe·nal·ize** | percedure | **pro·ce·dure** |
| penant | **pen·nant** | perceed | **pro·ceed** *(go on)* |
| penatentiary | **pen·i·ten·tia·ry** | perceiveable | **per·ceiv·a·ble** |
| pencel | **pen·cil** *(writing instrument)* | perceptably | **per·cep·ti·bly** |
| penchent | **pen·chant** | percession | **pre·ces·sion** *(precedence)* |

154

| WRONG | RIGHT | WRONG | RIGHT |
|---|---|---|---|
| percession | **pro·ces·sion** *(parade)* | pergressive | **pro·gres·sive** |
| perchase | **pur·chase** | perhibit | **pro·hib·it** |
| percieve | **per·ceive** | perifery | **pe·riph·ery** |
| percipitation | **pre·cip·i·ta·tion** | perillous | **per·il·ous** |
| percise | **pre·cise** *(definite)* | perimedic | **par·a·med·ic** |
| percision | **pre·ci·sion** | perimeter | **pa·ram·e·ter** *(math constant)* |
| perclaim | **pro·claim** | perinoia | **par·a·noia** |
| perclude | **pre·clude** | perioddical | **pe·ri·od·i·cal** |
| percocious | **pre·co·cious** | peripharel | **pe·riph·er·al** |
| percollator | **per·co·la·tor** | periphary | **pe·riph·ery** |
| percure | **pro·cure** | perish | **par·ish** *(church district)* |
| percursor | **pre·cur·sor** | perjection | **pro·jec·tion** |
| percushion | **per·cus·sion** | perjector | **pro·jec·tor** |
| perdicament | **pre·dic·a·ment** | perjery | **per·ju·ry** |
| perdiction | **pre·dic·tion** | perjorative | **pejo·ra·tive** |
| perdigious | **pro·di·gious** | perkalator | **per·co·la·tor** |
| perdominant | **pre·dom·i·nant** | perl | **pearl** *(gem)* |
| perducer | **pro·duc·er** | perl | **purl** *(stitch)* |
| perduction | **pro·duc·tion** | perliminary | **pre·lim·i·nary** |
| perelous | **per·il·ous** | permenant | **per·ma·nent** |
| perenial | **per·en·ni·al** | permiable | **per·me·a·ble** |
| perenthesis | **pa·ren·the·sis** *(sing.)* | permiate | **per·me·ate** |
| | | perminent | **per·ma·nent** |
| perfectable | **per·fect·i·ble** | permisive | **per·mis·sive** |
| perferate | **per·fo·rate** | permissable | **per·mis·si·ble** |
| perfess | **pro·fess** | permited | **per·mit·ted** |
| perfessional | **pro·fes·sion·al** | permmutation | **per·mu·ta·tion** |
| perficient | **pro·fi·cient** | pernounce | **pro·nounce** |
| performance | **per·form·ance** | pernunciation | **pro·nun·ci·a·tion** |
| perfusion | **pro·fu·sion** | | |
| pergatory | **pur·ga·to·ry** | perochial | **pa·ro·chi·al** |

| WRONG | RIGHT | WRONG | RIGHT |
|---|---|---|---|
| perogative | **pre·rog·a·tive** | perscription | **pre·scrip·tion** |
| peroled | **pa·roled** | persecute | **pros·e·cute** |
| perpatrate | **per·pe·trate** | | *(legal term)* |
| perpellant | **pro·pel·lant** | persent | **per·cent** |
| perpendiculer | **per·pen·dic·u·lar** | persentable | **pre·sent·a·ble** |
| perpertrate | **per·pe·trate** | persentament | **pre·sen·ti·ment** |
| perpettuate | **per·pet·u·ate** | | *(foreboding)* |
| perpetualy | **per·pet·u·al·ly** | perseptibly | **per·cep·ti·bly** |
| perpindicular | **per·pen·dic·u·lar** | perseption | **per·cep·tion** |
| perplexaty | **per·plex·i·ty** | perserve | **pre·serve** |
| perponderance | **pre·pon·der·ance** | perserverance | **per·se·ver·ance** |
| perportionate | **pro·por·tion·ate** | persistance | **per·sist·ence** |
| perposely | **pur·pose·ly** | personafication | **per·son·i·fi·ca·tion** |
| perposterous | **pre·pos·ter·ous** | personal | **per·son·nel** |
| perquisite | **pre·req·ui·site** | | *(employees)* |
| | *(requirement)* | personallity | **per·son·al·i·ty** |
| perrenial | **per·en·ni·al** | personel | **per·son·nel** |
| perrimeter | **pe·rim·e·ter** | | *(employees)* |
| | *(boundary)* | personel | **per·son·al** *(private)* |
| perripheral | **pe·riph·er·al** | personible | **per·son·a·ble** |
| perriscope | **per·i·scope** | personnage | **per·son·age** |
| persacute | **per·se·cute** | personnality | **per·son·al·i·ty** |
| | *(harass)* | personnel | **per·son·al** *(private)* |
| persaverence | **per·se·ver·ance** | perspectave | **per·spec·tive** |
| per–say | **per se** | | *(view)* |
| perscribe | **pre·scribe** *(order)* | perspective | **pro·spec·tive** |
| perscribe | **pro·scribe** *(forbid)* | | *(expected)* |
| | | persperation | **per·spi·ra·tion** |
| | | persuassive | **per·sua·sive** |
| | | persuation | **per·sua·sion** |

| WRONG | RIGHT | WRONG | RIGHT |
|---|---|---|---|
| persuede | **per·suade** | pettition | **pe·ti·tion** |
| persuit | **pur·suit** | peuter | **pew·ter** |
| persume | **pre·sume** | phantem | **phan·tom** |
| persumption | **pre·sump·tion** | pharmeceutical | **phar·ma·ceu·ti·cal** |
| persumptuous | **pre·sump·tu·ous** | pharmecy | **phar·ma·cy** |
| pertanent | **per·ti·nent** | Pharoh | **Phar·aoh** *(Egyptian ruler)* |
| pertector | **pro·tec·tor** | | |
| pertend | **pre·tend** *(simulate)* | phase | **faze** *(disturb)* |
| pertend | **por·tend** *(foreshadow)* | phaze | **phase** *(stage)* |
| pertentious | **pre·ten·tious** | phenomenan | **phe·nom·e·non** |
| perterb | **per·turb** | phenominal | **phe·nom·e·nal** |
| perticipant | **par·tic·i·pant** | Pheonix | **Phoe·nix** |
| perticular | **par·tic·u·lar** | Pheraoh | **Phar·aoh** *(Egyptian ruler)* |
| pertition | **par·ti·tion** | | |
| pervailing | **pre·vail·ing** | pheseant | **pheas·ant** |
| pervassive | **per·va·sive** | philbert | **fil·bert** |
| pervertion | **per·ver·sion** | Philedelphia | **Phil·a·del·phia** |
| pervurse | **per·verse** | philharmonnic | **phil·har·mon·ic** |
| pesant | **peas·ant** | | |
| pessamism | **pes·si·mism** | Philipines | **Phil·ip·pines** |
| pestalence | **pes·ti·lence** | phillanthropist | **phi·lan·thro·pist** |
| peta | **pi·ta** | | |
| pete moss | **peat moss** | philosipher | **phi·los·o·pher** |
| petigree | **ped·i·gree** | phisically | **phys·i·cal·ly** |
| petle | **pet·al** | phisiology | **phys·i·ol·o·gy** |
| petoonia | **pe·tu·nia** | phlem | **phlegm** |
| petrachemical | **pet·ro·chem·i·cal** | phobea | **pho·bia** |
| petrefied | **pet·ri·fied** | phonegraph | **pho·no·graph** |
| petrollium | **pe·tro·le·um** | phoney | **pho·ny** |
| pettiecoat | **pet·ti·coat** | phonnetic | **pho·net·ic** |
| | | phosfate | **phos·phate** |

| WRONG | RIGHT | WRONG | RIGHT |
|---|---|---|---|
| phosforescence ......... ......... **phos·pho·res·cence** | | pidgeon ............. **pi·geon** *(bird)* | |
| phosforus .......... **phos·pho·rus** | | piece .............. **peace** *(serenity)* | |
| phosphoresence ......... ......... **phos·pho·res·cence** | | pier ............. **peer** *(equal; look)* | |
| | | piggon ............... **pi·geon** *(bird)* | |
| photoes ..................... **pho·tos** | | pigmie ..................... **pyg·my** | |
| photogennic ....... **pho·to·gen·ic** | | pijamas ............... **pa·ja·mas** | |
| photografer ... **pho·tog·ra·pher** | | pikaxe ................. **pick·ax** | |
| photosinthesis ......... ......... **pho·to·syn·the·sis** | | piknic ................. **pic·nic** | |
| | | pilage ................. **pil·lage** | |
| physicion ............. **phy·si·cian** | | pilar ................... **pil·lar** | |
| physicly ............... **phys·i·cal·ly** | | pilet ................... **pi·lot** | |
| physiollogy ....... **phys·i·ol·o·gy** | | pilgrem ................ **pil·grim** | |
| pianeer .................... **pi·o·neer** | | pilgrimege ........... **pil·grim·age** | |
| piannist ................... **pi·an·ist** | | pillege ................ **pil·lage** | |
| pianoes .................. **pi·an·os** | | piller ................... **pil·lar** | |
| piaty ....................... **pi·e·ty** | | pillgrim ................ **pil·grim** | |
| pican ...................... **pe·can** | | pilow .................... **pil·low** | |
| piceyune ............... **pic·a·yune** | | pimmento ............... **pi·men·to** | |
| picher ...................... **pitch·er** *(hurler; container)* | | pimpel ..................... **pim·ple** | |
| pichfork .................. **pitch·fork** | | pinacle .. **pi·noch·le** *(card game)* | |
| pickel ..................... **pick·le** | | pinacle ......... **pin·na·cle** *(acme)* | |
| pickeling ................. **pick·ling** | | pinapple ............... **pine·ap·ple** | |
| picknic .................... **pic·nic** | | pinnacle ................. **pi·noch·le** *(card game)* | |
| pickyune ............... **pic·a·yune** | | | |
| picnik .................... **pic·nic** | | pinnicle ........ **pin·na·cle** *(acme)* | |
| picniking ............. **pic·nick·ing** | | pipeing ...................... **pip·ing** | |
| picollo ................... **pic·co·lo** | | pipline ................ **pipe·line** | |
| pictoral ................. **pic·to·ri·al** | | piracey ..................... **pi·ra·cy** | |
| picturresque ...... **pic·tur·esque** | | piramid ................ **pyr·a·mid** | |
| picuniary ............ **pe·cu·ni·ary** | | pire ........................... **pyre** | |
| | | piriodical ........... **pe·ri·od·i·cal** | |
| | | piroette ................. **pir·ou·ette** | |

| WRONG | RIGHT | WRONG | RIGHT |
|---|---|---|---|
| pirothechnics | **py·ro·tech·nics** | plantiff | **plain·tiff** |
| Pisees | **Pis·ces** | plasebo | **pla·ce·bo** |
| pistashio | **pis·ta·chio** | plasenta | **pla·cen·ta** |
| pistel | **pis·tol** *(firearm)* | plassid | **plac·id** *(calm)* |
| pistol | **pis·til** *(part of flower)* | plasster | **plas·ter** |
| pistun | **pis·ton** | plastec | **plas·tic** |
| pitcher | **pic·ture** *(likeness)* | plate | **plait** *(braid)* |
| pithetic | **pa·thet·ic** | plateu | **pla·teau** |
| pithey | **pithy** | platnum | **plat·i·num** |
| pithon | **py·thon** | platonnic | **pla·ton·ic** |
| pitta | **pi·ta** | platteau | **pla·teau** |
| pittence | **pit·tance** | plattypus | **plat·y·pus** |
| pituetary | **pi·tu·i·tary** | plausable | **plau·si·ble** |
| pitunia | **pe·tu·nia** | playright | **play·wright** |
| pityless | **pit·i·less** | plazma | **plas·ma** |
| pius | **pi·ous** | plazza | **pla·za** |
| pivetal | **piv·ot·al** | pleasantrey | **pleas·ant·ry** |
| pizzaria | **piz·ze·ria** | pleasent | **pleas·ant** |
| placcard | **plac·ard** | pleasurible | **pleas·ur·a·ble** |
| placed | **plac·id** *(calm)* | plee | **plea** |
| placibo | **pla·ce·bo** | pleed | **plead** |
| placque | **plaque** | pleet | **pleat** |
| plad | **plaid** | plege | **pledge** |
| plage | **plague** | plentaful | **plen·ti·ful** |
| plagerism | **pla·gia·rism** | plentious | **plen·te·ous** |
| plain | **plane** *(airplane; surface)* | pleseant | **pleas·ant** |
| plaintif | **plain·tiff** | plethera | **pleth·o·ra** |
| plait | **plate** *(dish)* | pleurasy | **pleu·ri·sy** |
| plancton | **plank·ton** | plexaglass | **Plex·i·glas** |
| plane | **plain** *(simple)* | plieing | **ply·ing** |
| planed | **planned** *(pt. of plan)* | plient | **pli·ant** |
| plannet | **plan·et** | plite | **plight** |

| WRONG | RIGHT | WRONG | RIGHT |
|---|---|---|---|
| ploted | plot·ted | poligamy | po·lyg·a·my |
| pluerisy | pleu·ri·sy | poligraph | pol·y·graph |
| plum | plumb | polimer | pol·y·mer |
| | *(to test; a lead weight)* | polip | pol·yp |
| plumb | plum *(fruit)* | politacal | po·lit·i·cal |
| plummer | plumb·er | politically | pol·i·tic·ly |
| plumming | plumb·ing | | *(prudently)* |
| plungeing | plung·ing | politicing | pol·i·tick·ing |
| plurallity | plu·ral·i·ty | politicion | pol·i·ti·cian |
| plurel | plu·ral | politicly | po·lit·i·cal·ly |
| plurisy | pleu·ri·sy | | *(in a political manner)* |
| plyable | pli·a·ble | poll | pole *(rod)* |
| plyers | pli·ers | pollice | po·lice |
| Plymuth | Ply·mouth | pollicy | pol·i·cy |
| pnuematic | pneu·mat·ic | pollin | pol·len |
| pnuemonia | pneu·mo·nia | pollish | pol·ish |
| poched | poached | pollite | po·lite |
| pockit | pock·et | pollitical | po·lit·i·cal |
| podeum | po·di·um | pollup | pol·yp |
| poetecal | po·et·i·cal | pollutent | pol·lu·tant |
| pogoda | pa·go·da | pollyester | pol·y·es·ter |
| poinant | poign·ant | Pollynesian | Pol·y·ne·sian |
| poinsetta | poin·set·tia | poltry | poul·try *(fowls)* |
| poisenous | poi·son·ous | polutant | pol·lu·tant |
| Polanesian | Pol·y·ne·sian | polyesther | pol·y·es·ter |
| polarazation | polar·i·za·tion | polyethelene | pol·y·eth·yl·ene |
| polatician | pol·i·ti·cian | polygemy | po·lyg·a·my |
| pole | poll *(vote)* | polyunsaterated | |
| polecy | pol·i·cy | | pol·y·un·sat·u·rat·ed |
| polen | pol·len | pome | po·em *(verse)* |
| poler | po·lar *(of the poles)* | pomegranite | pome·gran·ate |
| polerization | polar·i·za·tion | pomel | pom·mel |

| WRONG | RIGHT | WRONG | RIGHT |
|---|---|---|---|
| pompus | **pom·pous** *(pretentious)* | portfollio | **port·fo·lio** |
| ponch | **paunch** | portible | **port·a·ble** |
| pontifacate | **pon·tif·i·cate** | portrade | **por·trayed** |
| pooberty | **pu·ber·ty** | portraid | **por·trayed** |
| poodel | **poo·dle** | portret | **por·trait** |
| poper | **pau·per** | posative | **pos·i·tive** |
| poplar | **pop·u·lar** *(common)* | poschulate | **pos·tu·late** |
| popler | **pop·lar** *(tree)* | poschumous | **post·hu·mous** |
| popourri | **pot·pour·ri** | posession | **pos·ses·sion** |
| populace | **pop·u·lous** *(crowded)* | posessive | **pos·ses·sive** |
| popular | **pop·lar** *(tree)* | posibility | **pos·si·bil·i·ty** |
| popularety | **pop·u·lar·i·ty** | posible | **pos·si·ble** |
| populer | **pop·u·lar** *(common)* | pospone | **post·pone** |
| populous | **pop·u·lace** *(the people)* | possably | **pos·si·bly** |
| porcelin | **por·ce·lain** | posscript | **post·script** |
| porcipine | **por·cu·pine** | possebility | **pos·si·bil·i·ty** |
| pore | **pour** *(flow)* | possesive | **pos·ses·sive** |
| porfolio | **port·fo·lio** | possition | **po·si·tion** |
| poridge | **por·ridge** | postege | **post·age** |
| porkupine | **por·cu·pine** | posteraty | **pos·ter·i·ty** |
| pornogerphy | **por·nog·ra·phy** | posthumus | **post·hu·mous** |
| porpous | **por·poise** | post-mortum | **post-mor·tem** |
| porrage | **por·ridge** | postoolate | **pos·tu·late** |
| porselain | **por·ce·lain** | postumous | **post·hu·mous** |
| portant | **por·tent** *(omen)* | potant | **po·tent** |
| Porta Rico | **Puer·to Ri·co** | potatos | **po·ta·toes** |
| portel | **por·tal** | potensial | **po·ten·tial** |
| portend | **por·tent** *(omen)* | potery | **pot·tery** |
| portent | **por·tend** *(foreshadow)* | poting | **pot·ting** |
| | | potpoorri | **pot·pour·ri** |
| | | pottary | **pot·tery** |
| | | pottasium | **po·tas·si·um** |

161

| WRONG | RIGHT | WRONG | RIGHT |
|---|---|---|---|
| pouder | **pow·der** | precipatation | **pre·cip·i·ta·tion** |
| poultrey | **poul·try** *(fowls)* | precipiece | **prec·i·pice** |
| poultry | **pal·try** *(trifling)* | precise | **pré·cis** *(summary)* |
| pour | **pore** *(opening; ponder)* | precission | **pre·ci·sion** |
| povarty | **pov·er·ty** | precius | **pre·cious** |
| powncing | **pounc·ing** | preconseption | **pre·con·cep·tion** |
| powt | **pout** | precosious | **pre·co·cious** |
| pracee | **pré·cis** *(summary)* | precurser | **pre·cur·sor** |
| practecal | **prac·ti·cal** | predacate | **pred·i·cate** |
| practiceing | **prac·tic·ing** | predater | **pred·a·tor** |
| practicianer | **prac·ti·tion·er** | predesessor | **pred·e·ces·sor** |
| practicly | **prac·ti·cal·ly** | predesposed | **pre·dis·posed** |
| pragmattic | **prag·mat·ic** | predicsion | **pre·dic·tion** |
| praisworthy | **praise·wor·thy** | predicument | **pre·dic·a·ment** |
| prarie | **prai·rie** | predillection | **pre·di·lec·tion** |
| praun | **prawn** | preditor | **pred·a·tor** |
| pray | **prey** *(victim)* | predjudice | **prej·u·dice** |
| prean | **preen** | predomanent | **pre·dom·i·nant** |
| precapice | **prec·i·pice** | preech | **preach** |
| precarius | **pre·car·i·ous** | preemanant | **pre·em·i·nent** |
| precedance | **prec·e·dence** *(priority)* | prefabercate | **pre·fab·ri·cate** |
| precedence | **prec·e·dent** *(example)* | preferance | **pref·er·ence** |
| preceed | **pre·cede** *(come before)* | prefered | **pre·ferred** |
| | | preferible | **pref·er·a·ble** |
| preceedence | **prec·e·dence** *(priority)* | preferrential | **pref·er·en·tial** |
| | | prefertory | **pref·a·to·ry** |
| precense | **pres·ence** | prefface | **pref·ace** |
| precession | **pro·ces·sion** *(parade)* | preffered | **pre·ferred** |
| | | prefferential | **pref·er·en·tial** |
| precice | **pre·cise** *(definite)* | pregnent | **preg·nant** |
| | | preisthood | **priest·hood** |

| WRONG | RIGHT | WRONG | RIGHT |
|---|---|---|---|

prejidace ................ **prej·u·dice**
prelimanary ...... **pre·lim·i·nary**
prellude .................... **prel·ude**
premanition ..... **pre·mo·ni·tion**
premedetated ...........
.......... **pre·med·i·tat·ed**
premeir .................... **pre·mier**
*(first; prime minister)*
premeire ................ **pre·mière**
*(first performance)*
premerital .......... **pre·mar·i·tal**
premeum ............... **pre·mi·um**
premiere .................. **pre·mier**
*(first; prime minister)*
preminent .......... **pre·em·i·nent**
premmise ................ **prem·ise**
prempt .................... **pre·empt**
preocuppied ..... **pre·oc·cu·pied**
prepair .................... **pre·pare**
prepatory ........ **pre·par·a·to·ry**
preperation ........ **prep·a·ra·tion**
prepisition ......... **prep·o·si·tion**
preponderence ...........
.......... **pre·pon·der·ance**
prepostorous ... **pre·pos·ter·ous**
prepposition ...... **prep·o·si·tion**
prerequesite ..... **pre·req·ui·site**
*(requirement)*
prerequisite .......... **per·qui·site**
*(privilege)*
prerie ........................ **prai·rie**
prerogitive ........ **pre·rog·a·tive**

presadency ........ **pres·i·den·cy**
presance ............... **pres·ence**
Presbiterian ... **Pres·by·te·ri·an**
prescribe ..... **pro·scribe** *(forbid)*
prescriptian ...... **pre·scrip·tion**
presede .................... **pre·cede**
*(come before)*
presedence ........ **prec·e·dence**
*(priority)*
presedent ............ **prec·ed·ent**
*(example)*
presentible ....... **pre·sent·a·ble**
presentment ... **pre·sen·ti·ment**
*(foreboding)*
presept ..................... **pre·cept**
presidancy ......... **pres·i·den·cy**
presinct ................... **pre·cinct**
presious ................ **pre·cious**
presipitation ... **pre·cip·i·ta·tion**
presise .......... **pre·cise** *(definite)*
presision ............... **pre·ci·sion**
prespective ........ **pro·spec·tive**
*(expected)*
prespiration ..... **per·spi·ra·tion**
pressage .................. **pres·age**
pressence .............. **pres·ence**
presservative ... **pre·ser·va·tive**
pressidency ....... **pres·i·den·cy**
pressipice .............. **prec·i·pice**
prestegious ......... **pres·ti·gious**
prestiege ................. **pres·tige**
presumtion ....... **pre·sump·tion**

| WRONG | RIGHT | WRONG | RIGHT |
|---|---|---|---|
| presumtuous ......... pre·sump·tu·ous | | probabillity ....... **prob·a·bil·i·ty** |
| presure .................. **pres·sure** | | probbably ............. **prob·a·bly** |
| pretensious ........ **pre·ten·tious** | | probbation ............ **pro·ba·tion** |
| pretention .......... **pre·ten·sion** | | probibility .......... **prob·a·bil·i·ty** |
| pretex .................... **pre·text** | | probibly ................ **prob·a·bly** |
| pretsel .................... **pret·zel** | | problimatic ...... **prob·lem·at·ic** |
| prevaling ............ **pre·vail·ing** | | procede ........ **pro·ceed** *(go on)* |
| prevelant ............. **prev·a·lent** | | proceed .................. **pre·cede** *(come before)* |
| preveous ............. **pre·vi·ous** | | |
| preversion .......... **per·ver·sion** | | proceedure .......... **pro·ce·dure** |
| prey ................... **pray** *(implore)* | | procession .......... **pre·ces·sion** *(precedence)* |
| prickley ................... **prick·ly** | | |
| prier .................. **pri·or** *(earlier)* | | proclame ................ **pro·claim** |
| primative ............... **prim·i·tive** | | proclimation ... **proc·la·ma·tion** |
| primerily ............. **pri·ma·ri·ly** | | procrasstinate ......... **pro·cras·ti·nate** |
| primery .................. **pri·ma·ry** | | |
| primevil ................ **pri·me·val** | | procriation ....... **pro·cre·a·tion** |
| primmitive ............ **prim·i·tive** | | procter ...................... **proc·tor** |
| principal ............... **prin·ci·ple** *(basic rule)* | | prodduct ................. **prod·uct** |
| | | prodegal ................. **prod·i·gal** |
| principle ....... **prin·ci·pal** *(chief)* | | prodege ................. **pro·té·gé** *(one helped by another)* |
| princley .................... **prince·ly** | | |
| prior ....... **pri·er** *(one who pries)* | | prodigee ....... **prod·i·gy** *(genius)* |
| priorrity .................. **pri·or·i·ty** | | prodigias ............ **pro·di·gious** |
| prisem .......................... **prism** | | producktion ........ **pro·duc·tion** |
| prisen .......................... **pris·on** | | produser ................ **pro·duc·er** |
| prisonner ............... **pris·on·er** | | profain ...................... **pro·fane** |
| privecy .................. **pri·va·cy** | | profannity ........... **pro·fan·i·ty** |
| privelage ................ **priv·i·lege** | | profecy ............. **proph·e·cy** *(n.)* |
| privite ....................... **pri·vate** | | profesional ...... **pro·fes·sion·al** |
| prizm .......................... **prism** | | professer ............... **pro·fes·sor** |
| | | profesy ............ **proph·e·sy** *(v.)* |

164

| WRONG | RIGHT | WRONG | RIGHT |
|---|---|---|---|
| proffess | pro·fess | promiscuety | prom·is·cu·i·ty |
| proffessor | pro·fes·sor | promiscuos | pro·mis·cu·ous |
| proffet | proph·et *(one who predicts)* | promissing | prom·is·ing |
| proficient | pro·fi·cient | promp | prompt |
| proffile | pro·file | pronounciation | pro·nun·ci·a·tion |
| proffit | prof·it *(gain)* | pronounse | pro·nounce |
| proffusion | pro·fu·sion | proove | prove |
| proficiant | pro·fi·cient | propasition | prop·o·si·tion |
| profillactic | pro·phy·lac·tic | propelent | pro·pel·lant |
| profit | proph·et *(one who predicts)* | propellor | pro·pel·ler |
| profitible | prof·it·a·ble | propencity | pro·pen·si·ty |
| profuzion | pro·fu·sion | prophallactic | pro·phy·lac·tic |
| prognoses | prog·no·sis *(sing.)* | prophecy | proph·e·sy *(v.)* |
| prognosis | prog·no·ses *(pl.)* | prophesy | proph·e·cy *(n.)* |
| prognostecation | prog·nos·ti·ca·tion | prophet | prof·it *(gain)* |
| programor | pro·gram·mer | propicious | pro·pi·tious |
| progresive | pro·gres·sive | propigate | prop·a·gate |
| progriss | prog·ress | propoganda | prop·a·gan·da |
| prohabition | pro·hi·bi·tion | proponant | pro·po·nent |
| proibition | pro·hi·bi·tion | proportionnate | pro·por·tion·ate |
| projeck | proj·ect | proposel | pro·pos·al |
| projecter | pro·jec·tor | proppeller | pro·pel·ler |
| prolifferate | pro·lif·er·ate | propper | prop·er |
| proliffic | pro·lif·ic | propperty | prop·er·ty |
| prolitariate | pro·le·tar·i·at | propponent | pro·po·nent |
| prolliferate | pro·lif·er·ate | propposition | prop·o·si·tion |
| prologe | pro·logue | propriatery | pro·pri·e·tary |
| prominade | prom·e·nade | proprieter | pro·pri·e·tor |
| prominance | prom·i·nence | propullsion | pro·pul·sion |
| | | prosayic | pro·sa·ic |

| WRONG | RIGHT | WRONG | RIGHT |
|---|---|---|---|
| proscribe | **pre·scribe** *(order)* | protien | **pro·tein** *(substance)* |
| prosecute | **per·se·cute** *(harass)* | Protistant | **Prot·es·tant** |
| prosecuter | **pros·e·cu·tor** | protocall | **pro·to·col** |
| proselitize | **pros·e·lyt·ize** | protracter | **pro·trac·tor** |
| prosessed | **proc·essed** | protrussion | **pro·tru·sion** |
| prosession | **pro·ces·sion** *(parade)* | protuberence | **pro·tu·ber·ance** |
| prosicute | **pros·e·cute** *(legal term)* | provance | **prov·ince** |
| prosicution | **pros·e·cu·tion** | provedence | **prov·i·dence** |
| prosletyze | **pros·e·lyt·ize** | proverbeal | **pro·ver·bi·al** |
| prosparity | **pros·per·i·ty** | provication | **prov·o·ca·tion** |
| prosparous | **pros·per·ous** | providance | **prov·i·dence** |
| prospecter | **pros·pec·tor** | provintial | **pro·vin·cial** |
| prospective | **per·spec·tive** *(view)* | provocitive | **pro·voc·a·tive** |
| prosperrity | **pros·per·i·ty** | prowel | **prowl** |
| prossecution | **pros·e·cu·tion** | proximaty | **prox·im·i·ty** |
| prossetics | **pros·thet·ics** | prudance | **pru·dence** |
| prosspect | **pros·pect** | pruriant | **pru·ri·ent** |
| prostate | **pros·trate** *(prone)* | pseudanim | **pseu·do·nym** |
| prostatute | **pros·ti·tute** | psiche | **psy·che** *(mind; soul)* |
| prostheesis | **pros·the·sis** | psichedelic | **psy·che·del·ic** |
| prostrate | **pros·tate** *(gland)* | psichiatrist | **psy·chi·a·trist** |
| protaganist | **pro·tag·o·nist** | psichic | **psy·chic** |
| protan | **pro·ton** | psichological | **psy·cho·log·i·cal** |
| protaplasm | **pro·to·plasm** | psichosis | **psy·cho·sis** *(sing.)* |
| protatype | **pro·to·type** | psolm | **psalm** |
| protecol | **pro·to·col** | psorriasis | **pso·ri·a·sis** |
| protecter | **pro·tec·tor** | psuedonym | **pseu·do·nym** |
| protein | **pro·te·an** *(changeable)* | psycapath | **psy·cho·path** |
| | | psych | **psy·che** *(mind; soul)* |
| | | psychadelic | **psy·che·del·ic** |

| WRONG | RIGHT | WRONG | RIGHT |
|---|---|---|---|
| psyche | **psych** (excite; outwit) | pulmenary | **pul·mo·nary** |
| psychec | **psy·chic** | pulpet | **pul·pit** |
| psychoanallysis | **psy·cho·a·nal·y·sis** | pulvarize | **pul·ver·ize** |
| psychollogy | **psy·chol·o·gy** | pumise | **pum·ice** |
| psychologecal | **psy·cho·log·i·cal** | pumkin | **pump·kin** |
| psychosamatic | **psy·cho·so·mat·ic** | punative | **pu·ni·tive** |
| psychoses | **psy·cho·sis** (sing.) | punctuetion | **punc·tu·a·tion** |
| psychotheripy | **psy·cho·ther·apy** | punctule | **punc·tu·al** |
| psyciatrist | **psy·chi·a·trist** | puneshment | **pun·ish·ment** |
| psycoanalysis | **psy·cho·a·nal·y·sis** | puney | **pu·ny** |
| psycological | **psy·cho·log·i·cal** | pungant | **pun·gent** |
| psycotic | **psy·chot·ic** | punkin | **pump·kin** |
| psyschosis | **psy·cho·ses** (pl.) | punktual | **punc·tu·al** |
| pubarty | **pu·ber·ty** | punktuation | **punc·tu·a·tion** |
| pubec | **pu·bic** | punkture | **punc·ture** |
| publec | **pub·lic** | punnishment | **pun·ish·ment** |
| publecation | **pub·li·ca·tion** | punnitive | **pu·ni·tive** |
| publesher | **pub·lish·er** | pupel | **pu·pil** |
| publisity | **pub·lic·i·ty** | puppit | **pup·pet** |
| puding | **pud·ding** | puray | **pu·rée** |
| pudle | **pud·dle** | purcent | **per·cent** |
| puker | **puck·er** | purception | **per·cep·tion** |
| pullmonary | **pul·mo·nary** | purchace | **pur·chase** |
| pullpit | **pul·pit** | purcolator | **per·co·la·tor** |
| pullsate | **pul·sate** | purcussion | **per·cus·sion** |
| pullverize | **pul·ver·ize** | puré | **pu·rée** |
| pully | **pul·ley** | purefication | **puri·fi·ca·tion** |
| | | pureley | **pure·ly** |
| | | Puretan | **Pu·ri·tan** |
| | | purety | **pu·ri·ty** |
| | | purfectible | **per·fect·i·ble** |
| | | purforate | **per·fo·rate** |

| WRONG | RIGHT | WRONG | RIGHT |
|---|---|---|---|

| WRONG | RIGHT |
|---|---|
| purformance | **per·form·ance** |
| purgery | **per·ju·ry** |
| purgetory | **pur·ga·to·ry** |
| purient | **pru·ri·ent** |
| purifecation | **puri·fi·ca·tion** |
| puritannical | **puri·tan·i·cal** |
| purl | **pearl** *(gem)* |
| purmeate | **per·me·ate** |
| purmutation | **per·mu·ta·tion** |
| purpel | **pur·ple** |
| purpendicular | **per·pen·dic·u·lar** |
| purplexity | **per·plex·i·ty** |
| purposly | **pur·pose·ly** |
| pursute | **pur·suit** |
| purterb | **per·turb** |
| puss | **pus** *(matter)* |
| pusstule | **pus·tule** |
| put | **putt** *(golf stroke)* |
| putred | **pu·trid** |
| puttie | **put·ty** |
| puzzeling | **puz·zling** |
| pweblo | **pueb·lo** |
| pyremid | **pyr·a·mid** |
| pyrotecnics | **py·ro·tech·nics** |
| pythan | **py·thon** |

## Q

| WRONG | RIGHT |
|---|---|
| qeue | **queue** *(line)* |
| Quaalood | **Quaa·lude** |
| quackary | **quack·ery** |
| quadralateral | **quad·ri·lat·er·al** |
| quadraplegic | **quad·ri·ple·gic** |
| quadratick | **quad·rat·ic** |
| quadrent | **quad·rant** |
| quadrilion | **quad·ril·lion** |
| quadrillateral | **quad·ri·lat·er·al** |
| quadriplejic | **quad·ri·ple·gic** |
| quadrupel | **quad·ru·ple** |
| quadruplette | **quad·ru·plet** |
| quafe | **quaff** |
| quagmier | **quag·mire** |
| qualafication | **qual·i·fi·ca·tion** |
| quale | **quail** *(bird; cower)* |
| qualety | **qual·i·ty** |
| quallified | **qual·i·fied** |
| quallitative | **qual·i·ta·tive** |
| quallity | **qual·i·ty** |
| Qualude | **Quaa·lude** |
| quam | **qualm** |
| quandry | **quan·da·ry** |
| quanitative | **quan·ti·ta·tive** |
| quanity | **quan·ti·ty** |
| quantafy | **quan·ti·fy** |
| quante | **quaint** |
| quantety | **quan·ti·ty** |
| quantom | **quan·tum** |
| quarel | **quar·rel** |
| quarrantine | **quar·an·tine** |
| quarterley | **quar·ter·ly** |
| quartor | **quar·ter** |

| WRONG | RIGHT | WRONG | RIGHT |
|---|---|---|---|
| quarts | **quartz** *(mineral)* | quintilion | **quin·til·lion** |
| quarulous | **quer·u·lous** | quintissential | **quin·tes·sen·tial** |
| quarum | **quo·rum** | quints | **quince** |
| quary | **quar·ry** | quintupplet | **quin·tu·plet** |
| quazar | **qua·sar** | quiry | **que·ry** |
| quazi | **qua·si** | quisine | **cui·sine** |
| que | **queue** *(line)* | quite | **qui·et** *(silence)* |
| quear | **queer** | quiting | **quit·ting** |
| queazy | **quea·sy** | quivver | **quiv·er** |
| Quebeck | **Que·bec** | quixatic | **quix·ot·ic** |
| queche | **quiche** | quizical | **quiz·zi·cal** |
| queery | **que·ry** | quorentine | **quar·an·tine** |
| queesy | **quea·sy** | quorril | **quar·rel** |
| queiscent | **qui·es·cent** | quorry | **quar·ry** |
| quel | **quell** | quort | **quart** |
| quentessential | **quin·tes·sen·tial** | quorter | **quar·ter** |
| queralous | **quer·u·lous** | quortet | **quar·tet** |
| querk | **quirk** | quoteable | **quot·a·ble** |
| quesstion | **ques·tion** | quotiant | **quo·tient** |
| questionaire | **ques·tion·naire** | | |
| questionible | **ques·tion·a·ble** | **R** | |
| quesy | **quea·sy** | | |
| quey | **quay** *(wharf)* | rabbel | **rab·ble** |
| quible | **quib·ble** | rabbenical | **rab·bin·i·cal** |
| quicksotic | **quix·ot·ic** | rabbet | **rab·bit** *(animal)* |
| quiessent | **qui·es·cent** | rabbid | **rab·id** |
| quiet | **quite** *(entirely)* | rabbie | **rab·bi** |
| quiettude | **qui·e·tude** | rabbies | **ra·bies** *(disease)* |
| quillt | **quilt** | rabed | **rab·id** |
| quinesential | **quin·tes·sen·tial** | rabellion | **re·bel·lion** |
| quinnine | **qui·nine** | rabi | **rab·bi** |

| WRONG | RIGHT | WRONG | RIGHT |
|---|---|---|---|
| rabinical | **rab·bin·i·cal** | raggoo | **ra·gout** |
| rabit | **rab·bit** *(animal)* | raglen | **rag·lan** |
| rable | **rab·ble** | ragou | **ra·gout** |
| racey | **racy** | railling | **rail·ing** |
| rachet | **ratch·et** | railrode | **rail·road** |
| racizm | **rac·ism** | rain | **reign** *(rule)* |
| rackit | **rack·et** | rain | **rein** *(a leather strap)* |
| racous | **rau·cous** | raindeer | **rein·deer** |
| radacal | **rad·i·cal** *(extreme)* | raise | **raze** *(demolish)* |
| raddar | **ra·dar** | raisen | **rai·sin** |
| raddial | **ra·di·al** | rak | **rack** *(framework)* |
| raddically | **rad·i·cal·ly** | rak | **wrack** *(torment)* |
| raddio | **ra·dio** | rakeing | **rak·ing** |
| raddish | **rad·ish** | rakket | **rack·et** |
| rade | **raid** | rale | **rail** |
| radeal | **ra·di·al** | ralley | **ral·ly** |
| radeating | **ra·di·at·ing** | ramafication | **ram·i·fi·ca·tion** |
| radeo | **ra·dio** | rambeling | **ram·bling** |
| radeoactive | **ra·di·o·ac·tive** | ramblor | **ram·bler** |
| radeology | **ra·di·ol·o·gy** | rambunktious | **ram·bunc·tious** |
| radeus | **ra·di·us** | | |
| radiactive | **ra·di·o·ac·tive** | ramedial | **re·me·di·al** |
| radialogy | **ra·di·ol·o·gy** | rammification | |
| radiateing | **ra·di·at·ing** | | **ram·i·fi·ca·tion** |
| radiater | **ra·di·a·tor** | rammpage | **ram·page** |
| radicaly | **rad·i·cal·ly** | rampent | **ramp·ant** |
| radicle | **rad·i·cal** *(extreme)* | ramshakle | **ram·shack·le** |
| radience | **ra·di·ance** | rancer | **ran·cor** |
| raffel | **raf·fle** | randezvous | **ren·dez·vous** |
| raffter | **raft·er** | rane | **reign** *(rule)* |
| raged | **rag·ged** *(tattered)* | rane | **rein** *(a leather strap)* |
| rageing | **rag·ing** | ranewal | **re·new·al** |

| WRONG | RIGHT | WRONG | RIGHT |
|---|---|---|---|
| rangeing | **rang·ing** | raskal | **ras·cal** |
| rangey | **rangy** | rassberry | **rasp·ber·ry** |
| rangle | **wran·gle** | rassion | **ra·tion** |
| rankor | **ran·cor** | ratan | **rat·tan** |
| ransak | **ran·sack** | ratchit | **ratch·et** |
| ransid | **ran·cid** | ratefy | **rat·i·fy** |
| ransome | **ran·som** | rateing | **rat·ing** |
| rap | **wrap** *(cover)* | rateo | **ra·tio** |
| rapchure | **rap·ture** | rath | **wrath** *(rage)* |
| rapiar | **ra·pi·er** | ratial | **ra·cial** |
| raping | **rap·ping** *(tapping)* | rational | **ra·tion·a·le** *(explanation)* |
| raport | **rap·port** *(harmony)* | | |
| raport | **re·port** *(an account)* | rationallize | **ration·al·ize** |
| rappid | **rap·id** | rationel | **ra·tion·al** *(reasoning)* |
| rappidity | **ra·pid·i·ty** | ratle | **rat·tle** |
| rappier | **ra·pi·er** | ratlesnake | **rat·tle·snake** |
| rappist | **rap·ist** | ratten | **rat·tan** |
| rappor | **rap·port** *(harmony)* | rattify | **rat·i·fy** |
| rapprochment | | rattion | **ra·tion** |
| | **rap·proche·ment** | rattional | **ra·tion·al** *(reasoning)* |
| rapsody | **rhap·so·dy** | rattleling | **rat·tling** |
| raquetball | **rac·quet·ball** | rattlsnake | **rat·tle·snake** |
| rarety | **rar·i·ty** | raucus | **rau·cous** |
| rarify | **rar·e·fy** | raunchey | **raun·chy** |
| rarly | **rare·ly** | ravageing | **rav·ag·ing** |
| rascel | **ras·cal** | ravanous | **rav·e·nous** |
| rase | **raise** *(lift)* | ravege | **rav·age** |
| rase | **raze** *(demolish)* | raveing | **rav·ing** |
| rase | **race** *(contest)* | ravene | **ra·vine** |
| rashal | **ra·cial** | ravenus | **rav·e·nous** |
| rasin | **rai·sin** | raveoli | **ra·vi·o·li** |
| rasism | **rac·ism** | ravle | **rav·el** |

*171*

| WRONG | RIGHT | WRONG | RIGHT |
|---|---|---|---|
| ravvish | **rav·ish** | rearange | **re·ar·range** |
| rawide | **raw·hide** | rearrangment | |
| rayan | **ray·on** | | **re·ar·range·ment** |
| raze | **raise** (lift) | reasen | **rea·son** |
| razer | **ra·zor** | reasonible | **rea·son·a·ble** |
| razzberry | **rasp·ber·ry** | reath | **wreath** (a band) |
| reacktionary | **re·ac·tion·ary** | reathe | **wreathe** (to encircle) |
| reactavate | **re·ac·ti·vate** | reazon | **rea·son** |
| reacter | **re·ac·tor** | rebait | **re·bate** |
| reactionery | **re·ac·tion·ary** | rebbel | **reb·el** |
| read | **reed** (plant) | rebbellious | **re·bel·lious** |
| readilly | **read·i·ly** | rebbuttal | **re·but·tal** |
| readjusment | **re·ad·just·ment** | rebeling | **reb·el·ling** |
| readyness | **read·i·ness** | rebelion | **re·bel·lion** |
| reaf | **reef** | rebelious | **re·bel·lious** |
| reajustment | **re·ad·just·ment** | reble | **reb·el** |
| reak | **reek** (smell) | rebownd | **re·bound** |
| real | **reel** (whirl; spool) | rebutal | **re·but·tal** |
| realaty | **re·al·i·ty** (fact) | recalsitrant | **re·cal·ci·trant** |
| realine | **re·a·lign** | recampense | **rec·om·pense** |
| realistick | **re·al·is·tic** | recanize | **rec·og·nize** |
| reality | **re·al·ty** (real estate) | recannoiter | **rec·on·noi·ter** |
| reallign | **re·a·lign** | recapitchulation | |
| reallism | **re·al·ism** | | **re·ca·pit·u·la·tion** |
| reallistic | **re·al·is·tic** | reccognise | **rec·og·nize** |
| reallity | **re·al·i·ty** (fact) | reccognition | **rec·og·ni·tion** |
| reallization | **real·i·za·tion** | reccolect | **rec·ol·lect** |
| realstate | **real es·tate** | reccommend | **rec·om·mend** |
| realty | **re·al·i·ty** (fact) | recconciliation | |
| realy | **re·al·ly** | | **rec·on·cil·i·a·tion** |
| reancarnation | | recconning | **reck·on·ing** |
| | **re·in·car·na·tion** | receed | **re·cede** |

| WRONG | RIGHT | WRONG | RIGHT |
|---|---|---|---|
| receiveable | re·ceiv·a·ble | recompence | rec·om·pense |
| recent | re·sent *(feel a hurt)* | reconaissance | re·con·nais·sance |
| recepe | rec·i·pe | reconcileable | rec·on·cil·a·ble |
| recepter | re·cep·tor | reconcilliation | rec·on·cil·i·a·tion |
| recepticle | re·cep·ta·cle | reconnaisance | re·con·nais·sance |
| recerd | re·cord | reconoiter | rec·on·noi·ter |
| recesion | re·ces·sion | reconsiliation | rec·on·cil·i·a·tion |
| receve | re·ceive | reconstatute | re·con·sti·tute |
| rech | retch *(vomit)* | reconstrucktion | re·con·struc·tion |
| reciept | re·ceipt | recoop | re·coup |
| recieve | re·ceive | recooperate | re·cu·per·ate |
| recint | re·cent *(new)* | recorse | re·course |
| recipiant | re·cip·i·ent | recoverey | re·cov·ery |
| recipracal | re·cip·ro·cal | recquirement | re·quire·ment |
| recipracate | re·cip·ro·cate | recquisite | req·ui·site |
| recitel | re·cit·al | recquisition | req·ui·si·tion |
| reck | wreck | recreationel | rec·re·a·tion·al |
| reckening | reck·on·ing | recrute | re·cruit |
| reckoncilible | rec·on·cil·a·ble | rectafy | rec·ti·fy |
| reckord | re·cord | rectanguler | rec·tan·gu·lar |
| reckreational | rec·re·a·tion·al | rectatude | rec·ti·tude |
| recktify | rec·ti·fy | rectel | rec·tal |
| recktitude | rec·ti·tude | recter | rec·tor |
| reclaimation | rec·la·ma·tion | rectery | rec·to·ry |
| reclame | re·claim | recuparate | re·cu·per·ate |
| reclineing | re·clin·ing | recurence | re·cur·rence |
| recloose | rec·luse | recuring | re·cur·ring |
| recoarse | re·course | | |
| recognizence | re·cog·ni·zance | | |
| recognizible | rec·og·niz·a·ble | | |
| recolleck | rec·ol·lect | | |
| recomend | rec·om·mend | | |

| WRONG | RIGHT | WRONG | RIGHT |
|---|---|---|---|
| recurrance | **re·cur·rence** | refering | **re·fer·ring** |
| recykle | **re·cy·cle** | referrel | **re·fer·ral** |
| red | **read** *(pt. of read)* | refferee | **ref·er·ee** |
| reddolent | **red·o·lent** | refference | **ref·er·ence** |
| reddy | **ready** | refferendum | **ref·er·en·dum** |
| redeam | **re·deem** | refferring | **re·fer·ring** |
| redemtion | **re·demp·tion** | reffuge | **ref·uge** |
| rediculous | **ridic·u·lous** | reffugee | **ref·u·gee** |
| redolant | **red·o·lent** | reffuse | **ref·use** *(trash)* |
| redondancy | **re·dun·dan·cy** | refinary | **re·fin·ery** |
| reduceing | **re·duc·ing** | refinment | **re·fine·ment** |
| reducktion | **re·duc·tion** | refleck | **re·flect** |
| redundency | **re·dun·dan·cy** | reflecks | **re·flex** *(response)* |
| redundent | **re·dun·dant** | reflecktion | **re·flec·tion** |
| redusing | **re·duc·ing** | refoose | **re·fuse** *(decline)* |
| reed | **read** *(understand)* | reformitory | **re·form·a·to·ry** |
| reek | **wreak** *(inflict)* | refrackion | **re·frac·tion** |
| reel | **real** *(actual)* | refrane | **re·frain** |
| reelly | **re·al·ly** | refrence | **ref·er·ence** |
| reem | **ream** | refreshmint | **re·fresh·ment** |
| reemburse | **re·im·burse** | refridgerator | **re·frig·er·a·tor** |
| reencarnation | | refun | **re·fund** |
| | **re·in·car·na·tion** | refusel | **re·fus·al** |
| reenforcement | | refuze | **re·fuse** *(decline)* |
| | **re·in·force·ment** | regae | **reg·gae** |
| reep | **reap** | regail | **re·gale** *(entertain)* |
| reeson | **rea·son** | regale | **re·gal** *(royal)* |
| refecktory | **re·fec·to·ry** | regallia | **re·ga·lia** |
| referal | **re·fer·ral** | regamen | **reg·i·men** |
| referance | **ref·er·ence** | regament | **reg·i·ment** |
| refered | **re·ferred** | regel | **re·gal** *(royal)* |
| referindum | **ref·er·en·dum** | regeme | **re·gime** |

174

| WRONG | RIGHT | WRONG | RIGHT |
|---|---|---|---|
| regenarate | **re·gen·er·ate** | rejime | **re·gime** |
| regergitation | **re·gur·gi·ta·tion** | rejimen | **reg·i·men** |
| regester | **reg·is·ter** | rejiment | **reg·i·ment** |
| reggay | **reg·gae** | rejister | **reg·is·ter** |
| regimint | **reg·i·ment** | rejoiceing | **re·joic·ing** |
| regin | **re·gion** | rejoiner | **re·join·der** |
| reginal | **re·gion·al** | rejoyce | **re·joice** |
| regincy | **re·gen·cy** | rejuvanate | **re·ju·ve·nate** |
| regint | **re·gent** | reke | **reek** *(smell)* |
| regionel | **re·gion·al** | rekless | **reck·less** |
| regon | **re·gion** | rekluse | **rec·luse** |
| regresion | **re·gres·sion** | reknowned | **re·nowned** |
| regretable | **re·gret·ta·ble** | relacks | **re·lax** |
| regualation | **reg·u·la·tion** | relagate | **rel·e·gate** |
| reguard | **re·gard** | relaid | **re·layed** *(conveyed)* |
| regulater | **reg·u·la·tor** | relateing | **re·lat·ing** |
| reguler | **reg·u·lar** | relativaty | **rel·a·tiv·i·ty** |
| regurjitation | **re·gur·gi·ta·tion** | relavant | **rel·e·vant** |
| reguvenate | **re·ju·ve·nate** | releese | **re·lease** |
| rehabillitate | **re·ha·bil·i·tate** | releif | **re·lief** *(n.)* |
| rehearsel | **re·hears·al** | releive | **re·lieve** *(v.)* |
| reign | **rein** *(a leather strap)* | relevent | **rel·e·vant** |
| reimberse | **re·im·burse** | relick | **rel·ic** |
| rein | **reign** *(rule)* | relie | **re·ly** |
| reinforcemint | **re·in·force·ment** | relieable | **re·li·a·ble** |
| | | relient | **re·li·ant** |
| reitarate | **re·it·er·ate** | religin | **re·li·gion** |
| rejeck | **re·ject** | religous | **re·li·gious** |
| rejency | **re·gen·cy** | relization | **real·i·za·tion** |
| rejenerate | **re·gen·er·ate** | rellative | **rel·a·tive** |
| rejent | **re·gent** | rellativity | **rel·a·tiv·i·ty** |
| | | rellegate | **rel·e·gate** |

175

| WRONG | RIGHT | WRONG | RIGHT |
|---|---|---|---|
| rellentless | re·lent·less | ren | wren |
| rellevant | rel·e·vant | renagade | ren·e·gade |
| rellic | rel·ic | renaissence | ren·ais·sance |
| relligion | re·li·gion | renavate | ren·o·vate |
| relligious | re·li·gious | rench | wrench |
| rellinquish | re·lin·quish | rendavous | ren·dez·vous |
| rellish | rel·ish | rendring | ren·der·ing |
| relluctance | re·luc·tance | renewel | re·new·al |
| relm | realm | renig | re·nege |
| reluctently | re·luc·tant·ly | rennaissance | ren·ais·sance |
| relyable | re·li·a·ble | rennegade | ren·e·gade |
| remady | rem·e·dy | rennovate | ren·o·vate |
| remander | re·main·der | renouned | re·nowned |
| remane | re·main | renownce | re·nounce |
| remann | re·mand | rentel | rent·al |
| remarkible | re·mark·a·ble | renumeration | |
| remedeal | re·me·di·al | | re·mu·ner·a·tion |
| remembrence | | renunsiation | re·nun·ci·a·tion |
| | re·mem·brance | repare | re·pair |
| remenisce | rem·i·nisce | repayed | re·paid |
| remine | re·mind | repeel | re·peal |
| reminisence | rem·i·nis·cence | repeet | re·peat |
| reminiss | rem·i·nisce | repeling | re·pel·ling |
| remision | re·mis·sion | repell | re·pel *(drive back)* |
| remitance | re·mit·tance | repellant | re·pel·lent |
| remminisce | rem·i·nisce | repentent | re·pent·ant |
| remminiscence | | reperations | rep·a·ra·tions |
| | rem·i·nis·cence | repercusion | re·per·cus·sion |
| remnent | rem·nant | repersent | rep·re·sent |
| remourse | re·morse | repertoiar | rep·er·toire |
| removeable | re·mov·a·ble | repete | re·peat |
| removel | re·mov·al | repetitius | rep·e·ti·tious |

| WRONG | RIGHT | WRONG | RIGHT |
|---|---|---|---|

| Wrong | Right |
|---|---|
| repetoire | rep·er·toire |
| repetory | rep·er·to·ry |
| repettitive | re·pet·i·tive |
| repitition | rep·e·ti·tion |
| repititious | rep·e·ti·tious |
| replaca | rep·li·ca |
| replacment | re·place·ment |
| repleat | re·plete |
| replennish | re·plen·ish |
| replie | re·ply |
| reposatory | re·pos·i·to·ry |
| reposession | re·pos·ses·sion |
| repparations | rep·a·ra·tions |
| reppartee | rep·ar·tee |
| reppel | re·pel *(drive back)* |
| reppercussion | re·per·cus·sion |
| reppertory | rep·er·to·ry |
| reppetition | rep·e·ti·tion |
| repport | re·port *(an account)* |
| reppresent | rep·re·sent |
| reppudiate | re·pu·di·ate |
| repputation | rep·u·ta·tion |
| reprabate | rep·ro·bate |
| repraduce | re·pro·duce |
| reprahensible | rep·re·hen·si·ble |
| repramand | rep·ri·mand |
| reprasentative | rep·re·sent·a·tive |
| reprehensable | rep·re·hen·si·ble |
| repreive | re·prieve |
| represe | re·prise |
| represion | re·pres·sion |
| repriman | rep·ri·mand |
| reprizal | re·pris·al |
| reprize | re·prise |
| reproche | re·proach |
| reproduse | re·pro·duce |
| reptle | rep·tile |
| republick | re·pub·lic |
| repudeate | re·pu·di·ate |
| repugnent | re·pug·nant |
| repullsive | re·pul·sive |
| requasition | req·ui·si·tion |
| requess | re·quest |
| requierment | re·quire·ment |
| requiset | req·ui·site |
| resadue | res·i·due |
| resaleable | re·sal·a·ble |
| resalution | res·o·lu·tion |
| résamé | ré·su·mé |
| rescend | re·scind |
| rescusitator | re·sus·ci·ta·tor |
| resede | re·cede |
| resedential | res·i·den·tial |
| resegnation | res·ig·na·tion |
| reseipt | re·ceipt |
| reseive | re·ceive |
| resemblence | re·sem·blance |
| resent | re·cent *(new)* |
| reseptacle | re·cep·ta·cle |
| reseption | re·cep·tion |

| WRONG | RIGHT | WRONG | RIGHT |
|---|---|---|---|
| reseptor | **re·cep·tor** | respirater | **res·pi·ra·tor** |
| reserch | **re·search** | respit | **res·pite** |
| resergent | **re·sur·gent** | resplendant | **re·splend·ent** |
| reserrection | **res·ur·rec·tion** | responsability | **re·spon·si·bil·i·ty** |
| resess | **re·cess** | responsable | **re·spon·si·ble** |
| resession | **re·ces·sion** | respratory | **res·pi·ra·to·ry** |
| resevoir | **res·er·voir** | resservation | **res·er·va·tion** |
| residancy | **res·i·den·cy** | restaration | **res·to·ra·tion** |
| residencial | **res·i·den·tial** | restatution | **res·ti·tu·tion** |
| residew | **res·i·due** | resterant | **res·tau·rant** |
| resiliance | **re·sil·ience** | restle | **wres·tle** |
| resind | **re·scind** | restrant | **re·straint** |
| resine | **re·sign** | restrant | **res·tau·rant** |
| resipe | **rec·i·pe** | restrick | **re·strict** |
| resipient | **re·cip·i·ent** | resultent | **re·sult·ant** |
| resiprocal | **re·cip·ro·cal** | résumae | **ré·su·mé** |
| resiprocate | **re·cip·ro·cate** | resumtion | **re·sump·tion** |
| resistence | **re·sist·ance** | resurection | **res·ur·rec·tion** |
| resister | **re·sis·tor** | resurgant | **re·sur·gent** |
| | *(electrical device)* | resussitator | **re·sus·ci·ta·tor** |
| resistor | **re·sist·er** | resycle | **re·cy·cle** |
| | *(one who resists)* | retale | **re·tail** |
| resital | **re·cit·al** | retalliate | **re·tal·i·ate** |
| resitation | **rec·i·ta·tion** | retane | **re·tain** |
| resonater | **res·o·na·tor** | retanue | **ret·i·nue** |
| resonence | **res·o·nance** | retch | **wretch** |
| resorceful | **re·source·ful** | | *(miserable person)* |
| resownding | **re·sound·ing** | retecence | **ret·i·cence** |
| respand | **re·spond** | retension | **re·ten·tion** |
| respeck | **re·spect** | retern | **re·turn** |
| respectible | **re·spect·a·ble** | retisence | **ret·i·cence** |
| resperation | **res·pi·ra·tion** | | |

| WRONG | RIGHT | WRONG | RIGHT |
|---|---|---|---|
| retna | **ret·i·na** | revivel | **re·viv·al** |
| retorical | **rhe·tor·i·cal** | revize | **re·vise** |
| retrabution | **ret·ri·bu·tion** | revolutionery | **rev·o·lu·tion·ary** |
| retrack | **re·tract** | revolveing | **re·volv·ing** |
| retraspect | **ret·ro·spect** | revrence | **rev·er·ence** |
| retreet | **re·treat** | revullsion | **re·vul·sion** |
| retreival | **re·triev·al** | rezentment | **re·sent·ment** |
| retrospeck | **ret·ro·spect** | rezervation | **res·er·va·tion** |
| retticence | **ret·i·cence** | rezervoir | **res·er·voir** |
| rettina | **ret·i·na** | rezide | **re·side** |
| rettinue | **ret·i·nue** | rezidency | **res·i·den·cy** |
| rettribution | **ret·ri·bu·tion** | rezidential | **res·i·den·tial** |
| reumatic | **rheu·mat·ic** | rezidual | **re·sid·u·al** |
| revalation | **rev·e·la·tion** | rezidue | **res·i·due** |
| revalutionary | **rev·o·lu·tion·ary** | rezign | **re·sign** |
| revanue | **rev·e·nue** | rezignation | **res·ig·na·tion** |
| reveer | **re·vere** | rezin | **res·in** |
| reveiw | **re·view** *(survey)* | rezistance | **re·sist·ance** |
| reveiw | **re·vue** *(musical show)* | rezolution | **res·o·lu·tion** |
| revellation | **rev·e·la·tion** | rezolved | **re·solved** |
| revelle | **re·veil·le** *(bugle call)* | rezonance | **res·o·nance** |
| revellry | **rev·el·ry** *(festivity)* | rezonator | **res·o·na·tor** |
| revelry | **rev·er·ie** *(daydream)* | rezort | **re·sort** |
| revelry | **re·veil·le** *(bugle call)* | rezounding | **re·sound·ing** |
| reverance | **rev·er·ence** | rezultant | **re·sult·ant** |
| reverbarate | **re·ver·ber·ate** | rezumption | **re·sump·tion** |
| reversable | **re·vers·i·ble** | rhapsady | **rhap·so·dy** |
| revery | **rev·er·ie** *(daydream)* | rhetoricle | **rhe·tor·i·cal** |
| revery | **rev·el·ry** *(festivity)* | rheumatick | **rheu·mat·ic** |
| revinge | **re·venge** | rhime | **rhyme** *(verse)* |
| revission | **re·vi·sion** | rhinoseros | **rhi·noc·er·os** |

| WRONG | RIGHT | WRONG | RIGHT |
|---|---|---|---|
| rhithm | **rhythm** | rifle | **rif·fle** *(shuffle)* |
| rhodadendron | **rho·do·den·dron** | riformatory | **re·form·a·to·ry** |
| rhyme | **rime** *(frost)* | rifrigerator | **re·frig·er·a·tor** |
| rhythem | **rhythm** | rifute | **re·fute** |
| rhythymical | **rhyth·mi·cal** | rigalia | **re·ga·lia** |
| ribben | **rib·bon** | rigamaroll | **rig·ma·role** |
| ricachet | **ric·o·chet** | rige | **ridge** |
| riceptacle | **re·cep·ta·cle** | rigerous | **rig·or·ous** |
| riciprocate | **re·cip·ro·cate** | riggatoni | **ri·ga·to·ni** |
| ricital | **re·cit·al** | rigger | **rig·or** *(hardship)* |
| ricketts | **rick·ets** | riggle | **wrig·gle** |
| ricognizance | **re·cog·ni·zance** | right | **rite** *(ritual)* |
| ricoshet | **ric·o·chet** | right | **write** *(inscribe)* |
| ricruit | **re·cruit** | rightous | **right·eous** |
| ridacule | **rid·i·cule** | riging | **rig·ging** |
| riddel | **rid·dle** | rigor | **rig·ger** *(one who rigs)* |
| riddence | **rid·dance** | rigorus | **rig·or·ous** |
| riddicule | **rid·i·cule** | rigression | **re·gres·sion** |
| rideem | **re·deem** | rigurgitation | **re·gur·gi·ta·tion** |
| rideing | **rid·ing** | rilationship | **re·la·tion·ship** |
| ridemption | **re·demp·tion** | rilease | **re·lease** |
| ridgid | **rig·id** | rilentless | **re·lent·less** |
| ridickulous | **ridic·u·lous** | rilief | **re·lief** *(n.)* |
| ridle | **rid·dle** | rilieve | **re·lieve** *(v.)* |
| ridress | **re·dress** | rimand | **re·mand** |
| riducing | **re·duc·ing** | rimember | **re·mem·ber** |
| riduction | **re·duc·tion** | rimiss | **re·miss** |
| riduplication | **re·du·pli·ca·tion** | rimission | **re·mis·sion** |
| rie | **rye** *(grain)* | rimuneration | **re·mu·ner·a·tion** |
| riffle | **ri·fle** *(gun)* | rine | **rind** |

| WRONG | RIGHT | WRONG | RIGHT |
|---|---|---|---|
| rinege | re·nege | rivue | re·vue *(musical show)* |
| rinestone | rhine·stone | rivulsion | re·vul·sion |
| ring | wring *(twist)* | robbin | rob·in |
| rinoceros | rhi·noc·eros | robbot | ro·bot |
| riotus | ri·ot·ous | roben | rob·in |
| riplenish | re·plen·ish | robery | rob·bery |
| ripository | re·pos·i·to·ry | roche | roach |
| riprisal | re·pris·al | rockit | rock·et |
| ripugnant | re·pug·nant | rodant | ro·dent |
| ripulsive | re·pul·sive | rodao | ro·deo |
| riscind | re·scind | rododendron | rho·do·den·dron |
| risentment | re·sent·ment | | |
| risidual | re·sid·u·al | roge | rogue |
| riskey | risky *(dangerous)* | roil | roy·al *(regal)* |
| risky | ris·qué *(indecent)* | role | roll *(turn)* |
| risourceful | re·source·ful | roler | roll·er |
| rispond | re·spond | roll | role *(an actor's part)* |
| risponsible | re·spon·si·ble | romane | ro·maine |
| ritchual | rit·u·al | romanse | ro·mance |
| rite | right *(correct)* | rome | roam |
| rite | write *(inscribe)* | rommantic | ro·man·tic |
| rithe | writhe | ronchy | raun·chy |
| rithm | rhythm | rondezvous | ren·dez·vous |
| ritort | re·tort | rone | roan |
| ritten | writ·ten | roomate | room·mate |
| rivallry | ri·val·ry | roomor | room·er *(lodger)* |
| rivelry | ri·val·ry | root | route *(way)* |
| riverberate | re·ver·ber·ate | rootabaga | ru·ta·ba·ga |
| rivision | re·vi·sion | rosery | ro·sa·ry |
| rivit | riv·et | rosey | rosy |
| rivoke | re·voke | rost | roast |
| rivolt | re·volt | roten | rot·ten |

| WRONG | RIGHT | WRONG | RIGHT |
|---|---|---|---|
| rotery | **ro·ta·ry** | ruge | **rouge** |
| rotiserie | **rotis·serie** | rulette | **rou·lette** |
| rotonda | **ro·tun·da** | rumage | **rum·mage** |
| roudy | **row·dy** | rumanant | **ru·mi·nant** |
| rouff | **rough** (not smooth) | rumatic | **rheu·mat·ic** |
| roughege | **rough·age** | rumenate | **ru·mi·nate** |
| rouje | **rouge** | rumer | **ru·mor** (gossip) |
| roulet | **rou·lette** | ruminent | **ru·mi·nant** |
| rout | **route** (way) | rummege | **rum·mage** |
| route | **rout** (defeat) | rung | **wrung** (pt. of wring) |
| route | **root** (source) | runing | **run·ning** |
| routene | **rou·tine** | rupchure | **rup·ture** |
| row | **roe** (fish eggs) | rurel | **ru·ral** |
| rowse | **rouse** | ruset | **rus·set** |
| rowst | **roust** | russle | **rus·tle** |
| rowt | **rout** (defeat) | rutine | **rou·tine** |
| royal | **roil** (stir up) | ruttabaga | **ru·ta·ba·ga** |
| royel | **roy·al** (regal) | rutter | **rud·der** |
| royelty | **roy·al·ty** | ruze | **ruse** |
| rozin | **ros·in** | rye | **wry** (twisted; ironic) |
| rubarb | **rhu·barb** | ryme | **rime** (frost) |
| rubbry | **rub·bery** | ryme | **rhyme** (verse) |
| rubela | **ru·bel·la** | rythm | **rhythm** |
| ruber | **rub·ber** | rythmical | **rhyth·mi·cal** |
| rubey | **ru·by** | | |
| rubish | **rub·bish** | | |
| rudamentary | **rudi·men·ta·ry** | | |
| rudy | **rud·dy** | | |
| ruff | **rough** (not smooth) | sabattical | **sab·bat·i·cal** |
| ruffage | **rough·age** | Sabbeth | **Sab·bath** |
| rufian | **ruf·fi·an** | sabbotage | **sab·o·tage** |
| rufle | **ruf·fle** | sabboteur | **sab·o·teur** |
| | | sabor | **sa·ber** |

## S

| WRONG | RIGHT | WRONG | RIGHT |
|---|---|---|---|
| saboter | sab·o·teur | sagga | sa·ga |
| saccarine | sac·cha·rine | Saggitarius | Sag·it·ta·rius |
| | *(too sweet)* | Sahera | Sa·ha·ra |
| sacerfice | sac·ri·fice | saidism | sad·ism |
| sacerficial | sac·ri·fi·cial | saige | sage |
| sacerligous | sac·ri·le·gious | sail | sale *(business exchange)* |
| sacharine | sac·cha·rin | sailer | sail·or *(person)* |
| | *(sugar substitute)* | sailor | sail·er *(boat)* |
| sachel | satch·el | sakred | sa·cred |
| sacheration | sat·u·ra·tion | salary | cel·e·ry *(vegetable)* |
| sack | sac *(organic pouch)* | salavate | sal·i·vate |
| sackroiliac | sa·cro·il·i·ac | sale | sail *(boat's canvas)* |
| sacraficial | sac·ri·fi·cial | salemn | sol·emn |
| sacrefice | sac·ri·fice | saliant | sa·lient |
| sacrelige | sac·ri·lege | sallad | sal·ad |
| sacreligious | sac·ri·le·gious | sallamander | sal·a·man·der |
| sacrement | sac·ra·ment | sallami | sa·la·mi |
| sacrid | sa·cred | sallary | sal·a·ry *(pay)* |
| sacrine | sac·cha·rine | sallient | sa·lient |
| | *(too sweet)* | salline | sa·line |
| sacroilliac | sa·cro·il·i·ac | salliva | sa·li·va |
| saddeling | sad·dling | sallivate | sal·i·vate |
| saddistic | sa·dis·tic | sallon | sa·lon |
| sadesm | sad·ism | salloon | sa·loon |
| saduce | se·duce | sallutation | sal·u·ta·tion |
| saence | sé·ance | sallute | sa·lute |
| safegaurd | safe·guard | salm | psalm |
| saffari | sa·fa·ri | salman | salm·on |
| safire | sap·phire | salow | sal·low |
| saflower | saf·flow·er | salstice | sol·stice |
| safron | saf·fron | saltsellar | salt·cel·lar |
| safty | safe·ty | salution | so·lu·tion |

183

| WRONG | RIGHT | WRONG | RIGHT |
|---|---|---|---|
| salvege | **sal·vage** | sarkophagus | **sar·coph·a·gus** |
| samantics | **se·man·tics** | Sarracen | **Sar·a·cen** |
| sammon | **salm·on** | sarri | **sa·ri** *(Hindu garment)* |
| samorai | **sam·u·rai** | sarsparilla | **sar·sa·pa·ril·la** |
| sampeling | **sam·pling** | sasafras | **sas·sa·fras** |
| sanatarium | **san·i·tar·i·um** | sashay | **sa·chet** |
| sanatation | **san·i·ta·tion** | | *(perfumed powder)* |
| sanctefied | **sanc·ti·fied** | sashiate | **sa·ti·ate** |
| sanctuery | **sanc·tu·ary** | sasparilla | **sar·sa·pa·ril·la** |
| San Deigo | **San Di·e·go** | satannic | **sa·tan·ic** |
| sandle | **san·dal** | satchle | **satch·el** |
| Sandskrit | **San·skrit** | satelite | **sat·el·lite** |
| sandwitch | **sand·wich** | saten | **sat·in** *(fabric)* |
| sanetary | **san·i·tary** | sater | **sat·yr** *(deity)* |
| sanety | **san·i·ty** | Saterday | **Sat·ur·day** |
| sangwin | **san·guine** | saterize | **sat·i·rize** |
| saniterium | **san·i·tar·i·um** | Satern | **Sat·urn** |
| sanktion | **sanc·tion** | satesfaction | **sat·is·fac·tion** |
| sannitation | **san·i·ta·tion** | Satin | **Sa·tan** *(devil)* |
| Sanscrit | **San·skrit** | satisfactery | **sat·is·fac·to·ry** |
| sanwich | **sand·wich** | sattanic | **sa·tan·ic** |
| saphire | **sap·phire** | sattelite | **sat·el·lite** |
| saprano | **so·pra·no** | sattin | **sat·in** *(fabric)* |
| Sarasen | **Sar·a·cen** | sattire | **sat·ire** *(ridicule)* |
| sarcasem | **sar·casm** | sattyr | **sat·yr** *(deity)* |
| sarcasticly | **sar·cas·ti·cal·ly** | saturration | **sat·u·ra·tion** |
| sarcofagus | **sar·coph·a·gus** | saucey | **sau·cy** |
| sardene | **sar·dine** | sauercraut | **sau·er·kraut** |
| sardonnic | **sar·don·ic** | saught | **sought** |
| sargeant | **ser·geant** | saunna | **sau·na** |
| saringe | **sy·ringe** | saurkraut | **sau·er·kraut** |
| sarkastically | **sar·cas·ti·cal·ly** | sause | **sauce** |

| WRONG | RIGHT | WRONG | RIGHT |
|---|---|---|---|
| sausege | **sau·sage** | scandilous | **scan·dal·ous** |
| sauser | **sau·cer** | scaner | **scan·ner** |
| sautté | **sau·té** | scaning | **scan·ning** |
| savagrey | **sav·age·ry** | scapgoat | **scape·goat** |
| save | **salve** (ointment) | scarceley | **scarce·ly** |
| savege | **sav·age** | scarcety | **scar·ci·ty** |
| saveing | **sav·ing** | scared | **scarred** (marred) |
| saver | **sa·vor** (taste or smell) | scarey | **scary** |
| saver | **sav·ior** (rescuer) | scarlit | **scar·let** |
| savery | **sa·vory** | scarred | **scared** (frightened) |
| savier | **sav·ior** (rescuer) | scarsely | **scarce·ly** |
| savier | **sav·er** (keeper; one who saves) | scarsity | **scar·ci·ty** |
| savoir-fair | **sa·voir-faire** | scatering | **scat·ter·ing** |
| savor | **sav·ior** (rescuer) | scatheing | **scath·ing** |
| savor | **sav·er** (keeper; one who saves) | scavinger | **scav·eng·er** |
| | | sceen | **scene** (location) |
| savuar-faire | **sa·voir-faire** | scematic | **sche·mat·ic** |
| savy | **sav·vy** | scemed | **schemed** |
| saxaphone | **sax·o·phone** | scenary | **sce·nery** |
| Saxen | **Sax·on** | scennario | **sce·nar·io** |
| sayed | **said** | scent | **cent** (money) |
| scafold | **scaf·fold** | scent | **sent** (pt. of send) |
| scaleing | **scal·ing** | scepticle | **skep·ti·cal** |
| scaley | **scaly** | sceptor | **scep·ter** |
| scalion | **scal·lion** | scewer | **skew·er** |
| scallap | **scal·lop** | schedual | **sched·ule** |
| scalled | **scald** (burn) | schedulling | **sched·ul·ing** |
| scalpul | **scal·pel** | scheemed | **schemed** |
| scandallize | **scan·dal·ize** | schitsophrenia | **schiz·o·phre·nia** |
| Scandanavia | **Scan·di·na·via** | schnopps | **schnapps** |
| scandel | **scan·dal** | schnouzer | **schnau·zer** |

| WRONG | RIGHT | WRONG | RIGHT |
|---|---|---|---|
| scholer | **schol·ar** | scraped | **scrapped** *(discarded)* |
| schollastic | **scho·las·tic** | scrapped | **scraped** *(rubbed)* |
| schoolling | **school·ing** | scraul | **scrawl** |
| sciense | **sci·ence** | scrauny | **scraw·ny** |
| scientiffic | **sci·en·tif·ic** | screach | **screech** |
| scimmed | **skimmed** | screeming | **scream·ing** |
| scimpy | **skimpy** | scribling | **scrib·bling** |
| scintilate | **scin·til·late** | scrimage | **scrim·mage** |
| scirmish | **skir·mish** | scrip | **script** *(manuscript)* |
| scism | **schism** | scripcher | **scrip·ture** |
| scismatic | **schis·mat·ic** | script | **scrip** *(certificate)* |
| scisors | **scis·sors** | scrole | **scroll** |
| scithe | **scythe** | scroopulous | **scru·pu·lous** |
| scizophrenia | **schiz·o·phre·nia** | scrootinize | **scru·ti·nize** |
| sclirosis | **scle·ro·sis** | scrownge | **scrounge** |
| scoch | **scotch** | scrubed | **scrubbed** |
| scolar | **schol·ar** | scrupullous | **scru·pu·lous** |
| scolastic | **scho·las·tic** | scrutenize | **scru·ti·nize** |
| scooling | **school·ing** | scruteny | **scru·ti·ny** |
| scooner | **schoon·er** | scuad | **squad** |
| scoreing | **scor·ing** | scufle | **scuf·fle** |
| scornfull | **scorn·ful** | scull | **skull** *(head)* |
| Scorpeo | **Scor·pio** | sculpcher | **sculp·ture** |
| scorpeon | **scor·pi·on** | sculpter | **sculp·tor** |
| Scotish | **Scot·tish** | scunk | **skunk** |
| scoul | **scowl** | scurge | **scourge** |
| scower | **scour** | scurilous | **scur·ril·ous** |
| scowndrel | **scoun·drel** | scurvey | **scur·vy** |
| scowt | **scout** | scury | **scur·ry** |
| scrachy | **scratchy** | scutle | **scut·tle** |
| scragly | **scrag·gly** | scyth | **scythe** |
| scrambeling | **scram·bling** | sea | **see** *(perceive)* |

| WRONG | RIGHT | WRONG | RIGHT |
|---|---|---|---|
| seady | **seedy** | sed | **said** |
| sealent | **seal·ant** | sedament | **sed·i·ment** |
| sealing | **ceil·ing** *(overhead covering)* | sedantary | **sed·en·tary** |
| | | sedar | **ce·dar** |
| seam | **seem** *(appear)* | seddan | **se·dan** |
| seamly | **seem·ly** | seddation | **se·da·tion** |
| seamstriss | **seam·stress** | seddative | **sed·a·tive** |
| seapage | **seep·age** | sedductive | **se·duc·tive** |
| sear | **seer** *(prophet)* | sede | **cede** *(give up)* |
| seasaw | **see·saw** | sedentery | **sed·en·tary** |
| seasen | **sea·son** | sedimant | **sed·i·ment** |
| seasening | **sea·son·ing** | seditive | **sed·a·tive** |
| Sebtember | **Sep·tem·ber** | seductave | **se·duc·tive** |
| seccede | **se·cede** *(withdraw)* | see | **sea** *(body of water)* |
| seccessive | **suc·ces·sive** | seed | **cede** *(give up)* |
| seccular | **sec·u·lar** | seege | **siege** |
| seceed | **se·cede** *(withdraw)* | seem | **seam** *(line)* |
| secertary | **sec·re·tary** | seemstress | **seam·stress** |
| seclussion | **se·clu·sion** | seemy | **seamy** |
| secondery | **sec·ond·ary** | seen | **scene** *(location)* |
| secracy | **se·cre·cy** | seenile | **se·nile** |
| secratary | **sec·re·tary** | seepege | **seep·age** |
| secrative | **se·cre·tive** | seequel | **se·quel** |
| secreet | **se·crete** | seequin | **se·quin** |
| secreetion | **se·cre·tion** | seer | **sear** *(burn)* |
| secresy | **se·cre·cy** | seeth | **seethe** |
| secs | **sects** *(factions)* | seeting | **seat·ing** |
| secter | **sec·tor** | segmint | **seg·ment** |
| seculer | **sec·u·lar** | segragation | **seg·re·ga·tion** |
| secullarize | **sec·u·lar·ize** | seige | **siege** |
| secundary | **sec·ond·ary** | seirra | **si·er·ra** |
| securety | **se·cu·ri·ty** | seismagraph | **seis·mo·graph** |

| WRONG | RIGHT | WRONG | RIGHT |
|---|---|---|---|
| seive | sieve | sennile | se·nile |
| seizeing | seiz·ing | senority | sen·ior·i·ty |
| sekts | sects *(factions)* | sensability | sen·si·bil·i·ty |
| seldum | sel·dom | sensable | sen·si·ble |
| selectave | se·lec·tive | sensasional | sen·sa·tion·al |
| self–concious | self–con·scious | sensative | sen·si·tive |
| self–rightious | self–right·eous | sensativity | sen·si·tiv·i·ty |
| sell | cell *(room)* | sensatize | sen·si·tize |
| sellar | sell·er *(vendor)* | sensery | sen·so·ry |
| sellection | se·lec·tion | sensitivaty | sen·si·tiv·i·ty |
| sellective | se·lec·tive | sensor | cen·sor *(prohibiter)* |
| seller | cel·lar *(basement)* | sensuallity | sen·su·al·i·ty |
| seltser | selt·zer | sensuas | sen·su·ous |
| semafore | sem·a·phore | sensule | sen·su·al |
| semalina | sem·o·li·na | sensus | cen·sus |
| semanary | sem·i·nary | sent | cent *(money)* |
| sembelance | sem·blance | sent | scent *(smell)* |
| semenal | sem·i·nal | sentamental | sen·ti·men·tal |
| Semetic | Se·mit·ic | sentement | sen·ti·ment |
| seminery | sem·i·nary | sentense | sen·tence |
| semmantics | se·man·tics | sentinnel | sen·ti·nel |
| semmester | se·mes·ter | sentrey | sen·try |
| semmicolon | sem·i·co·lon | sentury | cen·tu·ry |
| semminary | sem·i·nary | separration | sep·a·ra·tion |
| Semmitic | Se·mit·ic | seperable | sep·a·ra·ble |
| senario | sce·nar·io | seperate | sep·a·rate |
| senater | sen·a·tor | seperation | sep·a·ra·tion |
| senatoreal | sen·a·to·ri·al | Septembar | Sep·tem·ber |
| sence | sense | septer | scep·ter |
| senier | sen·ior | sequal | se·quel |
| sennator | sen·a·tor | sequance | se·quence |
|  |  | sequen | se·quin |

| WRONG | RIGHT | WRONG | RIGHT |
|---|---|---|---|

seranade ............... **ser·e·nade**
serch ..................... **search**
sercharge ............. **sur·charge**
serenety ................ **se·ren·i·ty**
serf ....................... **surf** *(waves)*
serface .................. **sur·face**
serfboard .............. **surf·board**
serge ..................... **surge**
     *(sudden increase; wave)*
sergent .................. **ser·geant**
sergeon ................. **sur·geon**
sergery .................. **sur·gery**
sergical ................. **sur·gi·cal**
serial .................... **ce·re·al** *(grain)*
seriusness ........... **seri·ous·ness**
serloin .................. **sir·loin**
serly ..................... **sur·ly** *(rude)*
serman ................. **ser·mon**
sermise ................ **sur·mise**
serpant ................. **ser·pent**
serpassed ............ **sur·passed**
serplus ................ **sur·plus** *(excess)*
serreal ................ **sur·real** *(fantastic)*
serrenade ............ **ser·e·nade**
serrene ................ **se·rene** *(calm)*
serrenity .............. **se·ren·i·ty**
serrogate .............. **sur·ro·gate**
serrum ................. **se·rum**
sertax .................... **sur·tax**
servace ................ **serv·ice**
servatude ............. **ser·vi·tude**
serveillance ......... **sur·veil·lance**

servent ................. **serv·ant**
servial .................. **ser·vile**
servicable ........... **serv·ice·a·ble**
servise ................. **serv·ice**
servival ................ **sur·viv·al**
sesami .................. **ses·a·me**
sesede ........ **se·cede** *(withdraw)*
sessame ............... **ses·a·me**
sessian ........ **ses·sion** *(meeting)*
session ... **ces·sion** *(a giving up)*
sesspool ............... **cess·pool**
seteler .................. **set·tler**
settlement ........... **set·tle·ment**
seudonym .......... **pseu·do·nym**
sevanth ................ **sev·enth**
sevarel ................. **sev·er·al**
sevarance ............ **sev·er·ance**
sevarity ............... **se·ver·i·ty**
seveer .................. **se·vere**
seventeith .......... **sev·en·ti·eth**
severrity .............. **se·ver·i·ty**
sevinteen ............ **sev·en·teen**
sevral ................... **sev·er·al**
sevrance ............ **sev·er·ance**
sevver .................. **sev·er**
sew ...................... **sow** *(plant)*
sew ...................... **sue** *(prosecute)*
sewege ................ **sew·age**
sexey .................... **sexy**
sextent ................. **sex·tant**
sexuallity ............ **sex·u·al·i·ty**
sfere ..................... **sphere**

| WRONG | RIGHT | WRONG | RIGHT |
|---|---|---|---|
| shabbie | **shab·by** | sheer | **shear** *(clip)* |
| Shablis | **Cha·blis** | sheeth | **sheath** *(n.)* |
| shackeled | **shack·led** | sheeth | **sheathe** *(v.)* |
| shaddow | **shad·ow** | shef | **chef** *(cook)* |
| shadey | **shady** | sheik | **chic** *(fashionable)* |
| shaggie | **shag·gy** | sheild | **shield** |
| shakey | **shaky** | sheperd | **shep·herd** |
| shakled | **shack·led** | sherbert | **sher·bet** |
| Shakspeare | **Shake·speare** | sherif | **sher·iff** *(law officer)* |
| shalet | **cha·let** | sherrie | **sher·ry** |
| shalot | **shal·lot** *(onion)* | shicanery | **chi·can·ery** |
| shalow | **shal·low** *(not deep)* | shiek | **sheik** *(Arab chief)* |
| shambels | **sham·bles** | shiling | **shil·ling** |
| shamful | **shame·ful** | shillac | **shel·lac** |
| shamois | **cham·ois** | shimer | **shim·mer** |
| shampane | **cham·pagne** *(wine)* | shiney | **shiny** |
| shampo | **sham·poo** | shingel | **shin·gle** |
| shandelier | **chan·de·lier** | shining | **shin·ning** *(climbing)* |
| Shanghi | **Shang·hai** | shinning | **shin·ing** *(radiant)* |
| shantey | **shan·ty** *(shack)* | shiped | **shipped** |
| shantie | **chan·tey** *(song)* | shirtail | **shirt·tail** |
| shapliness | **shape·li·ness** | shivver | **shiv·er** |
| sharade | **cha·rade** | shlock | **schlock** |
| shassis | **chas·sis** | shmorgasbord | **smor·gas·bord** |
| shateau | **châ·teau** | shnapps | **schnapps** |
| shater | **shat·ter** | shnauzer | **schnau·zer** |
| shaul | **shawl** | shnitzel | **schnit·zel** |
| shear | **sheer** *(thin; steep)* | shody | **shod·dy** |
| sheathe | **sheath** *(n.)* | sholder | **shoul·der** |
| sheef | **sheaf** | shoot | **chute** *(trough)* |
| sheek | **sheik** *(Arab chief)* | shortning | **short·en·ing** |

| WRONG | RIGHT | WRONG | RIGHT |
|---|---|---|---|
| shovinism | chau·vin·ism | siesmograph | seis·mo·graph |
| showey | showy | siethe | seethe |
| shrapnle | shrap·nel | siezing | seiz·ing |
| shreek | shriek | siezure | sei·zure |
| shreud | shrewd | siffilis | syph·i·lis |
| shrinkege | shrink·age | sifon | si·phon |
| shrivvel | shriv·el | sight | cite *(quote)* |
| shrowd | shroud | sight | site *(location)* |
| shrubery | shrub·bery | sightseing | sight·see·ing |
| shufled | shuf·fled | sign | sine *(ratio)* |
| shulder | shoul·der | signat | sig·net |
| shurbit | sher·bet | signefy | sig·ni·fy |
| shurely | sure·ly *(certainly)* | signel | sig·nal |
| shurk | shirk | signeture | sig·na·ture |
| shuter | shut·ter | significanse | sig·nif·i·cance |
| shuttleing | shut·tling | silacone | sil·i·cone *(compound)* |
| shuvel | shov·el | silecon | sil·i·con *(element)* |
| shyed | shied | silense | si·lence |
| Siammese | Si·a·mese | silhuette | sil·hou·ette |
| siatica | sci·at·i·ca | silia | cil·ia |
| sibbeling | sib·ling | silkan | silk·en |
| Sibiria | Si·ber·ia | sillabic | syl·lab·ic |
| sicada | ci·ca·da | sillable | syl·la·ble |
| sicamore | syc·a·more | sillabus | syl·la·bus |
| sick | sic *(set upon; incite)* | sillica | sil·i·ca |
| sickel | sick·le | sillicon | sil·i·con *(element)* |
| siclusion | se·clu·sion | sillicone | sil·i·cone *(compound)* |
| sidition | se·di·tion | sillogism | syl·lo·gism |
| siduce | se·duce | sillos | si·los |
| sience | sci·ence | sillouette | sil·hou·ette |
| sientific | sci·en·tif·ic | siloes | si·los |
| siera | si·er·ra | | |

| WRONG | RIGHT | WRONG | RIGHT |
|---|---|---|---|
| silverey | sil·very | sinder | cin·der |
| simbiotic | sym·bi·ot·ic | sindicate | syn·di·cate |
| simbol | sym·bol *(mark)* | sindrome | syn·drome |
| simbolism | sym·bol·ism | sine | sign *(signal)* |
| simbollize | sym·bol·ize | sinester | sin·is·ter |
| simean | sim·i·an | sinfuel | syn·fu·el |
| simeltaneous | simul·ta·ne·ous | sinfull | sin·ful |
| simer | sim·mer | singeling | sin·gling |
| simfony | sym·pho·ny | singing | singe·ing *(burning)* |
| similation | sim·u·la·tion | singuler | sin·gu·lar |
| similer | sim·i·lar | sink | sync *(synchronize)* |
| simmetrical | sym·met·ri·cal | sinkronize | syn·chro·nize |
| simmetry | sym·me·try | sinnew | sin·ew |
| simmian | sim·i·an | sinnister | sin·is·ter |
| simmulation | sim·u·la·tion | sinnopses | syn·op·ses *(pl.)* |
| simpathetic | sym·pa·thet·ic | sinnuous | sin·u·ous |
| simpathy | sym·pa·thy | sinonym | syn·o·nym |
| simpelton | sim·ple·ton | sinopsis | syn·op·sis *(sing.)* |
| simphonic | sym·phon·ic | sinous | si·nus |
| simplefy | sim·pli·fy | sinserely | sin·cere·ly |
| simplicety | sim·plic·i·ty | sinserity | sin·cer·i·ty |
| simposium | sym·po·si·um | sintax | syn·tax |
| simptom | symp·tom | sinthesis | syn·the·sis *(sing.)* |
| simular | sim·i·lar | sinthetic | syn·thet·ic |
| simulater | sim·u·la·tor | sintillate | scin·til·late |
| simultanious | simul·ta·ne·ous | sinue | sin·ew |
| sinagogue | syn·a·gogue | sion | sci·on |
| sincerly | sin·cere·ly | siphen | si·phon |
| sincerrity | sin·cer·i·ty | siphilis | syph·i·lis |
| sinchronize | syn·chro·nize | sircharge | sur·charge |
| sinchronous | syn·chro·nous | sirene | se·rene *(calm)* |
| sincopation | syn·co·pa·tion | Siria | Syr·ia |

| WRONG | RIGHT | WRONG | RIGHT |
|---|---|---|---|
| sirial | **se·ri·al** *(in a series)* | skamper | **scam·per** |
| sirin | **si·ren** | Skandinavia | **Scan·di·na·via** |
| siringe | **sy·ringe** | skanty | **scanty** |
| sirly | **sur·ly** *(rude)* | skathing | **scath·ing** |
| sirmon | **ser·mon** | skavenger | **scav·eng·er** |
| sirname | **sur·name** | skech | **sketch** |
| sirpent | **ser·pent** | skedule | **sched·ule** |
| sirrup | **syr·up** | skee | **ski** |
| sirtax | **sur·tax** | skeing | **ski·ing** |
| sirum | **se·rum** | skeleten | **skel·e·ton** |
| sism | **schism** | skeptacism | **skep·ti·cism** |
| sissors | **scis·sors** | skeptecal | **skep·ti·cal** |
| sistem | **sys·tem** | skewar | **skew·er** |
| sistematic | **sys·tem·at·ic** | skien | **skein** |
| sistern | **cis·tern** | skilfull | **skill·ful** |
| sitation | **ci·ta·tion** | skimpie | **skimpy** |
| site | **cite** *(quote)* | sking | **ski·ing** |
| site | **sight** *(vision)* | skiped | **skipped** |
| sither | **zith·er** | skoff | **scoff** |
| siting | **sit·ting** *(prp. of sit)* | skooner | **schoon·er** |
| sittuation | **sit·u·a·tion** | skooter | **scoot·er** |
| siutcase | **suit·case** | skope | **scope** |
| sixteith | **six·ti·eth** | skorch | **scorch** |
| sizeing | **siz·ing** | skorpion | **scor·pi·on** |
| sizemograph | **seis·mo·graph** | skotch | **scotch** |
| sizmatic | **schis·mat·ic** | skowl | **scowl** |
| sizzeling | **siz·zling** | skrawny | **scraw·ny** |
| skab | **scab** | skreen | **screen** |
| skain | **skein** | skrimp | **scrimp** |
| skald | **scald** *(burn)* | skroll | **scroll** |
| skallion | **scal·lion** | skuba | **scu·ba** |
| skalp | **scalp** | skuff | **scuff** |

| WRONG | RIGHT | WRONG | RIGHT |
|---|---|---|---|
| skull | **scull** *(oar; boat)* | slite | **sleight** *(dexterity)* |
| skulptor | **sculp·tor** | slithary | **slith·ery** |
| skum | **scum** | slo | **sloe** *(fruit)* |
| skurmish | **skir·mish** | slober | **slob·ber** |
| skwid | **squid** | slogen | **slo·gan** |
| skwint | **squint** | slolom | **sla·lom** |
| skyskraper | **sky·scrap·er** | slooth | **sleuth** |
| slalem | **sla·lom** | slopy | **slop·py** |
| slandorous | **slan·der·ous** | sloted | **slot·ted** |
| slaternly | **slat·tern·ly** | slothe | **sloth** |
| slath | **sloth** | slou | **slough** |
| slaugter | **slaugh·ter** | sloughter | **slaugh·ter** |
| slavvery | **slav·ery** | slovvenly | **slov·en·ly** |
| Slavvic | **Slav·ic** | slow | **sloe** *(fruit)* |
| slay | **sleigh** *(vehicle)* | sluce | **sluice** |
| sleak | **sleek** | sludje | **sludge** |
| sleat | **sleet** | slueth | **sleuth** |
| sleave | **sleeve** *(arm covering)* | sluf | **slough** |
| sleazie | **slea·zy** | slugard | **slug·gard** |
| sleepally | **sleep·i·ly** | slugish | **slug·gish** |
| sleevless | **sleeve·less** | slurr | **slur** |
| sleezy | **slea·zy** | smaterring | **smat·ter·ing** |
| slege | **sledge** | smeer | **smear** |
| sleight | **slight** *(thin)* | smely | **smelly** |
| sley | **slay** *(kill)* | smerch | **smirch** |
| sliceing | **slic·ing** | smerk | **smirk** |
| sliegh | **sleigh** *(vehicle)* | smokey | **smoky** *(of smoke)* |
| slight | **sleight** *(dexterity)* | smollder | **smol·der** |
| slimey | **slimy** | smootch | **smooch** |
| sliped | **slipped** | smorgasboard | **smor·gas·bord** |
| slipry | **slip·pery** | | |
| slising | **slic·ing** | smuggeling | **smug·gling** |

| WRONG | RIGHT | WRONG | RIGHT |
|---|---|---|---|
| smurch | **smirch** | sodder | **sol·der** *(metal alloy)* |
| smurk | **smirk** | sodeum | **so·di·um** |
| smuther | **smoth·er** | soffa | **so·fa** |
| snach | **snatch** | soffener | **sof·ten·er** |
| snair | **snare** | sofistication | **sophis·ti·ca·tion** |
| snakey | **snaky** | sofistry | **soph·is·try** |
| snappie | **snap·py** | sofomore | **soph·o·more** |
| sneeky | **sneaky** | softner | **sof·ten·er** |
| snich | **snitch** | sojurn | **so·journ** |
| sniffeling | **snif·fling** | solase | **sol·ace** |
| sniped | **snipped** *(cut)* | solatude | **sol·i·tude** |
| snivling | **sniv·el·ing** | solder | **sol·dier** |
| snoball | **snow·ball** | | *(person in army)* |
| snobery | **snob·bery** | sole | **soul** *(spirit)* |
| snorkle | **snor·kel** | soled | **sol·id** *(substantial)* |
| snowey | **snowy** | soledarity | **sol·i·dar·i·ty** |
| snuggeling | **snug·gling** | soler | **so·lar** |
| so | **sew** *(stitch)* | soletaire | **sol·i·taire** |
| so | **sow** *(plant)* | soletary | **sol·i·tary** |
| soar | **sore** *(painful)* | soley | **sole·ly** |
| soberiety | **so·bri·e·ty** | solice | **sol·ace** |
| socable | **so·cia·ble** | soliciter | **so·lic·i·tor** |
| sociallism | **so·cial·ism** | solidefy | **so·lid·i·fy** |
| sociallize | **so·cial·ize** | soliderity | **sol·i·dar·i·ty** |
| sociological | **so·ci·o·log·i·cal** | solilequy | **so·lil·o·quy** |
| socialy | **so·cial·ly** | solisitor | **so·lic·i·tor** |
| sociaty | **so·ci·e·ty** | sollace | **sol·ace** |
| sociologecal | **so·ci·o·log·i·cal** | sollar | **so·lar** |
| socker | **soc·cer** | sollemn | **sol·emn** |
| sockit | **sock·et** | sollicitor | **so·lic·i·tor** |
| Socrites | **Soc·ra·tes** | sollid | **sol·id** *(substantial)* |
| sodda | **so·da** | solliloquy | **so·lil·o·quy** |

| WRONG | RIGHT | WRONG | RIGHT |
|---|---|---|---|
| sollitaire | **sol·i·taire** | sorow | **sor·row** |
| sollitary | **sol·i·tary** | sorrority | **so·ror·i·ty** |
| sollitude | **sol·i·tude** | sorry | **sa·ri** (Hindu garment) |
| Sollomon | **Sol·o·mon** | sorserer | **sor·cer·er** |
| sollution | **so·lu·tion** | sorsery | **sor·cery** |
| solstise | **sol·stice** | sosiable | **so·cia·ble** |
| solumn | **sol·emn** | sosialism | **so·cial·ism** |
| solvant | **sol·vent** | sosially | **so·cial·ly** |
| sombody | **some·body** | sosiety | **so·ci·e·ty** |
| sombraro | **som·bre·ro** | soterne | **sau·terne** |
| somersalt | **som·er·sault** | souflé | **souf·flé** |
| sonec | **son·ic** | soul | **sole** (single; bottom) |
| sonnar | **so·nar** | sourkraut | **sau·er·kraut** |
| sonnata | **so·na·ta** | sourse | **source** |
| sonnic | **son·ic** | southren | **south·ern** |
| sonnit | **son·net** | southword | **south·ward** |
| sooflé | **souf·flé** | souvanir | **sou·ve·nir** |
| sooth | **soothe** (make calm) | Soux | **Sioux** |
| soovenir | **sou·ve·nir** | soviat | **so·vi·et** |
| sophestry | **soph·is·try** | sovreign | **sov·er·eign** |
| sophistecation | | sow | **sew** (stitch) |
| | **sophis·ti·ca·tion** | sowse | **souse** |
| sophmore | **soph·o·more** | spachula | **spat·u·la** |
| sopranno | **so·pra·no** | spacial | **spa·tial** |
| sorcary | **sor·cery** | spacific | **spe·cif·ic** |
| sorce | **source** | spacifically | **spe·cif·i·cal·ly** |
| sorceror | **sor·cer·er** | spacous | **spa·cious** |
| sord | **sword** (weapon) | spade | **spayed** (pt. of spay) |
| sorded | **sor·did** | spagetti | **spa·ghet·ti** |
| sore | **soar** (fly) | spangeled | **span·gled** |
| soriasis | **pso·ri·a·sis** | spanniel | **span·iel** |
| sorley | **sore·ly** | Spannish | **Span·ish** |

| WRONG | RIGHT | WRONG | RIGHT |
|---|---|---|---|
| sparce | **sparse** | spector | **spec·ter** |
| sparibs | **spare·ribs** | spectrem | **spec·trum** |
| sparing | **spar·ring** *(boxing)* | speculitive | **spec·u·la·tive** |
| sparkeler | **spar·kler** | specullation | **spec·u·la·tion** |
| sparow | **spar·row** | spedometer | **speed·om·e·ter** |
| sparr | **spar** | speek | **speak** |
| sparring | **spar·ing** *(saving)* | speer | **spear** |
| spasem | **spasm** | speermint | **spear·mint** |
| spasious | **spa·cious** | spekled | **speck·led** |
| spasmoddic | **spas·mod·ic** | spektrum | **spec·trum** |
| spaun | **spawn** | spelbound | **spell·bound** |
| spazm | **spasm** | speradic | **spo·rad·ic** |
| speach | **speech** | spern | **spurn** |
| speccify | **spec·i·fy** | sperrow | **spar·row** |
| specculation | **spec·u·la·tion** | spert | **spurt** |
| specefication | **spec·i·fi·ca·tion** | spesial | **spe·cial** |
| specemin | **spec·i·men** | spesialize | **spe·cial·ize** |
| speciallist | **spe·cial·ist** | spesify | **spec·i·fy** |
| speciallize | **spe·cial·ize** | spesimen | **spec·i·men** |
| specie | **spe·cies** *(variety)* | sphear | **sphere** |
| speciel | **spe·cial** | spheracle | **spher·i·cal** |
| specielty | **spe·cial·ty** | sphynx | **sphinx** |
| species | **spe·cie** *(coin)* | spicey | **spicy** |
| specifecation | **spec·i·fi·ca·tion** | spicket | **spig·ot** |
| specifffic | **spe·cif·ic** | spidary | **spi·dery** |
| specificly | **spe·cif·i·cal·ly** | spiggot | **spig·ot** |
| speckeled | **speck·led** | spimoni | **spu·mo·ni** |
| speckter | **spec·ter** | spindel | **spin·dle** |
| spectacel | **spec·ta·cle** | spindely | **spin·dly** |
| spectater | **spec·ta·tor** | spinel | **spi·nal** *(of the spine)* |
| specteral | **spec·tral** | spiney | **spiny** |
| specticle | **spec·ta·cle** | spinich | **spin·ach** |

| WRONG | RIGHT | WRONG | RIGHT |
|---|---|---|---|
| spinnoff | **spin·off** | spummoni | **spu·mo·ni** |
| spiratual | **spir·it·u·al** | spunge | **sponge** |
| spirel | **spi·ral** | spured | **spurred** |
| spiret | **spir·it** | spurm | **sperm** |
| spiritted | **spir·it·ed** | spurrious | **spu·ri·ous** |
| spirituallity | **spir·it·u·al·i·ty** | sputer | **sput·ter** |
| spiritule | **spir·it·u·al** | spyre | **spire** |
| spirral | **spi·ral** | squable | **squab·ble** |
| spirrit | **spir·it** | squadren | **squad·ron** |
| spitefull | **spite·ful** | squallid | **squal·id** |
| splean | **spleen** | squallor | **squal·or** |
| splended | **splen·did** | squauk | **squawk** |
| splender | **splen·dor** | squeek | **squeak** |
| sploch | **splotch** | squeel | **squeal** |
| spoillage | **spoil·age** | squeemish | **squeam·ish** |
| spoilling | **spoil·ing** | squeltch | **squelch** |
| spongey | **spon·gy** | squerm | **squirm** |
| sponser | **spon·sor** | squerrel | **squir·rel** |
| spontanious | **spon·ta·ne·ous** | squert | **squirt** |
| sponteneity | **spon·ta·ne·i·ty** | squigly | **squig·gly** |
| sporradic | **spo·rad·ic** | squirel | **squir·rel** |
| spoted | **spot·ted** | squonder | **squan·der** |
| spoutted | **spout·ed** | squosh | **squash** |
| spowse | **spouse** | squot | **squat** |
| spralled | **sprawled** | stabed | **stabbed** |
| spraned | **sprained** | stabel | **sta·ble** |
| sprauled | **sprawled** | stabillity | **sta·bil·i·ty** |
| spred | **spread** | stabillize | **sta·bi·lize** |
| sprinkeling | **sprin·kling** | stableize | **sta·bi·lize** |
| spritely | **spright·ly** | stacatto | **stac·ca·to** |
| sprowt | **sprout** | stachure | **stat·ure** |
| spue | **spew** | stackade | **stock·ade** |

| WRONG | RIGHT | WRONG | RIGHT |
|---|---|---|---|
| stacking | **stock·ing** (sock) | standerdize | **stand·ard·ize** |
| stadeum | **sta·di·um** | stansa | **stan·za** |
| staff | **staph** (bacterium) | stanse | **stance** |
| stagerring | **stag·ger·ing** | stanstill | **stand·still** |
| stagey | **stagy** | stapel | **sta·ple** |
| stagnent | **stag·nant** | stapeling | **sta·pling** |
| staid | **stayed** (pt. of stay) | stappler | **sta·pler** |
| staidium | **sta·di·um** | stare | **stair** (step) |
| stail | **stale** | stared | **starred** (marked with a star) |
| stailmate | **stale·mate** | | |
| stair | **stare** (gaze) | stareo | **ster·eo** |
| staive | **stave** | starred | **stared** (pt. of stare) |
| stake | **steak** (meat slice) | startch | **starch** |
| stalacmite | **sta·lag·mite** (lime deposit on floor) | starteling | **star·tling** |
| | | stary | **star·ry** |
| stalagtite | **sta·lac·tite** (lime deposit from roof) | statastition | **stat·is·ti·cian** |
| | | statchute | **stat·ute** |
| stalid | **stol·id** (impassive) | statick | **stat·ic** |
| stalion | **stal·lion** | stationary | **sta·tion·ery** (writing materials) |
| stallactite | **sta·lac·tite** (lime deposit from roof) | | |
| | | stationery | **sta·tion·ary** (still) |
| stallagmite | **sta·lag·mite** (lime deposit on floor) | statis | **sta·tus** |
| | | statly | **state·ly** |
| stallwart | **stal·wart** | stattic | **stat·ic** |
| stalmate | **stale·mate** | stattistics | **sta·tis·tics** |
| stamena | **stam·i·na** | stattue | **stat·ue** |
| stamerer | **stam·mer·er** | statture | **stat·ure** |
| stamin | **sta·men** | stattutory | **stat·u·to·ry** |
| stammina | **stam·i·na** | statuery | **stat·u·ary** |
| stampeed | **stam·pede** | statueske | **stat·u·esque** |
| stanby | **stand·by** | statuet | **stat·u·ette** |
| standerd | **stand·ard** | stauk | **stalk** (stem) |

| WRONG | RIGHT | WRONG | RIGHT |
|---|---|---|---|
| staul | **stall** | sterness | **stern·ness** |
| staut | **stout** | sterreo | **ster·eo** |
| stawnch | **staunch** | sterreophonic | **ster·e·o·phon·ic** |
| stayed | **staid** *(sober)* | sterreotype | **ster·e·o·type** |
| stead | **steed** *(horse)* | sterrile | **ster·ile** |
| steak | **stake** *(post; share)* | stethiscope | **steth·o·scope** |
| steal | **steel** *(metal)* | stewerd | **stew·ard** |
| steap | **steep** | stewerdess | **stew·ard·ess** |
| steaple | **stee·ple** | stiched | **stitched** |
| stear | **steer** | stie | **sty** |
| stearage | **steer·age** | stien | **stein** |
| sted | **stead** *(place)* | stifen | **stiff·en** |
| stedy | **steady** | stifness | **stiff·ness** |
| steed | **stead** *(place)* | stigmatism | **astig·ma·tism** |
| steel | **steal** *(rob)* | | *(lens distortion)* |
| steem | **steam** | stigme | **stig·ma** |
| steepel | **stee·ple** | stigmitism | **stig·ma·tism** |
| steller | **stel·lar** | | *(condition of normal lens)* |
| stelthy | **stealthy** | stikler | **stick·ler** |
| stennographer | | stile | **style** *(manner)* |
| | **ste·nog·ra·pher** | stilletto | **sti·let·to** |
| stensil | **sten·cil** | stilus | **sty·lus** |
| stentch | **stench** | stimie | **sty·mie** |
| step | **steppe** *(plain)* | stimmulate | **stim·u·late** |
| steral | **ster·ile** | stimulas | **stim·u·lus** |
| steralize | **ster·i·lize** | stimulent | **stim·u·lant** |
| sterdy | **stur·dy** | stine | **stein** |
| stereofonic | **ster·e·o·phon·ic** | stingey | **stin·gy** |
| stereotipe | **ster·e·o·type** | stipand | **sti·pend** |
| sterillization | **ster·i·li·za·tion** | stipled | **stip·pled** |
| sterio | **ster·eo** | stippend | **sti·pend** |
| steriotype | **ster·e·o·type** | | |

200

| WRONG | RIGHT | WRONG | RIGHT |
|---|---|---|---|

stippulation ........ **stip·u·la·tion**
stired ........................ **stirred**
stirene ...................... **sty·rene**
stirling ...................... **ster·ling**
stirup ......................... **stir·rup**
stlactite ................ **sta·lac·tite**
*(lime deposit from roof)*
stlagmite ............. **sta·lag·mite**
*(lime deposit on floor)*
stock .................... **stalk** *(stem)*
stodgey ..................... **stodgy**
*(dull; unfashionable)*
stogey ............... **sto·gie** *(cigar)*
stokyard ............... **stock·yard**
stollen ...... **stol·en** *(pp. of steal)*
stollid ......... **stol·id** *(impassive)*
stomich .................. **stom·ach**
stonch .................... **staunch**
stoney .......................... **stony**
stoped ....................... **stopped**
storie ........................... **sto·ry**
storrage .................. **stor·age**
stowe ............................ **stow**
stowic ........................ **sto·ic**
stowt ............................ **stout**
stradling ............... **strad·dling**
straggeling ............ **strag·gling**
stragle ................... **strag·gle**
straight ........................ **strait**
*(narrow passage)*
straigten ............... **straight·en**
strait ............... **straight** *(even)*

straned ..................... **strained**
strangel .................. **stran·gle**
strangellation ..........
.......... **stran·gu·la·tion**
strangness ......... **strange·ness**
stratagy ................. **strat·e·gy**
stratajem ............ **strat·a·gem**
strateegic .............. **stra·te·gic**
stratefy .................... **strat·i·fy**
stratigem ............ **strat·a·gem**
stratisphere ..... **strat·o·sphere**
strattegy ............... **strat·e·gy**
strattify .................... **strat·i·fy**
strecher .................. **stretch·er**
streek ........................... **streak**
streem ........................ **stream**
streemlined ........ **stream·lined**
strennuous .......... **stren·u·ous**
strenthen .......... **strength·en**
strepp ........... **strep** *(bacterium)*
streusal ................... **streu·sel**
strick .................... **strict** *(rigid)*
stricly ..................... **strict·ly**
stringant ............... **strin·gent**
strip ............. **strep** *(bacterium)*
striped .... **stripped** *(pp. of strip)*
stripped .. **striped** *(pp. of stripe)*
stroabe ....................... **strobe**
stroginoff ............. **stro·ga·noff**
stroler ....................... **stroll·er**
structurel ............. **struc·tur·al**
struesel ................... **streu·sel**

| WRONG | RIGHT | WRONG | RIGHT |
|---|---|---|---|
| struggeling | **strug·gling** | subdude | **sub·dued** |
| stuard | **stew·ard** | suberban | **sub·ur·ban** |
| stubborness | **stub·born·ness** | subgigate | **sub·ju·gate** |
| stuble | **stub·ble** | subjeck | **sub·ject** |
| stucko | **stuc·co** | subjegate | **sub·ju·gate** |
| studant | **stu·dent** | subjektive | **sub·jec·tive** |
| studdied | **stud·ied** | sublemate | **sub·li·mate** |
| studdious | **stu·di·ous** | sublimmation | **sub·li·ma·tion** |
| studeing | **stud·y·ing** | sublimminal | **sub·lim·i·nal** |
| studeous | **stu·di·ous** | submerine | **sub·ma·rine** |
| studing | **stud·y·ing** | submersable | **sub·mers·i·ble** |
| stufy | **stuffy** | submision | **sub·mis·sion** |
| stumbeling | **stum·bling** | submisive | **sub·mis·sive** |
| stuped | **stu·pid** | submited | **sub·mit·ted** |
| stuper | **stu·por** | submurge | **sub·merge** |
| stupidety | **stu·pid·i·ty** | submursion | **sub·mer·sion** |
| stupify | **stu·pe·fy** | suborddinate | **sub·or·di·nate** |
| stuppendous | **stu·pen·dous** | subordenation | |
| stuppor | **stu·por** | | **sub·or·di·na·tion** |
| sturling | **ster·ling** | subpeena | **sub·poe·na** |
| sturred | **stirred** | subplant | **sup·plant** |
| sturrup | **stir·rup** | subpoenied | **sub·poe·naed** |
| stuterring | **stut·ter·ing** | subsadize | **sub·si·dize** |
| stylesh | **styl·ish** | subsaquent | **sub·se·quent** |
| styllus | **sty·lus** | subscribsion | **sub·scrip·tion** |
| styreen | **sty·rene** | subsedy | **sub·si·dy** |
| subblimate | **sub·li·mate** | subserviant | **sub·ser·vi·ent** |
| subblime | **sub·lime** | subsidiery | **sub·sid·i·ary** |
| subbordinate | **sub·or·di·nate** | subsiquant | **sub·se·quent** |
| subburban | **sub·ur·ban** | subsistance | **sub·sist·ence** |
| subconsious | **sub·con·scious** | subsitute | **sub·sti·tute** |
| subdew | **sub·due** | subsitution | **sub·sti·tu·tion** |

| WRONG | RIGHT | WRONG | RIGHT |
|---|---|---|---|
| substancial | sub·stan·tial | sucker | suc·cor (help) |
| substanciate | sub·stan·ti·ate | suckotash | suc·co·tash |
| substatute | sub·sti·tute | sucksion | suc·tion |
| substence | sub·stance | suckumb | suc·cumb |
| substetution | sub·sti·tu·tion | sucor | suc·cor (help) |
| subsurvient | sub·ser·vi·ent | sucroce | su·crose |
| subtel | sub·tle | sucsess | suc·cess |
| subteler | sub·tler | sucsinct | suc·cinct |
| subtelty | sub·tle·ty | suculent | suc·cu·lent |
| subterranian | sub·ter·ra·ne·an | sucumb | suc·cumb |
| subturanéan | sub·ter·ra·ne·an | suecidal | su·i·ci·dal |
| subturfuge | sub·ter·fuge | suer | sew·er |
| subversave | sub·ver·sive | sufering | suf·fer·ing |
| succatash | suc·co·tash | sufferage | suf·frage |
| succede | suc·ceed (follow; achieve) | suffex | suf·fix |
| | | sufficate | suf·fo·cate |
| succeed | se·cede (withdraw) | suffisiency | suf·fi·cien·cy |
| succesion | suc·ces·sion | suffring | suf·fer·ing |
| successer | suc·ces·sor | sufice | suf·fice |
| succion | suc·tion | suficiency | suf·fi·cien·cy |
| succulant | suc·cu·lent | sufix | suf·fix |
| suceed | suc·ceed (follow; achieve) | sufocate | suf·fo·cate |
| | | sufrage | suf·frage |
| suceptibility | sus·cep·ti·bil·i·ty | sufuse | suf·fuse |
| | | suger | sug·ar |
| sucess | suc·cess | sugest | sug·gest |
| sucession | suc·ces·sion | sugestion | sug·ges·tion |
| sucessive | suc·ces·sive | sugestive | sug·ges·tive |
| sucessor | suc·ces·sor | suggary | sug·ary |
| suchure | su·ture | suisidal | su·i·ci·dal |
| suckeled | suck·led | suit | su·et (fat) |
| | | suit | suite (apartment) |

| WRONG | RIGHT | WRONG | RIGHT |
|---|---|---|---|
| suite | **suit** (clothes; legal action) | super | **sup·per** (dinner) |
| suiter | **suit·or** | superceed | **su·per·sede** |
| suitible | **suit·a·ble** | supercillious | **su·per·cil·i·ous** |
| sulfer | **sul·fur** | superempose | **su·per·im·pose** |
| sullin | **sul·len** | supereority | **su·pe·ri·or·i·ty** |
| sullky | **sulky** | superfishal | **su·per·fi·cial** |
| sulpher | **sul·fur** | superflewas | **su·per·flu·ous** |
| sulten | **sul·tan** | superintendant | |
| sultrey | **sul·try** | | **su·per·in·tend·ent** |
| sumarrize | **sum·ma·rize** | superletive | **su·per·la·tive** |
| sumary | **sum·ma·ry** | supernateral | **su·per·nat·u·ral** |
| | (brief account) | superseed | **su·per·sede** |
| sumbrero | **som·bre·ro** | supersilious | **su·per·cil·i·ous** |
| sumed | **summed** | supersonnic | **su·per·son·ic** |
| sumer | **sum·mer** | supersticious | **su·per·sti·tious** |
| sumit | **sum·mit** | superstission | **su·per·sti·tion** |
| summen | **sum·mon** | supervizer | **su·per·vi·sor** |
| summerize | **sum·ma·rize** | supirior | **su·pe·ri·or** |
| summersalt | **som·er·sault** | suplamentary | |
| summery | **sum·ma·ry** | | **sup·ple·men·ta·ry** |
| | (brief account) | suplant | **sup·plant** |
| summet | **sum·mit** | suple | **sup·ple** |
| sumon | **sum·mon** | suplement | **sup·ple·ment** |
| sumptious | **sump·tu·ous** | suplication | **sup·pli·ca·tion** |
| sunbath | **sun·bathe** (v.) | suply | **sup·ply** |
| sunbathe | **sun·bath** (n.) | supoena | **sub·poe·na** |
| sunbern | **sun·burn** | suport | **sup·port** |
| sunday | **sun·dae** (dessert) | supose | **sup·pose** |
| sundile | **sun·di·al** | suposedly | **sup·pos·ed·ly** |
| sundrey | **sun·dry** | supossition | **sup·po·si·tion** |
| sunkin | **sunk·en** | supossitory | **sup·pos·i·to·ry** |
| suovenir | **sou·ve·nir** | suppel | **sup·ple** |

| WRONG | RIGHT | WRONG | RIGHT |
|---|---|---|---|
| supper | su·per *(great)* | surge | serge *(fabric)* |
| supperb | su·perb | surgecal | sur·gi·cal |
| supperficial | su·per·fi·cial | surgen | sur·geon |
| supperior | su·pe·ri·or | surgury | sur·gery |
| supperlative | su·per·la·tive | surloin | sir·loin |
| supplecation | sup·pli·ca·tion | surly | sure·ly *(certainly)* |
| supplementery | sup·ple·men·ta·ry | surmize | sur·mise |
| suppliment | sup·ple·ment | suroggate | sur·ro·gate |
| supposetory | sup·pos·i·to·ry | suround | sur·round |
| suppossedly | sup·pos·ed·ly | suroundings | sur·round·ings |
| suppremacy | su·prem·a·cy | surpased | sur·passed |
| suppreme | su·preme | surplice | sur·plus *(excess)* |
| suppresion | sup·pres·sion | surprize | sur·prise |
| suppressent | sup·pres·sant | surreel | sur·real *(fantastic)* |
| supreem | su·preme | surrendar | sur·ren·der |
| supremmacy | su·prem·a·cy | surrepetitious | sur·rep·ti·tious |
| supress | sup·press | surry | sur·rey |
| supressant | sup·pres·sant | surtain | cer·tain |
| suprise | sur·prise | survay | sur·vey |
| supscription | sub·scrip·tion | surveilance | sur·veil·lance |
| supterfuge | sub·ter·fuge | surveyer | sur·vey·or |
| supurb | su·perb | survile | ser·vile |
| supurfluous | su·per·flu·ous | survivel | sur·viv·al |
| sureal | sur·real *(fantastic)* | survix | cer·vix |
| surely | sur·ly *(rude)* | susceptable | sus·cep·ti·ble |
| surender | sur·ren·der | suseptability | sus·cep·ti·bil·i·ty |
| sureptitious | sur·rep·ti·tious | suspeck | sus·pect |
| surf | serf *(slave)* | suspence | sus·pense |
| surfbord | surf·board | suspendors | sus·pend·ers |
| surfice | sur·face | suspention | sus·pen·sion |
| surfiet | sur·feit | suspision | sus·pi·cion |

| WRONG | RIGHT | WRONG | RIGHT |
|---|---|---|---|
| suspisious | sus·pi·cious | swindel | swin·dle |
| susseptibility | sus·cep·ti·bil·i·ty | swindeler | swin·dler |
| susseptible | sus·cep·ti·ble | Switserland | Switz·er·land |
| sustane | sus·tain | swivvle | swiv·el |
| sustinence | sus·te·nance | swizel | swiz·zle |
| sutcase | suit·case | swolen | swol·len |
| sutherly | south·er·ly | swollow | swal·low |
| suthern | south·ern | sword | sward *(turf)* |
| sutle | sub·tle | sworm | swarm |
| sutor | suit·or | sworthy | swarthy |
| swade | suede | swoted | swat·ted |
| swadling | swad·dling | swoth | swath *(strip)* |
| swager | swag·ger | swurl | swirl |
| swalow | swal·low | swurve | swerve |
| swaped | swapped | syanide | cy·a·nide |
| sward | sword *(weapon)* | sycemore | syc·a·more |
| swated | swat·ted | syche | psy·che *(mind; soul)* |
| swath | swathe *(to wrap)* | sychedelic | psy·che·del·ic |
| swave | suave | sychoanalysis | psy·cho·a·nal·y·sis |
| sweator | sweat·er | sychological | psy·cho·log·i·cal |
| sweepsteaks | sweep·stakes | sychoses | psy·cho·ses *(pl.)* |
| sweet | suite *(apartment)* | syclone | cy·clone |
| sweethart | sweet·heart | syfilis | syph·i·lis |
| sweetner | sweet·en·er | sylabbic | syl·lab·ic |
| sweltring | swel·ter·ing | sylabbus | syl·la·bus |
| swepped | swept | sylable | syl·la·ble |
| swet | sweat | sylinder | cyl·in·der |
| swetter | sweat·er | sylogism | syl·lo·gism |
| swich | switch | symbalism | sym·bol·ism |
| swieback | zwie·back | symbelize | sym·bol·ize |
| swiming | swim·ming | symbeotic | sym·bi·ot·ic |

| WRONG | RIGHT | WRONG | RIGHT |
|---|---|---|---|

symble ............ **sym·bol** *(mark)*
symbol .... **cym·bal** *(brass plate)*
symbollic ............. **sym·bol·ic**
symetrical ........ **sym·met·ri·cal**
symfonic ............ **sym·phon·ic**
symmatry ............ **sym·me·try**
symmetrecal .... **sym·met·ri·cal**
sympethetic ..... **sym·pa·thet·ic**
sympethize ........ **sym·pa·thize**
sympethy ............. **sym·pa·thy**
symphany ............ **sym·pho·ny**
symposeum ........ **sym·po·si·um**
symptem ................ **symp·tom**
symptommatic ..........
 .......... **symp·to·mat·ic**
synanym ................ **syn·o·nym**
synchopation ... **syn·co·pa·tion**
syncronize ........ **syn·chro·nize**
syncronous ...... **syn·chro·nous**
syndecate ............. **syn·di·cate**
synical ...................... **cyn·i·cal**
synogog .............. **syn·a·gogue**
synonimous ..... **syn·on·y·mous**
synopses ....... **syn·op·sis** *(sing.)*
synopsis ........ **syn·op·ses** *(pl.)*
synthasis ..... **syn·the·sis** *(sing.)*
synthettic ............ **syn·thet·ic**
synthises ....... **syn·the·ses** *(pl.)*
syphalis ................ **syph·I·lis**
syrringe ................... **sy·ringe**
syrrup .......................... **syr·up**
systam ...................... **sys·tem**

systemmatic ...... **sys·tem·at·ic**
sythe ......................... **scythe**

# T

tabacco ................... **to·bac·co**
tabbernacle ........ **tab·er·nac·le**
tabboo ......................... **ta·boo**
tabercular ........... **tuber·cu·lar**
taberculosis ..... **tuber·cu·lo·sis**
tabernackle ........ **tab·er·nac·le**
tableu ...................... **tab·leau**
tablit ............................ **tab·let**
taboggan ............... **to·bog·gan**
tabuler ..................... **tab·u·lar**
taburnacle .......... **tab·er·nac·le**
tacet ................. **tac·it** *(implied)*
tachameter ........ **tachom·e·ter**
tacitern ................... **tac·i·turn**
tack ................ **tact** *(sensitivity)*
tackel ........................ **tack·le**
tackometer ........ **tachom·e·ter**
tacks ................. **tax** *(payment)*
tacticks .................... **tac·tics**
tactitian ................. **tac·ti·cian**
tactle ..................... **tac·tile**
tafeta ..................... **taf·fe·ta**
taffey ......................... **taf·fy**
tagether ................ **to·geth·er**
tail ...................... **tale** *(story)*
tailer ...... **tai·lor** *(clothes maker)*
tailight .................... **tail·light**

| WRONG | RIGHT | WRONG | RIGHT |
|---|---|---|---|
| tailling | **tail·ing** | tanjelo | **tan·ge·lo** |
| takeing | **tak·ing** | tanjent | **tan·gent** |
| tako | **ta·co** | tanjerine | **tan·ge·rine** |
| Talahassee | **Tal·la·has·see** | tant | **taint** |
| talant | **tal·ent** | tantallize | **tan·ta·lize** |
| talasman | **tal·is·man** | tantemount | **tan·ta·mount** |
| | (good luck charm) | tantrem | **tan·trum** |
| talcam | **tal·cum** | tapastry | **tap·es·try** |
| tale | **tail** (rear end) | tapeing | **tap·ing** (using tape) |
| talen | **tal·on** | tapeoca | **tap·i·o·ca** |
| talesman | **tal·is·man** | taper | **ta·pir** (animal) |
| | (good luck charm) | taping | **tap·ping** (rapping) |
| talk | **talc** (powder) | tapir | **ta·per** (candle) |
| Tallahasee | **Tal·la·has·see** | tapography | **topog·ra·phy** |
| tallent | **tal·ent** | tappestry | **tap·es·try** |
| tallisman | **tal·is·man** | taranchula | **ta·ran·tu·la** |
| | (good luck charm) | tardyness | **tar·di·ness** |
| tallon | **tal·on** | tarif | **tar·iff** |
| talow | **tal·low** | tarnesh | **tar·nish** |
| taly | **tal·ly** | taro | **tar·ot** (cards) |
| tamahawk | **tom·a·hawk** | tarot | **ta·ro** (plant) |
| tamalle | **ta·ma·le** | tarpaulen | **tar·pau·lin** |
| tamato | **to·ma·to** | tarrantula | **ta·ran·tu·la** |
| tamborine | **tam·bou·rine** | tarro | **ta·ro** (plant) |
| tammale | **ta·ma·le** | tarrot | **tar·ot** (cards) |
| tamultuous | **tumul·tu·ous** | tarten | **tar·tan** |
| tanalize | **tan·ta·lize** | tarter | **tar·tar** |
| tanamount | **tan·ta·mount** | tasit | **tac·it** (implied) |
| tandum | **tan·dem** | tasiturn | **tac·i·turn** |
| tangable | **tan·gi·ble** | tassle | **tas·sel** |
| tangalo | **tan·ge·lo** | tasteing | **tast·ing** |
| tangarine | **tan·ge·rine** | tastey | **tasty** |

| WRONG | RIGHT | WRONG | RIGHT |
|---|---|---|---|
| taters | **tat·ters** (rags) | tedeous | **te·di·ous** |
| tatler | **tat·tler** | tee | **tea** (beverage) |
| tatoo | **tat·too** | teek | **teak** |
| tattletail | **tat·tle·tale** | teem | **team** (group) |
| taudry | **taw·dry** | teeth | **teethe** (grow teeth) |
| taught | **taut** (tight) | teethe | **teeth** (pl. of tooth) |
| tauny | **taw·ny** | telacast | **tel·e·cast** |
| Taurrus | **Tau·rus** | telagram | **tel·e·gram** |
| taut | **taught** (pt. of teach) | telagraph | **tel·e·graph** |
| tavurn | **tav·ern** | telaphone | **tel·e·phone** |
| tawney | **taw·ny** | telascope | **tel·e·scope** |
| tawt | **taut** (tight) | telathon | **tel·e·thon** |
| taxadermy | **tax·i·der·my** | telavision | **tel·e·vi·sion** |
| taxible | **tax·a·ble** | telefone | **tel·e·phone** |
| taxie | **taxi** | telegraf | **tel·e·graph** |
| tea | **tee** (ball-holder) | tellecast | **tel·e·cast** |
| team | **teem** (be full of) | tellegram | **tel·e·gram** |
| teamate | **team·mate** | tellegraphy | **te·leg·ra·phy** |
| tear | **tier** (row) | tellepathy | **te·lep·a·thy** |
| technicallity | **tech·ni·cal·i·ty** | tellescope | **tel·e·scope** |
| technicke | **tech·nique** | tellevision | **tel·e·vi·sion** |
| technicle | **tech·ni·cal** | teltale | **tell·tale** |
| technitian | **tech·ni·cian** | temarity | **te·mer·i·ty** |
| technolagical | **tech·no·log·i·cal** | tempel | **tem·ple** |
| tecknical | **tech·ni·cal** | temperal | **tem·po·ral** |
| tecknique | **tech·nique** | temperary | **tem·po·rary** |
| tecknological | **tech·no·log·i·cal** | temperchure | **tem·per·a·ture** |
| tecnicality | **tech·ni·cal·i·ty** | temperence | **tem·per·ance** |
| tecnician | **tech·ni·cian** | tempermental | **tem·per·a·men·tal** |
| tecnique | **tech·nique** | tempestous | **tem·pes·tu·ous** |
| | | tempist | **tem·pest** |

| WRONG | RIGHT | WRONG | RIGHT |
|---|---|---|---|
| temporery | tem·po·rary | tention | ten·sion |
| tempra | tem·pera | tentitive | ten·ta·tive |
| tempral | tem·po·ral | tenuos | ten·u·ous *(slight)* |
| tempramental | tem·per·a·men·tal | tenur | ten·or *(singer; meaning)* |
| temprance | tem·per·ance | teppid | tep·id |
| temprate | tem·per·ate | tequela | te·qui·la |
| temprature | tem·per·a·ture | terace | ter·race |
| temtation | temp·ta·tion | terain | ter·rain |
| tenacius | te·na·cious | terarium | ter·rar·i·um |
| tenacle | ten·ta·cle | terbine | tur·bine *(engine)* |
| tenament | ten·e·ment | terbulence | tur·bu·lence |
| tenasity | te·nac·i·ty | terce | terse *(concise)* |
| tenatious | te·na·cious | terestrial | ter·res·tri·al |
| tenative | ten·ta·tive | terf | turf |
| tence | tense | terible | ter·ri·ble |
| tendancy | tend·en·cy | terier | ter·ri·er |
| tenden | ten·don | teriff | tar·iff |
| tendonitis | ten·di·ni·tis | terific | ter·rif·ic |
| tenent | ten·ant | teritorial | ter·ri·to·ri·al |
| tener | ten·or *(singer; meaning)* | terkey | tur·key |
| Tenessee | Ten·nes·see | termanation | ter·mi·na·tion |
| tenible | ten·a·ble | termanology | ter·mi·nol·o·gy |
| tenis | ten·nis | terminel | ter·mi·nal |
| tenit | ten·et | termoil | tur·moil |
| tennable | ten·a·ble | ternip | tur·nip |
| tenner | ten·or *(singer; meaning)* | teror | ter·ror |
| tenner | ten·ure *(time held)* | terot | tar·ot *(cards)* |
| Tennesee | Ten·nes·see | terpentine | tur·pen·tine |
| tenor | ten·ure *(time held)* | terquoise | tur·quoise |
| tensle | ten·sile *(flexible)* | terrable | ter·ri·ble |
| tenticle | ten·ta·cle | terrareum | ter·rar·i·um |
| | | terratorial | ter·ri·to·ri·al |

| WRONG | RIGHT | WRONG | RIGHT |
|---|---|---|---|
| terrer | ter·ror | theif | thief *(n.)* |
| terrice | ter·race | their | they're *(they are)* |
| terriffic | ter·rif·ic | their | there *(adv.)* |
| terriyaki | ter·i·ya·ki | theirs | there's *(there is)* |
| terry | tar·ry *(linger)* | theive | thieve *(v.)* |
| tershiary | ter·ti·ary | theivery | thiev·ery |
| tertle | tur·tle | themomater | ther·mom·e·ter |
| teryaki | ter·i·ya·ki | then | than *(conj.; prep.)* |
| tess | test | theologen | the·o·lo·gi·an |
| testacle | tes·ti·cle | theraputic | ther·a·peu·tic |
| testafy | tes·ti·fy | there | their *(poss.)* |
| testamonial | tes·ti·mo·ni·al | there | they're *(they are)* |
| testamony | tes·ti·mo·ny | therem | the·o·rem |
| testement | tes·ta·ment | theres | there's *(there is)* |
| testical | tes·ti·cle | there's | theirs *(poss.)* |
| tetnus | tet·a·nus | theretical | the·o·ret·i·cal |
| Teusday | Tues·day | therfore | there·fore *(hence)* |
| texbook | text·book | thermameter | ther·mom·e·ter |
| texchual | tex·tu·al | thermastat | ther·mo·stat |
| texchure | tex·ture | thermel | ther·mal *(of heat)* |
| textle | tex·tile | thermus | ther·mos |
| thach | thatch | Thersday | Thurs·day |
| than | then *(at that time)* | therteen | thir·teen |
| thankfull | thank·ful | therty | thir·ty |
| thealogian | the·o·lo·gi·an | thesarus | the·sau·rus |
| thealogy | the·ol·o·gy | theses | the·sis *(sing.)* |
| thearem | the·o·rem | thesis | the·ses *(pl.)* |
| thearetical | the·o·ret·i·cal | thesorus | the·sau·rus |
| theary | the·o·ry | theyre | they're *(they are)* |
| theatricle | the·at·ri·cal | they're | there *(adv.)* |
| theem | theme | they're | their *(poss.)* |
| theeter | the·a·ter | thickning | thick·en·ing |

| WRONG | RIGHT | WRONG | RIGHT |
|---|---|---|---|
| thief | **thieve** (v.) | throws | **throes** (spasm; struggle) |
| thieve | **thief** (n.) | thru | **threw** (pt. of throw) |
| thievry | **thiev·ery** | thum | **thumb** |
| thimbel | **thim·ble** | thumtack | **thumb·tack** |
| thime | **thyme** (herb) | thundring | **thun·der·ing** |
| thiner | **thin·ner** | thursty | **thirsty** |
| thiroid | **thy·roid** | thwort | **thwart** |
| thirstey | **thirsty** | tic | **tick** (mite) |
| thirteith | **thir·ti·eth** | tick | **tic** (spasm) |
| thissel | **this·tle** | tickeling | **tick·ling** |
| thorney | **thorny** | tickit | **tick·et** |
| thorobred | **thor·ough·bred** | ticklesh | **tick·lish** |
| thorou | **thor·ough** (absolute) | tidel | **tid·al** (of tides) |
| thorough | **through** (from end to end) | tidey | **ti·dy** |
| thousanth | **thou·sandth** | tiecoon | **ty·coon** |
| thousend | **thou·sand** | tieing | **ty·ing** |
| thout | **thought** | tiephoon | **ty·phoon** |
| thowsand | **thou·sand** | tigger | **ti·ger** |
| threatning | **threat·en·ing** | timber | **tim·bre** (quality of sound) |
| thred | **thread** | timbre | **tim·ber** (wood) |
| threshhold | **thresh·old** | time | **thyme** (herb) |
| thret | **threat** | timed | **tim·id** (shy) |
| thretening | **threat·en·ing** | timeing | **tim·ing** |
| threw | **through** (from end to end) | timerity | **te·mer·i·ty** |
| thriler | **thrill·er** | timerous | **tim·or·ous** |
| throes | **throws** (pitches) | timley | **time·ly** |
| throte | **throat** | timmid | **tim·id** (shy) |
| throtle | **throt·tle** | tinacity | **te·nac·i·ty** |
| through | **threw** (pt. of throw) | tingley | **tin·gly** |
| through | **thor·ough** (absolute) | tinje | **tinge** |

| WRONG | RIGHT | WRONG | RIGHT |
|---|---|---|---|
| tinkture | **tinc·ture** | tommato | **to·ma·to** |
| tinsel | **ten·sile** *(flexible)* | tomorow | **to·mor·row** |
| tinsle | **tin·sel** | tomstone | **tomb·stone** |
| tipe | **type** | tong | **tongue** *(taste organ)* |
| tiphoid | **ty·phoid** | tonick | **ton·ic** |
| tiphus | **ty·phus** | tonsilectomy | **ton·sil·lec·to·my** |
| tipical | **typ·i·cal** | tonsles | **ton·sils** |
| tiquila | **te·qui·la** | too | **to** *(prep.)* |
| tirannical | **tyran·ni·cal** | too | **two** *(number)* |
| tiranny | **tyr·an·ny** | toomb | **tomb** |
| tirant | **ty·rant** | toomult | **tu·mult** |
| tiresum | **tire·some** | tootelage | **tu·te·lage** |
| tirrade | **ti·rade** | toothake | **tooth·ache** |
| tisshue | **tis·sue** | topagraphy | **topog·ra·phy** |
| titaler | **tit·u·lar** | tope | **taupe** *(brownish gray)* |
| titchular | **tit·u·lar** | topick | **top·ic** |
| titen | **ti·tan** | tople | **top·ple** |
| tittillate | **tit·il·late** | torchure | **tor·ture** |
| to | **too** *(also; overly)* | torent | **tor·rent** |
| to | **two** *(number)* | torential | **tor·ren·tial** |
| tobbacco | **to·bac·co** | torid | **tor·rid** |
| tobogan | **to·bog·gan** | torist | **tour·ist** |
| todler | **tod·dler** | tork | **torque** |
| toe | **tow** *(pull)* | tormenter | **tor·men·tor** |
| tofee | **tof·fee** | tornament | **tour·na·ment** |
| toillet | **toi·let** | torped | **tor·pid** |
| tokan | **to·ken** | torper | **tor·por** |
| tole | **toll** *(a tax)* | torreador | **tor·e·a·dor** |
| tole | **told** *(pt. of tell)* | torrencial | **tor·ren·tial** |
| tollerable | **tol·er·a·ble** | torrint | **tor·rent** |
| tollerance | **tol·er·ance** | torrpid | **tor·pid** |
| tommahawk | **tom·a·hawk** | Torrus | **Tau·rus** |

| WRONG | RIGHT | WRONG | RIGHT |
|---|---|---|---|
| tortila | tor·til·la | tragec | trag·ic |
| tortion | tor·sion | tragidy | trag·e·dy |
| tortuous | tor·tur·ous *(causing pain)* | trailler | trail·er |
| | | traiter | trai·tor |
| torturous | tor·tu·ous *(twisting)* | trajedy | trag·e·dy |
| tortus | tor·toise | traktor | trac·tor |
| totallitarian | to·tal·i·tar·i·an | trale | trail |
| totaly | to·tal·ly | traler | trail·er |
| totel | to·tal | trama | trau·ma |
| tottler | tod·dler | trambone | trom·bone |
| totum | to·tem | tramendous | tre·men·dous |
| toupay | tou·pee | trampolene | tram·po·line |
| tournaquet | tour·ni·quet | tranqualizer | tran·quil·iz·er |
| tourniment | tour·na·ment | tranquel | tran·quil |
| toussel | tou·sle | transaktion | trans·ac·tion |
| tow | toe *(digit of a foot)* | transative | tran·si·tive |
| towle | tow·el | transcrip | tran·script |
| toword | to·ward | transe | trance |
| towring | tow·er·ing | transeint | tran·sient |
| towsle | tou·sle | transendental | tran·scen·den·tal |
| towt | tout | transet | trans·it |
| toxec | tox·ic | transferance | trans·fer·ence |
| toylet | toi·let | transfered | trans·ferred |
| traceing | trac·ing | transfuzion | trans·fu·sion |
| track | tract *(area)* | transiant | tran·sient |
| tracktable | trac·ta·ble | transision | tran·si·tion |
| tracktion | trac·tion | transister | tran·sis·tor |
| tracter | trac·tor | translater | trans·la·tor |
| tractible | trac·ta·ble | translusent | trans·lu·cent |
| traddition | tra·di·tion | transmision | trans·mis·sion |
| tradeing | trad·ing | transmiting | trans·mit·ting |
| trafic | traf·fic | | |

| WRONG | RIGHT | WRONG | RIGHT |
|---|---|---|---|
| transparancy | trans·par·en·cy | tremer | trem·or |
| transperent | trans·par·ent | tremulus | trem·u·lous |
| transpertation | trans·por·ta·tion | trenchent | trench·ant |
| transsend | tran·scend | treo | trio |
| transum | tran·som | trepadation | trep·i·da·tion |
| transvurse | trans·verse | tressel | tres·tle |
| tranzaction | trans·ac·tion | tresspass | tres·pass |
| trappeze | tra·peze | tresure | treas·ure *(wealth)* |
| trase | trace | tresurer | treas·ur·er |
| trate | trait | tretise | trea·tise |
| trator | trai·tor | trey | tray *(flat receptacle)* |
| traval | trav·el *(journey)* | triangel | tri·an·gle |
| travel | trav·ail *(toil; agony)* | trianguler | tri·an·gu·lar |
| travisty | trav·es·ty | tribbulation | trib·u·la·tion |
| travurse | trav·erse | tribel | trib·al |
| treacherus | treach·er·ous | tributery | trib·u·tary |
| treasen | trea·son | trickey | tricky |
| treaserer | treas·ur·er | trico | tri·cot |
| treasurey | treas·ury | triel | tri·al |
| treatey | trea·ty | trifel | tri·fle |
| treatiss | trea·tise | triganometry | trig·o·nom·e·try |
| treazure | treas·ure *(wealth)* | triger | trig·ger |
| trecherous | treach·er·ous | trikle | trick·le |
| treck | trek | trilion | tril·lion |
| trecot | tri·cot | trillogy | tril·o·gy |
| tred | tread | triming | trim·ming |
| treeson | trea·son | trinkit | trin·ket |
| trelis | trel·lis | trinnity | trin·i·ty |
| tremalous | trem·u·lous | triping | trip·ping |
| trembel | trem·ble | triplacate | trip·li·cate |
| tremendus | tre·men·dous | triplit | tri·plet |

| WRONG | RIGHT | WRONG | RIGHT |
|---|---|---|---|
| tripple | tri·ple | truent | tru·ant |
| trist | tryst | truging | trudg·ing |
| trisycle | tri·cy·cle | trumpit | trum·pet |
| tritly | trite·ly | trunkate | trun·cate |
| triumf | tri·umph | truse | truce |
| triumphent | tri·um·phant | trusseau | trous·seau |
| triveal | triv·i·al | trustee | **trusty** *(dependable)* |
| troff | trough | trusty | **trus·tee** *(manager)* |
| trofy | tro·phy | trusworthy | trust·wor·thy |
| trogh | trough | truthfull | truth·ful |
| trole | troll | trycicle | tri·cy·cle |
| troley | trol·ley | tryed | tried |
| troop | **troupe** *(group of actors)* | trypod | tri·pod |
| trophey | tro·phy | trys | tries |
| tropicks | trop·ics | tuberculer | tuber·cu·lar |
| tropicle | trop·i·cal | tubercullosis | tuber·cu·lo·sis |
| troting | trot·ting | tubuler | tu·bu·lar |
| troubador | trou·ba·dour | tucksedo | tux·e·do |
| troubble | trou·ble | tuetion | tu·i·tion |
| troublesum | trou·ble·some | tuff | **tough** *(strong)* |
| troule | trow·el | tuff | **tuft** *(clump)* |
| trounse | trounce | tuision | tu·i·tion |
| trouseau | trous·seau | tullip | tu·lip |
| trouzers | trou·sers | tumbeling | tum·bling |
| trowl | trow·el | tumer | tu·mor |
| trownce | trounce | tumulltuous | tumul·tu·ous |
| trowsers | trou·sers | tun | **ton** *(2000 lbs.)* |
| trowt | trout | tunec | tu·nic |
| trubadour | trou·ba·dour | tunel | tun·nel |
| truculant | truc·u·lent | tungue | **tongue** *(taste organ)* |
| trueism | tru·ism | tupee | tou·pee |
| truely | tru·ly | turban | **tur·bine** *(engine)* |

216

| WRONG | RIGHT | WRONG | RIGHT |
|---|---|---|---|
| turbine | **tur·ban** *(head covering)* | twerl | **twirl** |
| turbulance | **tur·bu·lence** | twich | **twitch** |
| turcoise | **tur·quoise** | twinje | **twinge** |
| turet | **tur·ret** | twurl | **twirl** |
| turine | **tu·reen** | tye | **tie** |
| turist | **tour·ist** | tyfoid | **ty·phoid** |
| turky | **tur·key** | tyfoon | **ty·phoon** |
| turm | **term** | tyfus | **ty·phus** |
| turminal | **ter·mi·nal** | tykoon | **ty·coon** |
| turmination | **ter·mi·na·tion** | tyme | **thyme** *(herb)* |
| turminology | **ter·mi·nol·o·gy** | typacal | **typ·i·cal** |
| turn | **tern** *(bird)* | typeriter | **type·writ·er** |
| turnament | **tour·na·ment** | typewritting | **type·writ·ing** |
| turniquet | **tour·ni·quet** | tyrade | **ti·rade** |
| turnup | **tur·nip** | tyrany | **tyr·an·ny** |
| turpintine | **tur·pen·tine** | tyrent | **ty·rant** |
| turquoize | **tur·quoise** | tyrrannical | **tyran·ni·cal** |
| turrit | **tur·ret** | | |
| turse | **terse** *(concise)* | **U** | |
| turtel | **tur·tle** | | |
| Tusday | **Tues·day** | ubickuitous | **ubiq·ui·tous** |
| Tuson | **Tuc·son** | udder | **ut·ter** *(speak)* |
| tussel | **tus·sle** | uder | **ud·der** *(milk gland)* |
| tuter | **tu·tor** | ukalele | **uku·le·le** |
| tutilage | **tu·te·lage** | ulcerus | **ul·cer·ous** |
| tutoreal | **tu·to·ri·al** | ulltra | **ul·tra** |
| tuxido | **tux·e·do** | ulser | **ul·cer** |
| twead | **tweed** | ulserous | **ul·cer·ous** |
| tweater | **tweet·er** | ultamate | **ul·ti·mate** |
| tweek | **tweak** | ultamatum | **ul·ti·ma·tum** |
| twelf | **twelfth** | ulterier | **ul·te·ri·or** |
| | | ultrasanic | **ul·tra·son·ic** |

| WRONG | RIGHT | WRONG | RIGHT |
|---|---|---|---|
| ultravilet | **ul·tra·vi·o·let** | uneque | **unique** |
| umbillical | **um·bil·i·cal** | unerth | **un·earth** |
| umbrege | **um·brage** | unifacation | **uni·fi·ca·tion** |
| umbrela | **um·brel·la** | uniformaty | **uni·form·i·ty** |
| umpier | **um·pire** | unike | **unique** |
| unabriged | **un·a·bridged** | unisun | **uni·son** |
| unacorn | **uni·corn** | unisycle | **uni·cy·cle** |
| unacycle | **uni·cy·cle** | uniteing | **unit·ing** |
| unafication | **uni·fi·ca·tion** | univursal | **uni·ver·sal** |
| unalienable | **in·al·ien·a·ble** | univursity | **uni·ver·si·ty** |
| unanamous | **unan·i·mous** | unkemt | **un·kempt** |
| unason | **uni·son** | unkle | **un·cle** |
| unatural | **un·nat·u·ral** | unkouth | **un·couth** |
| unaty | **uni·ty** | unmaned | **un·manned** |
| unaversal | **uni·ver·sal** | unmentionibles | |
| unaversity | **uni·ver·si·ty** | | **un·men·tion·a·bles** |
| uncany | **un·can·ny** | unmistakeable | |
| unconshunable | | | **un·mis·tak·a·ble** |
| | **un·con·scion·a·ble** | unmitagated | **un·mit·i·gat·ed** |
| uncuth | **un·couth** | unnecessaryly | |
| undenyable | **un·de·ni·a·ble** | | **un·nec·es·sar·i·ly** |
| underite | **un·der·write** | unruley | **un·ruly** |
| underneth | **un·der·neath** | unscrupulus | **un·scru·pu·lous** |
| undiniable | **un·de·ni·a·ble** | untenible | **un·ten·a·ble** |
| undoutedly | **un·doubt·ed·ly** | untill | **un·til** |
| undullate | **un·du·late** | untye | **un·tie** |
| undur | **un·der** | unwanted | **un·wont·ed** |
| unecessarily | | | *(not usual)* |
| | **un·nec·es·sar·i·ly** | unwonted | **un·want·ed** |
| unecessary | **un·nec·es·sary** | | *(not wanted)* |
| uneform | **uni·form** | unyon | **un·ion** |
| unefy | **uni·fy** | upan | **up·on** |

| WRONG | RIGHT | WRONG | RIGHT |
|---|---|---|---|
| upbrade | up·braid | utillitarian | util·i·tar·i·an |
| uper | up·per | utillity | util·i·ty |
| upheval | up·heav·al | utillize | uti·lize |
| upolstery | up·hol·stery | utopea | uto·pia |
| upriseing | up·ris·ing | utter | ud·der *(milk gland)* |
| uprite | up·right | utterence | ut·ter·ance |
| uprorious | up·roar·i·ous | uturus | uter·us |
| upword | up·ward | uzually | usu·al·ly |
| uranal | uri·nal | | |
| uraneum | ura·ni·um | **V** | |
| Urannus | Ura·nus | | |
| urathane | ure·thane | vacansy | va·can·cy |
| urban | ur·bane *(refined)* | vacashun | va·ca·tion |
| urbane | ur·ban *(of a city)* | vaccanate | vac·ci·nate |
| urchen | ur·chin | vaccene | vac·cine |
| uren | urine | vaccum | vac·u·um |
| urgincy | ur·gen·cy | vacency | va·can·cy |
| urgint | ur·gent | vacent | va·cant |
| urinel | uri·nal | vacilate | vac·il·late |
| urjency | ur·gen·cy | vacine | vac·cine |
| urmine | er·mine | vacksinate | vac·ci·nate |
| urr | err *(be wrong)* | vadeville | vaude·ville |
| usefull | use·ful | vage | vague |
| usege | us·age | vagery | va·gary |
| useing | us·ing | vagibond | vag·a·bond |
| userp | usurp | vagrent | va·grant |
| ushur | ush·er | vain | vein *(blood vessel)* |
| ussage | us·age | vain | vane *(blade)* |
| usualy | usu·al·ly | vajina | va·gi·na |
| utensle | uten·sil | valadate | val·i·date |
| uteran | uter·ine | valadictorian | |
| uterance | ut·ter·ance | | val·e·dic·to·ri·an |

| WRONG | RIGHT | WRONG | RIGHT |
|---|---|---|---|
| valance | **va·lence** *(chemistry term)* | valu | **val·ue** |
| valantine | **val·en·tine** | valueable | **val·u·a·ble** |
| valay | **val·et** | valume | **vol·ume** |
| vale | **veil** *(screen)* | valuminous | **vo·lu·mi·nous** |
| valed | **val·id** | valuntary | **vol·un·tary** |
| valedictorion | **val·e·dic·to·ri·an** | valunteer | **vol·un·teer** |
| valence | **val·ance** *(curtain)* | vanaty | **van·i·ty** |
| valer | **val·or** | vandelism | **van·dal·ism** |
| valese | **va·lise** | vane | **vain** *(conceited)* |
| valey | **val·ley** | vane | **vein** *(blood vessel)* |
| validaty | **va·lid·i·ty** | vaneer | **ve·neer** |
| valient | **val·iant** | vangard | **van·guard** |
| valit | **val·et** | vanila | **va·nil·la** |
| valition | **vo·li·tion** | vankuish | **van·quish** |
| vallance | **val·ance** *(curtain)* | vannish | **van·ish** |
| valledictorian | **val·e·dic·to·ri·an** | vantege | **van·tage** |
| vallentine | **val·en·tine** | vaped | **vap·id** |
| vallet | **val·et** | vaper | **va·por** |
| valley | **vol·ley** *(discharge; ball return)* | vaperizer | **va·por·iz·er** |
| valliant | **val·iant** | varanda | **ve·ran·da** |
| vallid | **val·id** | vareable | **var·i·a·ble** |
| vallidate | **val·i·date** | vareagated | **var·i·e·gat·ed** |
| vallidity | **va·lid·i·ty** | vareation | **var·i·a·tion** |
| vallise | **va·lise** | varecose | **var·i·cose** |
| valluable | **val·u·a·ble** | vareous | **var·i·ous** |
| vallue | **val·ue** | variaty | **va·ri·e·ty** |
| vally | **val·ley** | varient | **var·i·ant** |
| valt | **vault** | varius | **var·i·ous** |
| | | varnnish | **var·nish** |
| | | varsaty | **var·si·ty** |
| | | vary | **very** *(exceedingly)* |
| | | varyed | **var·ied** |

| WRONG | RIGHT | WRONG | RIGHT |
|---|---|---|---|
| vasal | **vas·sal** *(subordinate)* | vejetate | **veg·e·tate** |
| vasaline | **vas·e·line** | velacity | **ve·loc·i·ty** |
| vasculer | **vas·cu·lar** | vellour | **ve·lour** |
| vasecktomy | **vas·ec·to·my** | velosity | **ve·loc·i·ty** |
| vaselene | **vas·e·line** | velum | **vel·lum** *(paper)* |
| vasillate | **vac·il·late** | velvit | **vel·vet** |
| vass | **vast** *(great)* | venal | **ve·ni·al** *(excusable)* |
| vassal | **ves·sel** *(container)* | venarate | **ven·er·ate** |
| vassel | **vas·sal** *(subordinate)* | venchure | **ven·ture** |
| Vattican | **Vat·i·can** | vendeta | **ven·det·ta** |
| vaudville | **vaude·ville** | venel | **ve·nal** *(corrupt)* |
| vaxine | **vac·cine** | venemous | **ven·om·ous** |
| vaze | **vase** | venerial | **ve·ne·re·al** |
| veamently | **vehe·ment·ly** | venerible | **ven·er·a·ble** |
| vear | **veer** | Venetion | **Ve·ne·tian** |
| vecter | **vec·tor** | venew | **ven·ue** |
| veel | **veal** | vengefull | **venge·ful** |
| vegatarian | **veg·e·tar·i·an** | vengence | **venge·ance** |
| vegatate | **veg·e·tate** | venial | **ve·nal** *(corrupt)* |
| vegtable | **veg·e·ta·ble** | venilate | **ven·ti·late** |
| vehementley | **vehe·ment·ly** | venire | **ve·neer** |
| vehical | **ve·hi·cle** | venireal | **ve·ne·re·al** |
| vehiculer | **ve·hic·u·lar** | vennison | **ven·i·son** |
| vehimently | **vehe·ment·ly** | ventalate | **ven·ti·late** |
| veicle | **ve·hi·cle** | ventillator | **ven·ti·la·tor** |
| veil | **vale** *(valley)* | ventrical | **ven·tri·cle** |
| vein | **vane** *(blade)* | ventrilloquist | **ven·tril·o·quist** |
| vein | **vain** *(conceited)* | veola | **vi·o·la** |
| veinglorious | **vain·glo·ri·ous** | veracious | **vo·ra·cious** *(greedy)* |
| veiw | **view** | veracius | **ve·ra·cious** *(truthful)* |
| vejetable | **veg·e·ta·ble** | verafiable | **ver·i·fi·a·ble** |
| vejetarian | **veg·e·tar·i·an** | verafy | **ver·i·fy** |

| WRONG | RIGHT | WRONG | RIGHT |
|---|---|---|---|
| verasimilitude ......... ......... **ver·i·si·mil·i·tude** | | verses ........... **ver·sus** *(against)* | |
| verasity ................. **ve·rac·i·ty** | | versitile ................. **ver·sa·tile** | |
| veratable ............... **ver·i·ta·ble** | | vertabra ................. **ver·te·bra** | |
| verbatem ............... **ver·ba·tim** | | vertago ..................... **ver·ti·go** | |
| verbeage ............... **ver·bi·age** | | verticle .................... **ver·ti·cal** | |
| verbel ......................... **ver·bal** | | vertually ................ **vir·tu·al·ly** | |
| verdent ..................... **ver·dant** | | very ....................... **vary** *(alter)* | |
| verdick ..................... **ver·dict** | | verzion ..................... **ver·sion** | |
| verginal ................. **vir·gin·al** | | vesa ........................... **vi·sa** | |
| verginity ................ **vir·gin·i·ty** | | vessal ......... **ves·sel** *(container)* | |
| Vergo ......................... **Vir·go** | | vessel ....... **vas·sal** *(subordinate)* | |
| veriable ................. **var·i·a·ble** | | vestabule .............. **ves·ti·bule** | |
| veriant ..................... **var·i·ant** | | vestage ..................... **ves·tige** | |
| veriation ............... **var·i·a·tion** | | veteren ..................... **vet·er·an** | |
| vericose .................. **var·i·cose** | | veternarian .... **vet·er·i·nar·i·an** | |
| veriegated ......... **var·i·e·gat·ed** | | vetos ........................... **ve·toes** | |
| veriety ..................... **va·ri·e·ty** | | vetran ..................... **vet·er·an** | |
| verifyable ............ **ver·i·fi·a·ble** | | vetrinarian .... **vet·er·i·nar·i·an** | |
| verile ......................... **vir·ile** | | vial ........................... **vile** *(evil)* | |
| verious ................... **var·i·ous** | | vialate ..................... **vi·o·late** | |
| verismillitude ......... ......... **ver·i·si·mil·i·tude** | | vialence ................. **vi·o·lence** | |
| veritible ................ **ver·i·ta·ble** | | vialet ......................... **vi·o·let** | |
| vermacelli ............. **ver·mi·celli** | | vialin ......................... **vi·o·lin** | |
| vermen ..................... **ver·min** | | vibrateing ............. **vi·brat·ing** | |
| vermillion .............. **ver·mil·ion** | | vibrater ................... **vi·bra·tor** | |
| vermuth ................. **ver·mouth** | | vibrent ..................... **vi·brant** | |
| vernaculer .......... **ver·nac·u·lar** | | vicarius ................. **vi·car·i·ous** | |
| verneer ..................... **ve·neer** | | vice ........................ **vise** *(clamp)* | |
| verrisimilitude ......... ......... **ver·i·si·mil·i·tude** | | vicissatude ......... **vicis·si·tude** | |
| | | vicius ..................... **vi·cious** | |
| | | vicker ......................... **vic·ar** | |
| | | victem ..................... **vic·tim** | |

| WRONG | RIGHT | WRONG | RIGHT |
|---|---|---|---|
| victer | **vic·tor** | virgenal | **vir·gin·al** |
| victorius | **vic·to·ri·ous** | virgenity | **vir·gin·i·ty** |
| victry | **vic·to·ry** | virtous | **vir·tu·ous** |
| vidio | **vid·eo** | virtully | **vir·tu·al·ly** |
| vieing | **vy·ing** | virtuossity | **vir·tu·os·i·ty** |
| viel | **veil** *(screen)* | virulant | **vir·u·lent** |
| vigel | **vig·il** | visable | **vis·i·ble** |
| vigerous | **vig·or·ous** | visator | **vis·i·tor** |
| vigilence | **vig·i·lance** | viscus | **vis·cous** *(adj.)* |
| vijil | **vig·il** | vise | **vice** *(wickedness)* |
| vijilance | **vig·i·lance** | visege | **vis·age** |
| vilage | **vil·lage** | viser | **vi·sor** |
| vilain | **vil·lain** *(scoundrel)* | viseral | **vis·cer·al** |
| vile | **vi·al** *(bottle)* | vise versa | **vi·ce ver·sa** |
| vilet | **vi·o·let** | vishiate | **vi·ti·ate** |
| villege | **vil·lage** | vishus | **vi·cious** |
| villein | **vil·lain** *(scoundrel)* | visibillity | **vis·i·bil·i·ty** |
| vindacate | **vin·di·cate** | visinity | **vi·cin·i·ty** |
| vindictave | **vin·dic·tive** | visissitude | **vicis·si·tude** |
| vinereal | **ve·ne·re·al** | vitallity | **vi·tal·i·ty** |
| Vinetian | **Ve·ne·tian** | vitamen | **vi·ta·min** |
| vineyerd | **vine·yard** | vitel | **vi·tal** |
| vinigar | **vin·e·gar** | vivacius | **vi·va·cious** |
| vinil | **vi·nyl** | vivasection | **viv·i·sec·tion** |
| vinilla | **va·nil·la** | vived | **viv·id** |
| vinnegar | **vin·e·gar** | viza | **vi·sa** |
| vintege | **vin·tage** | vizage | **vis·age** |
| vinyard | **vine·yard** | viz-a-ve | **vis-à-vis** |
| violance | **vi·o·lence** | vizibility | **vis·i·bil·i·ty** |
| virchually | **vir·tu·al·ly** | vizible | **vis·i·ble** |
| virel | **vir·ile** | vizion | **vi·sion** |
| vires | **vi·rus** | vizit | **vis·it** |

| WRONG | RIGHT | WRONG | RIGHT |
|---|---|---|---|
| vizitor | **vis·i·tor** | voteing | **vot·ing** |
| vizual | **vis·u·al** | votery | **vo·ta·ry** |
| vocabulery | **vo·cab·u·lary** | vowl | **vow·el** |
| vocallize | **vo·cal·ize** | voyce | **voice** |
| vocul | **vo·cal** | voyd | **void** |
| vodeville | **vaude·ville** | voyege | **voy·age** |
| voge | **vogue** | voyure | **vo·yeur** |
| voise | **voice** | vue | **view** |
| vokabulary | **vo·cab·u·lary** | vulcanic | **vol·can·ic** |
| volatle | **vol·a·tile** | vulcano | **vol·ca·no** |
| volcanick | **vol·can·ic** | vulchure | **vul·ture** |
| voley | **vol·ley** *(discharge; ball return)* | vulgarety | **vul·gar·i·ty** |
| | | vulger | **vul·gar** |
| volision | **vo·li·tion** | vulnerible | **vul·ner·a·ble** |
| vollatile | **vol·a·tile** | vurbal | **ver·bal** |
| vollcano | **vol·ca·no** | vurbatim | **ver·ba·tim** |
| volluble | **vol·u·ble** | vurdict | **ver·dict** |
| vollume | **vol·ume** | vurge | **verge** |
| volluminous | **volu·mi·nous** | vurginal | **vir·gin·al** |
| volluntary | **vol·un·tary** | vurmin | **ver·min** |
| volluptuous | **volup·tu·ous** | vurse | **verse** |
| volly | **vol·ley** *(discharge; ball return)* | vursus | **ver·sus** *(against)* |
| | | vurtebra | **ver·te·bra** |
| voltege | **volt·age** | vurtical | **ver·ti·cal** |
| volumenous | **volu·mi·nous** | vurtigo | **ver·ti·go** |
| volunter | **vol·un·teer** | vurtue | **vir·tue** |
| voluntery | **vol·un·tary** | vurtuous | **vir·tu·ous** |
| volupchuous | **volup·tu·ous** | vurve | **verve** |
| vommit | **vom·it** | vyable | **vi·a·ble** |
| voracious | **ve·ra·cious** *(truthful)* | vye | **vie** |
| voratious | **vo·ra·cious** *(greedy)* | | |

| WRONG | RIGHT | WRONG | RIGHT |
|---|---|---|---|

## W

| WRONG | RIGHT |
|---|---|
| wabble | **wob·ble** |
| wach | **watch** |
| wack | **whack** |
| wackey | **wacky** |
| wacks | **wax** |
| waddle | **wat·tle** (fold of skin) |
| wadeing | **wad·ing** |
| wading | **wad·ding** (stuffing) |
| wadle | **wad·dle** (toddle) |
| wafe | **waif** |
| waff | **waft** (float) |
| waffer | **wa·fer** |
| wafle | **waf·fle** |
| wagen | **wag·on** |
| wagish | **wag·gish** |
| wagle | **wag·gle** |
| waigh | **weigh** (measure weight of) |
| wail | **wale** (ridge) |
| wail | **whale** (animal) |
| waist | **waste** (squander) |
| wait | **weight** (heaviness) |
| waive | **wave** (curving motion) |
| waje | **wage** |
| wajer | **wa·ger** |
| wakeing | **wak·ing** |
| wale | **whale** (animal) |
| wale | **wail** (cry) |
| walet | **wal·let** |
| wallbord | **wall·board** |
| wallnut | **wal·nut** |
| wallrus | **wal·rus** |
| walop | **wal·lop** |
| walow | **wal·low** |
| walris | **wal·rus** |
| walz | **waltz** |
| wan | **won** (pt. of win) |
| wander | **won·der** (marvel) |
| wandrings | **wan·der·ings** |
| waneing | **wan·ing** |
| wann | **wan** (pale; feeble) |
| want | **wont** (accustomed) |
| wan ton | **won ton** (food) |
| warant | **war·rant** |
| wardon | **war·den** |
| ware | **wear** (to dress in) |
| ware | **where** (adv.) |
| warewolf | **were·wolf** |
| warey | **wary** |
| warf | **wharf** |
| warhouse | **ware·house** |
| warior | **war·ri·or** |
| warmunger | **war·mon·ger** |
| warn | **worn** (pp. of wear) |
| warrent | **war·rant** |
| warrenty | **war·ran·ty** |
| warrier | **war·ri·or** |
| warsh | **wash** |
| waryness | **war·i·ness** |
| wasail | **was·sail** |
| wasent | **wasn't** |
| washible | **wash·a·ble** |

225

| WRONG | RIGHT | WRONG | RIGHT |
|---|---|---|---|
| wassel | **was·sail** | weal | **wheel** (disc) |
| wastbasket | **waste·bas·ket** | weapen | **weap·on** |
| waste | **waist** (middle section) | wear | **ware** (merchandise) |
| wastege | **wast·age** | wearyness | **wea·ri·ness** |
| wasteing | **wast·ing** | weasle | **wea·sel** |
| wat | **watt** | weather | **wheth·er** (if) |
| watage | **watt·age** | weaveing | **weav·ing** |
| wate | **wait** (stay) | weavil | **wee·vil** |
| waterey | **wa·tery** | webing | **web·bing** |
| watermellon | **wa·ter·mel·on** | Wedgewood | **Wedg·wood** |
| watle | **wat·tle** (fold of skin) | weding | **wed·ding** |
| watress | **wait·ress** | weedling | **whee·dling** |
| wattege | **watt·age** | week | **weak** (not strong) |
| watter | **wa·ter** | weekley | **week·ly** |
| wattery | **wa·tery** | weel | **wheel** (disc) |
| wattle | **wad·dle** (toddle) | weel | **weal** (ridge) |
| wauk | **walk** (stroll) | weelbarrow | **wheel·bar·row** |
| wauk | **wok** (pan) | ween | **wean** |
| wave | **waive** (give up) | weener | **wie·ner** |
| waveing | **wav·ing** | weepey | **weepy** |
| waver | **waiv·er** (a relinquishing) | weesel | **wea·sel** |
| wavey | **wavy** | weeve | **weave** |
| waxey | **waxy** | weevle | **wee·vil** |
| way | **weigh** (measure weight of) | weeze | **wheeze** |
| way | **whey** (milk product) | wege | **wedge** |
| wayfer | **wa·fer** | wegies | **wedg·ies** |
| waywerd | **way·ward** | weild | **wield** |
| wazn't | **wasn't** | weiner | **wie·ner** |
| wead | **weed** | wellcome | **wel·come** |
| weak | **week** (seven days) | wellfare | **wel·fare** |
| weakend | **week·end** | welp | **whelp** |
| weal | **wheal** (pimple) | welth | **wealth** |

226

| WRONG | RIGHT | WRONG | RIGHT |
|---|---|---|---|
| wen | **when** (adv.) | wheezey | **wheez·y** |
| wench | **winch** (mechanical device) | wherabouts | **where·a·bouts** |
| wendow | **win·dow** | wheras | **where·as** |
| Wensday | **Wednes·day** | wherl | **whirl** (spin) |
| wepon | **weap·on** | whether | **weath·er** (atmospheric conditions) |
| were | **where** (adv.) | which | **witch** (sorceress) |
| were | **we're** (we are) | while | **wile** (trick) |
| we're | **were** (pt. of be) | whimsey | **whim·sy** |
| werever | **wher·ev·er** | whimsicle | **whim·si·cal** |
| werewulf | **were·wolf** | whine | **wine** (drink) |
| wern't | **weren't** | whinny | **whiny** (complaining) |
| werth | **worth** | whiny | **whin·ny** (neigh) |
| wery | **wea·ry** | whiping | **whip·ping** |
| westerley | **west·er·ly** | whipoorwill | **whip·poor·will** |
| westurn | **west·ern** | whirl | **whorl** (fingerprint design) |
| westwerd | **west·ward** | whispring | **whis·per·ing** |
| wet | **whet** (sharpen) | whissle | **whis·tle** |
| wether | **wheth·er** (if) | whistful | **wist·ful** |
| wether | **weath·er** (atmospheric conditions) | whistleing | **whis·tling** |
| wey | **weigh** (measure weight of) | whit | **white** (color) |
| wey | **whey** (milk product) | whitch | **witch** (sorceress) |
| whale | **wail** (cry) | whither | **with·er** (wilt) |
| whale | **wale** (ridge) | whitle | **whit·tle** |
| whaleing | **whal·ing** | whole | **hole** (cavity) |
| wheather | **wheth·er** (if) | wholesell | **whole·sale** |
| wheedeling | **whee·dling** | wholesum | **whole·some** |
| wheel | **wheal** (pimple) | wholistic | **ho·lis·tic** |
| wheel | **weal** (ridge) | wholy | **whol·ly** (totally) |
| wheelbarow | **wheel·bar·row** | whoose | **whose** (poss.) |
| wheet | **wheat** | whore | **hoar** (frost) |
|  |  | whorf | **wharf** |

| WRONG | RIGHT | WRONG | RIGHT |
|---|---|---|---|
| whorl | **whirl** (spin) | winry | **win·ery** |
| who's | **whose** (poss.) | winse | **wince** |
| whose | **who's** (who is; who has) | winsum | **win·some** |
| wich | **which** (pron.) | wintrey | **win·try** |
| wicket | **wick·ed** (bad) | wintur | **win·ter** (cold season) |
| wickit | **wick·et** (arch) | wipeing | **wip·ing** |
| widdow | **wid·ow** | wippoorwill | **whip·poor·will** |
| wierd | **weird** | wireing | **wir·ing** |
| wiff | **whiff** | wirey | **wiry** |
| wiggley | **wig·gly** | wirl | **whirl** (spin) |
| wigle | **wig·gle** | wirlpool | **whirl·pool** |
| wikker | **wick·er** | wisacre | **wise·acre** |
| wikket | **wick·et** (arch) | wisdum | **wis·dom** |
| wile | **while** (time) | wishfull | **wish·ful** |
| wiley | **wily** | wisk | **whisk** |
| wilfull | **will·ful** | wisker | **whisk·er** |
| willderness | **wil·der·ness** | wiskey | **whis·key** |
| wilow | **wil·low** | wisper | **whis·per** |
| wily–nily | **wil·ly–nil·ly** | wistfull | **wist·ful** |
| wimen | **wom·en** (pl.) | wistle | **whis·tle** |
| wimsical | **whim·si·cal** | witch | **which** (pron.) |
| winch | **wench** (woman) | wite | **white** (color) |
| windey | **windy** | withdrawl | **with·draw·al** |
| windless | **wind·lass** (winch) | wither | **whith·er** (where) |
| wine | **whine** (cry) | withold | **with·hold** |
| winerey | **win·ery** | witicism | **wit·ti·cism** |
| winfall | **wind·fall** | witnes | **wit·ness** |
| winlass | **wind·lass** (winch) | witth | **width** |
| winner | **win·ter** (cold season) | wittle | **whit·tle** |
| winney | **whin·ny** (neigh) | wity | **wit·ty** |
| winow | **win·now** | wizdom | **wis·dom** |
| | | wizerd | **wiz·ard** |

| WRONG | RIGHT | WRONG | RIGHT |
|---|---|---|---|
| wobbley | **wob·bly** | worn | **warn** *(caution)* |
| woble | **wob·ble** | worp | **warp** |
| wock | **wok** *(pan)* | worrant | **war·rant** |
| wodding | **wad·ding** *(stuffing)* | worrysome | **wor·ri·some** |
| woddle | **wad·dle** *(toddle)* | wort | **wart** *(blemish)* |
| woffel | **waf·fle** | worthey | **wor·thy** |
| woft | **waft** *(float)* | wort hog | **wart hog** |
| wok | **walk** *(stroll)* | worthwile | **worth·while** |
| woll | **wall** | wosh | **wash** |
| woman | **wom·en** *(pl.)* | wosp | **wasp** |
| women | **wom·an** *(sing.)* | wossel | **was·sail** |
| won | **one** *(a unit)* | wott | **watt** |
| won | **wan** *(pale; feeble)* | wottle | **wat·tle** *(fold of skin)* |
| wonder | **wan·der** *(stray)* | woud | **would** *(aux.v.)* |
| wonderous | **won·drous** | wouden | **wouldn't** *(would not)* |
| wont | **won't** *(will not)* | wrak | **rack** *(framework)* |
| wont | **want** *(lack)* | wrak | **wrack** *(torment)* |
| wonton | **wan·ton** *(unjustifiable)* | wrangel | **wran·gle** |
| woodden | **wood·en** | wraping | **wrap·ping** |
| woolf | **wolf** | wreak | **reek** *(smell)* |
| wooly | **wool·ly** | wreath | **wreathe** *(to encircle)* |
| woom | **womb** | wreathe | **wreath** *(a band)* |
| Woostershire | **Worces·ter·shire** | wreckedge | **wreck·age** |
| woozey | **woozy** | wreckless | **reck·less** |
| worble | **war·ble** | wreeth | **wreath** *(a band)* |
| worden | **war·den** | wressle | **wres·tle** |
| wordey | **wordy** | wrestleing | **wres·tling** |
| workible | **work·a·ble** | wretch | **retch** *(vomit)* |
| worl | **whorl** *(fingerprint design)* | wrigle | **wrig·gle** |
| worldley | **world·ly** | wrinkel | **wrin·kle** |
| wormth | **warmth** | write | **right** *(correct)* |
| | | writen | **writ·ten** |

| WRONG | RIGHT | WRONG | RIGHT |
|---|---|---|---|
| writting | **writ·ing** | yashiva | **ye·shi·va** |
| wrote | **rote** *(routine)* | yaun | **yawn** *(open the mouth wide)* |
| wrung | **rung** *(crossbar)* | yeer | **year** |
| wry | **rye** *(grain)* | yeest | **yeast** |
| wunce | **once** | yeild | **yield** |
| wundrous | **won·drous** | yellowey | **yel·lowy** |
| wurd | **word** | yesheva | **ye·shi·va** |
| wurld | **world** | yestirday | **yes·ter·day** |
| wurm | **worm** | yew | **ewe** *(female sheep)* |
| wurry | **wor·ry** | yewe | **yew** *(evergreen)* |
| wurse | **worse** | Yidish | **Yid·dish** |
| wurship | **wor·ship** | yodle | **yo·del** |
| wurst | **worst** | yogert | **yo·gurt** |
| wurth | **worth** | yogey | **yo·gi** *(yoga practicer)* |
| wuz | **was** | yogi | **yo·ga** *(exercises)* |
| | | yoke | **yolk** *(part of an egg)* |
| **X** | | yokle | **yo·kel** |
| X-rey | **X-ray** | yolk | **yoke** *(harness)* |
| xylaphone | **xy·lo·phone** | yoman | **yeo·man** |
| | | yon | **yawn** *(open the mouth wide)* |
| **Y** | | yool | **yule** *(Christmas)* |
| | | yore | **you're** *(you are)* |
| yack | **yak** *(animal)* | yore | **your** *(poss.)* |
| yaht | **yacht** | you | **ewe** *(female sheep)* |
| yaking | **yak·king** *(talking)* | you | **yew** *(evergreen)* |
| yamaka | **yar·mul·ke** | you'l | **you'll** *(you will)* |
| yamer | **yam·mer** | your | **you're** *(you are)* |
| yander | **yon·der** | you're | **your** *(poss.)* |
| Yankie | **Yan·kee** | your's | **yours** |
| yardege | **yard·age** | yowel | **yowl** |
| yarmulka | **yar·mul·ke** | | |

| WRONG | RIGHT | WRONG | RIGHT |
|---|---|---|---|
| Yugaslavia | **Yugo·sla·via** | zigote | **zy·gote** |
| yukka | **yuc·ca** | zigurat | **zig·gu·rat** |
| yull | **yule** (Christmas) | zigzaged | **zig·zagged** |
| yull | **you'll** (you will) | zilion | **zil·lion** |
| yungster | **young·ster** | ziltch | **zilch** |
| yurn | **yearn** | zinfundel | **zin·fan·del** |
| yuth | **youth** | zink | **zinc** |
| | | zinnea | **zin·nia** |

## Z

| WRONG | RIGHT | WRONG | RIGHT |
|---|---|---|---|
| | | ziper | **zip·per** |
| | | zirkon | **zir·con** |
| zaney | **za·ny** | ziro | **ze·ro** |
| Zavier | **Xa·vi·er** | zithur | **zith·er** |
| zealet | **zeal·ot** | zoalogy | **zo·ol·o·gy** |
| zealus | **zeal·ous** | zodiak | **zo·di·ac** |
| zeanith | **ze·nith** | zomby | **zom·bie** |
| zeel | **zeal** | zoneing | **zon·ing** |
| zefyr | **zeph·yr** | zonel | **zon·al** |
| zelot | **zeal·ot** | zoologecal | **zo·o·log·i·cal** |
| zenia | **zin·nia** | zuccini | **zuc·chi·ni** |
| zepelin | **zep·pe·lin** | Zues | **Zeus** |
| zepher | **zeph·yr** | Zurick | **Zur·ich** |
| zeppalin | **zep·pe·lin** | zweeback | **zwie·back** |
| zercon | **zir·con** | zylophone | **xy·lo·phone** |